Les Chevaliers d'Émeraude

TOME XII
Irianeth

Du même auteur

Parus

- *Qui est Terra Wilder ?*
- *Les Chevaliers d'Émeraude*
  - *tome I : Le feu dans le ciel*
  - *tome II : Les dragons de l'Empereur Noir*
  - *tome III : Piège au Royaume des Ombres*
  - *tome IV : La princesse rebelle*
  - *tome V : L'île des Lézards*
  - *tome VI : Le journal d'Onyx*
  - *tome VII : L'enlèvement*
  - *tome VIII : Les dieux déchus*
  - *tome IX : L'héritage de Danalieth*
  - *tome X : Représailles*
  - *tome XI : La justice céleste*

Anne Robillard

Les Chevaliers d'Émeraude

TOME XII
Irianeth

Éditions de Mortagne

Données de catalogage avant publication (Canada)

Robillard, Anne

Les Chevaliers d'Émeraude

Sommaire : t. 12. Irianeth.

ISBN 978-2-89074-692-3 (v. 12)

I. Titre. II. Titre: Irianeth

PS8585.O325C43 2002   C843'.6   C2002-941612-4
PS9585.O325C43 2002

Édition
Les Éditions de Mortagne
Case postale 116
Boucherville (Québec)
J4B 5E6

Distribution
Tél. : 450 641-2387
Téléc. : 450 655-6092
Courriel : info@editionsdemortagne.com

Tous droits réservés
Les Éditions de Mortagne
© Ottawa 2008

Dépôt légal
Bibliothèque nationale du Canada
Bibliothèque nationale du Québec
Bibliothèque Nationale de France
4e trimestre 2008

ISBN : 978-2-89074-692-3

1 2 3 4 5 – 08 – 12 11 10 09 08

Imprimé au Canada

Nous reconnaissons l'aide financière du gouvernement du Canada par l'entremise du Programme d'aide au développement de l'industrie de l'édition (PADIÉ) et celle du gouvernement du Québec par l'entremise de la Société de développement des entreprises culturelles (SODEC) pour nos activités d'édition. Gouvernement du Québec – Programme de crédit d'impôt pour l'édition de livres – Gestion SODEC.

REMERCIEMENTS

Nous voici arrivés à la conclusion de cette grande aventure, mais est-ce vraiment la fin ? Vous m'avez fait savoir, lors de mes conférences, des séances de dédicaces, des salons du livre, par courriel et par courrier, que vous ne vouliez pas que la saga prenne fin. Je vous ai écoutés et je vous ai lus, puis j'ai longuement réfléchi. J'ai alors constaté que j'étais tout aussi attachée que vous à tous ces merveilleux personnages et une nouvelle idée a commencé à germer...

Il y a tellement de gens que je voudrais remercier : ma mère, ma famille, mes vrais amis, Vivianne et Raymond de mon Dream Team, les Éditions de Mortagne, Prologue, Annie Pronovost, réviseure extraordinaire, tous les journalistes qui m'ont donné un bon coup de pouce, Cindy Girard qui s'occupe du bureau pour me donner le temps d'écrire, Sire Hadrian, mon inspiration quotidienne, Elsa, ma petite sœur spirituelle, tous ceux qui ont travaillé de près ou de loin à la création de produits qui vous feraient plaisir, Faeria, Jean-Pierre Lapointe, Catherine Mathieu, Francis Cadieux, Mbiance, Jo Ann Champagne, Marie-Julie Durand, Geneviève Comtois, Martial Grisé, David Girard, Sylvie Desgagné, Stéphanie Chabot.

Aux comédiens qui donnent vie à mes personnages : Pierre-Luc Aubin, Gabrielle Bergeron, Anne Cadotte-Lachance, Marie-Jeanne Chaplain-Corriveau, Valérie Chartier, Karyn Décarie, Claude Gauthier, Nicolas Gendron, Marilyn Geoffroy-Lambert, Cindy Girard, Martial Grisé, Mathieu Hébert, Mélanie Laberge, Vincent Labadie, Yanic Lamy, Josée-Anne Lalonde, Francis Lamarre, Sophie Larivière-Mantha, Jean-Sébastien Lavoie-Collin, Julie Laverdière, Martyne Leroux, Alex Levesque-Labrèche, Kristina Lozanova, Miguel Marceau, Maxime Matte, Stéphane Matte, Nathalie Martineau, Réal Martineau, Guillaume Monty, Jean Paré, Éric Parent, Sébastien Pilon, Roger Rochon, Frank Rothery, Josiane Roy, Sébastien Sauvé, Émilie Simard, Marie-Perle Séguin,

Francis Slykhuis-Landry, Vladimir Victor et à tous ceux qui joindront leurs rangs, merci mille fois de faire naître des étoiles dans les yeux de mes lecteurs.

Merci aussi à tous mes lecteurs, ici et ailleurs. Vos témoignages et vos encouragements me réchauffent le cœur.

Et surtout, un gros, gros merci à ma sœur Claudia, sans qui cette série n'aurait jamais vu le jour.

À tous : Courage, Honneur et Justice

DANALIRYH ET SES FILLES DINATH ET ARIANE

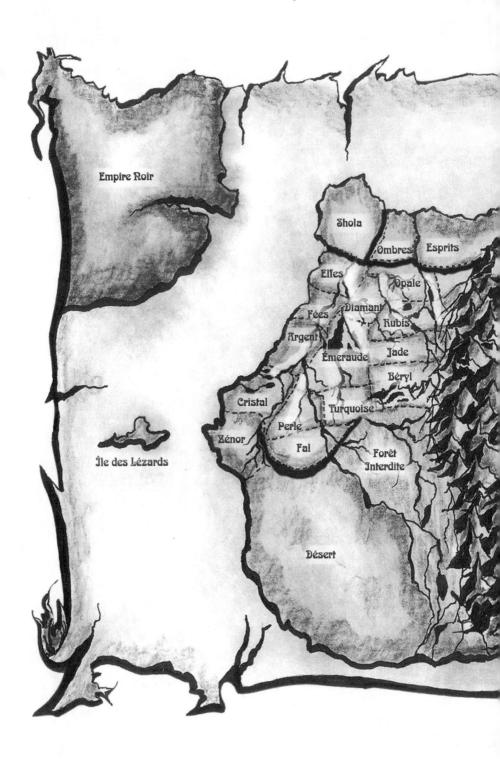

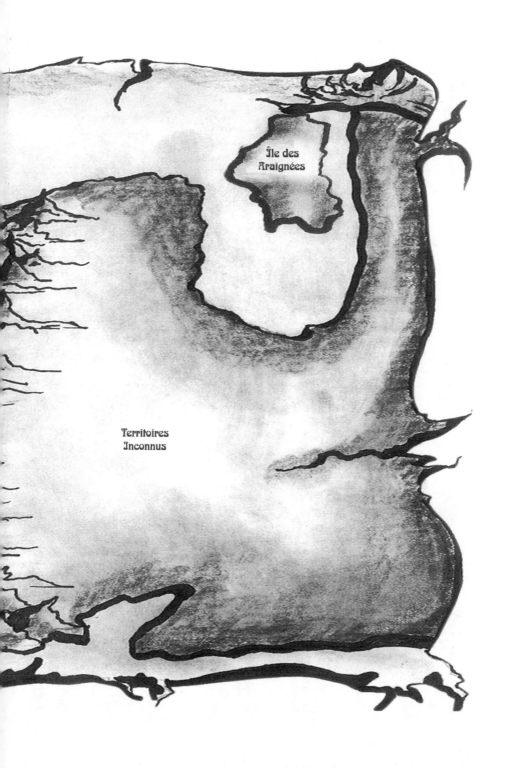

L'ORDRE
PREMIÈRE GÉNÉRATION
DES CHEVALIERS D'ÉMERAUDE

~

CHEVALIER BERGEAU

✧

CHEVALIER CHLOÉ

✧

CHEVALIER DEMPSEY

✧

CHEVALIER FALCON

✧

CHEVALIER JASSON

✧

CHEVALIER SANTO

~

L'ORDRE
DEUXIÈME GÉNÉRATION
DES CHEVALIERS D'ÉMERAUDE

~

CHEVALIER BRIDGESS

✧

CHEVALIER KERNS

✧

CHEVALIER KEVIN

✧

CHEVALIER NOGAIT

✧

CHEVALIER WANDA

✧

CHEVALIER WIMME

~

L'ORDRE
TROISIÈME GÉNÉRATION
DES CHEVALIERS D'ÉMERAUDE

~

CHEVALIER ARIANE

✧

CHEVALIER BRENNAN

✧

CHEVALIER COLVILLE

✧

CHEVALIER CORBIN

✧

CHEVALIER CURTIS

✧

CHEVALIER DEREK

✧

CHEVALIER HETTRICK

✧

CHEVALIER KAGAN

✧

CHEVALIER KIRA

✧

CHEVALIER MILOS

✧

CHEVALIER MORGAN

✧

CHEVALIER MURRAY

✧

CHEVALIER PENCER

✧

CHEVALIER SWAN

~

L'ORDRE
QUATRIÈME GÉNÉRATION
DES CHEVALIERS D'ÉMERAUDE

CHEVALIER AKERS

❖

CHEVALIER ALISEN

❖

CHEVALIER AMAX

❖

CHEVALIER ARCA

❖

CHEVALIER ATALL

❖

CHEVALIER BAILEY

❖

CHEVALIER BIANCHI

❖

CHEVALIER BOTTI

❖

CHEVALIER BRANNOCK

❖

CHEVALIER CALLAAN

❖

CHEVALIER CARLO

❖

CHEVALIER CHESLEY

❖

CHEVALIER DAIKLAN

❖

CHEVALIER DAVIS

❖

CHEVALIER DIENELT

❖

CHEVALIER DILLAWN

❖

CHEVALIER DREWRY

❖

CHEVALIER DYKSTA

❖

CHEVALIER FABRICE

❖

CHEVALIER FOSSELL

❖

CHEVALIER GABRELLE

❖

CHEVALIER HEILDER

❖

CHEVALIER HERRIOR

❖

CHEVALIER HIALL

❖

CHEVALIER IZZLY

❖

CHEVALIER JANA

❖

CHEVALIER JOSLOVE

❖

CHEVALIER KISILIN

❖

CHEVALIER KOWAL

❖

CHEVALIER KRUSE

❖

chevalier kumitz

✧

chevalier lornan

✧

chevalier madier

✧

chevalier maïwen

✧

chevalier offman

✧

chevalier prorok

✧

chevalier randan

✧

chevalier reiser

✧

chevalier robyn

✧

chevalier romald

✧

chevalier salmo

✧

chevalier sheehy

✧

chevalier sherman

✧

chevalier silvess

✧

chevalier ursa

✧

chevalier volpel

✧

chevalier winks

✧

chevalier yamina

✧

chevalier yann

✧

chevalier zane

✧

chevalier zerrouk

L'ORDRE
CINQUIÈME GÉNÉRATION
DES CHEVALIERS D'ÉMERAUDE

CHEVALIER ADA
✧
CHEVALIER AIDAN
✧
CHEVALIER ALWIN
✧
CHEVALIER BANKSTON
✧
CHEVALIER BENSON
✧
CHEVALIER CAMILLA
✧
CHEVALIER DANSEN
✧
CHEVALIER DEAN
✧
CHEVALIER DREW
✧
CHEVALIER DUNKEL
✧
CHEVALIER ELLIE
✧
CHEVALIER FRANCIS
✧
CHEVALIER FRANKLIN
✧
CHEVALIER GIBBS
✧
CHEVALIER HARRISON
✧

CHEVALIER IVY
✧
CHEVALIER JONAS
✧
CHEVALIER KELLY
✧
CHEVALIER KOSHOF
✧
CHEVALIER LAVANN
✧
CHEVALIER LINNEY
✧
CHEVALIER MANN
✧
CHEVALIER MARA
✧
CHEVALIER MOHER
✧
CHEVALIER NELSON
✧
CHEVALIER NURIK
✧
CHEVALIER PHELAN
✧
CHEVALIER PIERCE
✧
CHEVALIER POLASS
✧
CHEVALIER QUILL
✧

chevalier radama

✧

chevalier rainbow

✧

chevalier rupert

✧

chevalier sagwee

✧

chevalier stone

✧

chevalier terri

✧

chevalier yancy

L'Ordre

Sixième Génération
des Chevaliers d'Émeraude

Chevalier Akarina

❖

Chevalier Aldian

❖

Chevalier Alex

❖

Chevalier Ali

❖

Chevalier Allado

❖

Chevalier Ambre

❖

Chevalier Analia

❖

Chevalier Andaraniel

❖

Chevalier Anton

❖

Chevalier Atalée

❖

Chevalier Aurelle

❖

Chevalier Bansal

❖

Chevalier Bathide

❖

Chevalier Bélonn

❖

Chevalier Brianna

❖

Chevalier Brit

❖

Chevalier Célan

❖

Chevalier Chariff

❖

Chevalier Cidia

❖

Chevalier Cilian

❖

Chevalier Coralie

❖

Chevalier Cristelle

❖

Chevalier Cyril

❖

Chevalier Dalvi

❖

Chevalier Daviel

❖

Chevalier Deleska

❖

Chevalier Dianjin

❖

Chevalier Dollyn

❖

Chevalier Domenec

❖

Chevalier Donatey

❖

chevalier edessa

✧

chevalier émélianne

✧

chevalier esko

✧

chevalier falide

✧

chevalier fanelle

✧

chevalier fideka

✧

chevalier filip

✧

chevalier goran

✧

chevalier haspel

✧

chevalier héliante

✧

chevalier horacio

✧

chevalier indya

✧

chevalier ivanko

✧

chevalier jaake

✧

chevalier jakobe

✧

chevalier jaromir

✧

chevalier jenifael

✧

chevalier jinann

✧

chevalier jolain

✧

chevalier julia

✧

chevalier kaled

✧

chevalier keiko

✧

chevalier kilimiris

✧

chevalier lassa

✧

chevalier léode

✧

chevalier liam

✧

chevalier lianan

✧

chevalier loreli

✧

chevalier madul

✧

chevalier malède

✧

chevalier marika

✧

chevalier maryne

✧

chevalier maxense

✧

chevalier mercass

✧

chevalier mérine

✧

chevalier michal

✧

CHEVALIER MYUNG

❖

CHEVALIER NÉDA

❖

CHEVALIER NIKELAI

❖

CHEVALIER NOAH

❖

CHEVALIER NOÉMIE

❖

CHEVALIER NORIKOFF

❖

CHEVALIER NOVA

❖

CHEVALIER ODÉLIE

❖

CHEVALIER ONILL

❖

CHEVALIER ORLANDO

❖

CHEVALIER OSAN

❖

CHEVALIER OTYLO

❖

CHEVALIER PARISE

❖

CHEVALIER PÉRIN

❖

CHEVALIER PHILIN

❖

CHEVALIER QILLIANG

❖

CHEVALIER RANAYELLE

❖

CHEVALIER ROMY

❖

CHEVALIER RYUN

❖

CHEVALIER SAHILL

❖

CHEVALIER SAPHORA

❖

CHEVALIER SÉDANIE

❖

CHEVALIER SHANDINI

❖

CHEVALIER SHANGWI

❖

CHEVALIER SHIZUO

❖

CHEVALIER SHUHEI

❖

CHEVALIER SLADEK

❖

CHEVALIER SORA

❖

CHEVALIER SYMILDE

❖

CHEVALIER SYRIAN

❖

CHEVALIER TARA

❖

CHEVALIER TAZYEL

❖

CHEVALIER TÉDÉENNE

❖

CHEVALIER THALIE

❖

CHEVALIER THÉA

❖

CHEVALIER TIDIAN

❖

CHEVALIER TIVADOR

❖

CHEVALIER TOMASO

❖

CHEVALIER UHWAN

❖

CHEVALIER VALICI

❖

CHEVALIER VASSILIOS

❖

CHEVALIER VÉLARIA

❖

CHEVALIER VIYAY

❖

CHEVALIER WAXIM

❖

CHEVALIER XÉLI

❖

CHEVALIER XION

❖

CHEVALIER ZANDOR

❖

CHEVALIER ZORAN

~

PROLOGUE

Dans le premier tome, *Le feu dans le ciel*, le Roi Émeraude Ier ressuscite un ancien ordre de chevalerie afin de protéger le continent d'Enkidiev contre les nouvelles tentatives d'invasion d'Amecareth, empereur du continent d'Irianeth et seigneur des hommes-insectes. Dotés de pouvoirs magiques, les nouveaux Chevaliers d'Émeraude sont enfin prêts à combattre l'ennemi.

La Reine Fan de Shola se présente au château qui les abrite et confie à Émeraude Ier sa fille Kira, l'enfant mauve alors âgée de deux ans. Wellan, le chef des Chevaliers, tombe amoureux de Fan, mais le Royaume de Shola subit le premier les attaques féroces des dragons de l'Empereur Noir et tous les Sholiens, y compris la belle reine, sont massacrés.

Les Chevaliers parcourent alors Enkidiev afin de trouver des volontaires pour creuser les pièges qui stopperont l'assaut des monstres.

Le deuxième tome, *Les dragons de l'Empereur Noir*, commence sept années plus tard. Maintenant âgée de neuf ans, Kira désire plus que tout au monde devenir Écuyer. Mais pour l'empêcher de devenir une cible facile pour Amecareth, Wellan et le magicien Élund refusent sa candidature.

Décidant de prendre son destin en main, la princesse mauve conjure le défunt Roi Hadrian d'Argent, jadis chef des anciens Chevaliers d'Émeraude, afin qu'il lui apprenne le maniement des armes.

Pendant ce temps, les dragons d'Amecareth s'infiltrent sur le territoire d'Enkidiev sous forme d'œufs flottant jusqu'aux berges de ses nombreuses rivières, où ils éclosent. Au même moment, Asbeth, le sorcier recouvert de plumes de l'empereur, s'attaque aux Chevaliers.

Comprenant qu'il ne pourra pas le vaincre à l'aide de ses seuls pouvoirs, Wellan se rend au Royaume des Ombres pour y recevoir l'enseignement des maîtres magiciens. Il y découvre des hybrides conçus par Amecareth et protégés par l'Immortel Nomar, qui veut s'assurer que leur père insecte ne les retrouve jamais.

Pendant que Wellan apprend à maîtriser de nouvelles facultés magiques, ses frères et ses sœurs d'armes traquent Asbeth dans les forêts du continent. Le sorcier s'empare alors du corps d'un jeune Elfe et conduit les Chevaliers sur le bord de l'océan pour les y anéantir. Mais, de retour de son exil dans le monde souterrain, Wellan fait échouer les plans de l'homme-oiseau.

Dans le troisième tome, *Piège au Royaume des Ombres*, Kira a quinze ans et ressent les premiers frémissements de l'adolescence. Elle réalise son rêve le plus cher : elle devient enfin Écuyer d'Émeraude.

Ressentant le besoin de s'unir à une compagne, Jasson et Bergeau se marient, imitant ainsi leurs compagnons Dempsey, Chloé et Falcon.

Au moment où Wellan visite le Royaume d'Argent, une magnifique pluie d'étoiles filantes signale la naissance du porteur de lumière, personnage central de la prophétie qui prédit la fin du règne d'Amecareth. L'Immortel Abnar, chargé par les dieux de veiller sur les humains, ramène aussitôt le bébé à Émeraude afin de s'occuper de lui.

Sur la plage d'Argent, la Reine Fan apparaît à Wellan pour l'avertir que les troupes d'Amecareth convergent vers Zénor. Tous les Chevaliers s'y rassemblent en vitesse. C'est après avoir éliminé seule les dragons de l'ennemi que Kira découvre finalement ses origines. Mais elle n'a pas le temps de s'apitoyer sur son sort, car les Chevaliers doivent répondre à un appel de détresse en provenance du Royaume des Ombres.

Aux abords du cratère de ce vaste pays recouvert de glace, Wellan est victime d'un sortilège d'Asbeth, qui a survécu à leur dernier duel et qui entend se venger. Ayant incendié le sanctuaire des hybrides, le sorcier poursuit impitoyablement la princesse mauve dans les galeries. Au moment où elle s'échappe sur les plaines enneigées de Shola, Asbeth est finalement neutralisé par la puissante magie de Nomar.

Ayant accompli leur mission, les Chevaliers rentrent à Émeraude, sans se rendre compte que le jeune Sage qu'ils ramènent avec eux est possédé par l'esprit vengeur du Chevalier Onyx. Sous les traits du jeune paysan innocent, le renégat prononce le serment d'Émeraude dans le château où il a jadis failli perdre la vie et rassemble les objets qui lui redonnent ses pouvoirs d'antan.

Dans le quatrième tome, *La princesse rebelle*, Kira, âgée de dix-neuf ans, devient enfin Chevalier et épouse Sage d'Émeraude, ignorant qu'il est possédé par l'esprit du renégat Onyx. Lorsque ce dernier se décide enfin à se venger d'Abnar, Wellan et les Chevaliers d'Émeraude doivent déployer toute leur force pour l'empêcher de détruire leur allié Immortel. Ils sont alors stupéfiés de constater la puissance qu'Abnar a jadis accordée aux anciens soldats de l'Ordre.

Une fois redevenu lui-même, Sage doit faire face à une vie dont il n'a aucun souvenir, mais Kira lui apprend patiemment tout ce qu'il doit savoir. Soumis à nouveau aux épreuves magiques d'Élund, le jeune guerrier démontre qu'il a toujours de grands pouvoirs, mais qu'il ne sait pas comment les utiliser. Il reviendra donc à Wellan de le guider.

Au milieu des célébrations organisées en l'honneur de Parandar, le chef des dieux, un homme agonisant se précipite dans la grande cour du Château d'Émeraude et annonce aux Chevaliers que des créatures inconnues dévastent la côte. N'écoutant que leur cœur, les valeureux soldats se précipitent au secours des villages éprouvés. Ils découvrent que des hommes-lézards ont enlevé les femmes et les fillettes du Royaume de Cristal et qu'ils continuent de remonter la côte. Les Chevaliers leur tendent donc un piège au Royaume d'Argent et les repoussent vers la mer.

De retour au château, Wellan épouse enfin Bridgess. Après la grande fête donnée en leur honneur, ils s'échappent d'Émeraude pour aller passer quelques jours seuls sur le bord de l'océan.

Dans le cinquième tome, *L'Île des Lézards*, guidés par leur courage et leur sens de la justice, les Chevaliers d'Émeraude se lancent au secours des femmes et des fillettes kidnappées au Royaume de Cristal par les lézards et emportées sur leur île lointaine.

Wellan n'emmène avec lui que quelques-uns de ses soldats, consternant les autres, qui devront rester de garde à Zénor. Les Chevaliers d'Émeraude s'embarquent donc pour cette périlleuse mission, accompagnés du Magicien de Cristal.

Pendant ce temps, dans les ruines du Château de Zénor, Dempsey prend en charge les jeunes Chevaliers et les Écuyers. Ils y affrontent un nouveau serviteur de l'Empereur Noir, encore plus cruel que le sorcier Asbeth. Wellan ayant défendu à ses soldats de communiquer avec lui tandis qu'il s'infiltre sur l'île des lézards, Dempsey et ses frères d'armes affrontent seuls cette nouvelle menace.

Dans le sixième tome, *Le journal d'Onyx*, le Chevalier Wellan découvre grâce à Kira le journal du renégat Onyx, dans lequel il apprend le sort qui sera réservé à ses propres soldats si l'Empereur Noir décide d'adopter la même stratégie militaire que jadis. Effrayé, il tente d'acculer le Magicien de Cristal au pied du mur afin d'obtenir de plus grands pouvoirs magiques.

Pendant ce temps, lancées par le sorcier Asbeth, des abeilles géantes attaquent Enkidiev et les Chevaliers doivent une fois de plus se porter au secours des habitants de toute la côte. Durant l'opération de sauvetage, Wellan règle définitivement ses comptes avec le Roi des Elfes. C'est aussi dans cette belle forêt que les dieux offrent à Bridgess et Wellan l'enfant qu'ils ne pouvaient concevoir.

De retour de cette campagne militaire, c'est un conflit diplomatique qui attend le grand chef de l'Ordre au Château d'Émeraude, car le Chevalier Nogait est amoureux de la Princesse des Elfes.

Dans le septième tome, *L'enlèvement*, la mort du magicien Élund chagrine tous les habitants du Château d'Émeraude. Conformément aux volontés de son ancien maître, Wellan remet les lettres qu'il a écrites à certains des Chevaliers et prononce son dernier discours. Il découvre aussi que le mage lui a légué un curieux bijou. Ce n'est qu'en démasquant une fois de plus Onyx dans le corps de Farrell que Wellan parvient à utiliser ce cadeau. Grâce au médaillon de Danalieth, le grand Chevalier apprend que son père se meurt aussi et il s'empresse de se rendre à son chevet avec toute sa famille.

Pendant que Fan presse Kira de terminer ses études magiques auprès des dieux, Asbeth prépare un autre plan diabolique, avec l'assentiment de l'Empereur Noir. Le sorcier déclenche une attaque sur la côte d'Enkidiev et réussit à s'emparer du Chevalier Kevin, qu'il surveillait depuis longtemps dans son chaudron ensorcelé.

C'est à ce moment que Wellan comprend que la puissante magie et les connaissances d'Onyx sont des atouts pour les Chevaliers dans cette guerre. Avec son aide, il réussit à arracher Kevin des griffes des hommes-insectes, mais il est trop tard : Kevin a déjà été empoisonné et il représente un grand danger pour les siens. C'est Onyx qui intervient cette fois encore pour le soigner. Mais les connaissances du renégat ont des limites et la transformation de Kevin devient inévitable.

Dans le huitième tome, *Les dieux déchus*, Wellan doit affecter les nouveaux Écuyers à des Chevaliers. Il s'aperçoit bien vite qu'il n'y a pas suffisamment de soldats pour tous ces jeunes, surtout que certains de ses hommes n'ont même pas terminé l'éducation militaire de leurs apprentis adolescents. Afin de venir en aide à son père, Jenifael recrute ses amis Liam et Lassa. Ensemble, ils utilisent un vieux sortilège pour faire vieillir ces Écuyers et augmenter le nombre de maîtres potentiels. Cependant, les trois enfants s'y prennent mal et leur magie perturbe le passage du temps à Émeraude.

Sous prétexte de revoir son village, Onyx reconduit la famille de Sutton au sud d'Émeraude. Il profite de ce séjour pour s'emparer de la griffe de toute-puissance façonnée par Danalieth mais cachée par la déesse Cinn pour empêcher les humains de se l'approprier.

Une fois les choses rentrées dans l'ordre à Émeraude, les Chevaliers procèdent à l'attribution des Écuyers dans la cour du château. Ils sont alors attaqués par des hordes de chouettes maléfiques créées par Akuretari. Heureusement, Onyx veille. Son courage et sa grande magie inciteront le peuple à le proclamer roi.

Dans le neuvième tome, *L'héritage de Danalieth*, les Chevaliers d'Émeraude, alertés par les Elfes, se précipitent dans leur royaume où ils font face à une invasion de scarabées bien différents de ceux qu'ils ont affrontés jusqu'à présent. Ils sont également attaqués par un dragon ailé que commande une curieuse créature à la peau bleue. C'est finalement Liam qui s'aperçoit que les nouveaux insectes se réfugient sous la terre pour échapper à leurs épées.

Onyx déniche un recueil ancien qui explique l'utilisation de trois des armes créées par Danalieth. Il arrive même à persuader Wellan de s'emparer de l'une d'elles en lui disant qu'ensemble, ils parviendront à triompher de tous leurs ennemis.

Atlance réussit à s'échapper des griffes d'Akuretari grâce à Jahonne, la mère de Sage, elle aussi emprisonnée par le dieu déchu. L'enfant est aussitôt confié à Armène, qui ne devra plus le laisser sortir de sa tour.

Pendant les combats, les Chevaliers perdent un courageux soldat aux mains des guerriers noirs. Tandis que les Fées emmènent le corps du capitaine Kardey, un homme tombe du ciel dans la cour du Château d'Émeraude. Ses habitants finissent par comprendre qu'il s'agit d'Hadrian d'Argent. Éplorée, Ariane se rend au royaume de son père afin de rendre un dernier hommage à son époux. Elle découvre que le Roi Tilly a réussi à ranimer Kardey en le changeant en Fée et que ce sont les hommes qui portent les enfants dans ce pays magique. Kardey porte en effet leur premier enfant.

Onyx part à la recherche du troisième instrument de pouvoir avec Wellan et Hadrian. Dans la forêt de Turquoise, ils trouvent Danalieth, qui s'y cache depuis des siècles. Malheureusement pour les humains, l'Immortel a déjà fait cadeau des bracelets de foudre à sa propre fille.

Bien décidé à venger l'enlèvement de son fils, Onyx se rend seul dans le nouvel antre d'Akuretari. Il n'arrive pas à vaincre le dieu perfide, mais il parvient tout de même à déménager la prison d'Abnar sous le palais d'Émeraude, où le pauvre Immortel devra demeurer jusqu'à ce que le Roi d'Émeraude trouve une façon de l'en extirper.

Pendant les festivités marquant les mariages de Santo et du magicien Hawke, les habitants du château sont de nouveau attaqués par un dragon ailé, qui enlève Sage.

Dans le dixième tome, *Représailles*, presque au terme de leur incubation, les larves s'apprêtent à sortir de leur sommeil. Après avoir savouré quelques années de paix, les Chevaliers doivent donc se préparer à débarrasser Enkidiev de ce nouveau fléau.

Hadrian, l'ancien Roi d'Argent, devient un personnage de plus en plus important dans la stratégie de défense du continent. Il doit aussi agir à titre de diplomate lorsque son ami Onyx tente de se servir de vieux documents pour s'emparer du Royaume de Diamant.

Le renégat délivre finalement Abnar de sa prison de cristal, mais Hadrian lui fait finalement entendre raison et le prive ainsi de sa vengeance. Enfin libre, Abnar retourne vers ses maîtres célestes pour leur raconter ce qui se passe dans le monde des hommes.

Comme si le réveil des larves n'était pas suffisant, l'Empereur Noir, frustré par les incessants déboires de son sorcier, se décide à passer lui-même à l'attaque. Il détruit la tour du magicien Hawke, alors que ses jeunes élèves sont à l'intérieur, et enlève Liam. En tentant d'échapper à son ravisseur, l'Écuyer dégringole des volcans jusque dans les Territoires inconnus, où il est secouru par un peuple de curieux hommes félins. Mais au lieu de l'aider à rentrer chez lui, ils le vendent à des araignées géantes qui raffolent des humains.

Fou de douleur, Onyx cherche à devancer la prophétie pour mettre fin à la guerre. Malheureusement, Akuretari profitera de sa décision insensée pour enlever Kira et l'emprisonner dans le passé.

Dans le onzième tome, *La justice céleste*, Kira, incapable de revenir dans le présent, se lie d'amitié avec les Enkievs, premiers habitants du continent, et elle retrouve l'amour. Alors qu'elle tente de traverser cet Enkidiev primitif afin d'aller tuer l'ancêtre d'Amecareth, elle réalise aussi une vieille prophétie en exterminant tous les dragons.

Pendant ce temps, Akuretari sème la destruction et le chaos dans le monde des mortels avant de s'en prendre à celui des dieux. Ne voyant aucune autre solution pour sauver l'univers, Theandras fait appel au seul homme possédant une arme suffisamment magique pour le suivre dans la mort. C'est grâce à elle que Wellan réussit à anéantir le dieu déchu.

L'Empereur Noir lance une offensive massive sur Enkidiev, qu'il convoite depuis bien longtemps déjà. Cette fois, les Chevaliers reçoivent l'aide de leurs anciens ennemis, les hommes-lézards, pour contrer les attaques. C'est toutefois l'amour du petit Nartrach pour un immense dragon qui retarde les projets de conquête d'Amecareth.

un lourd bilan

Jenifael d'Émeraude avait tant pleuré qu'il ne restait plus une seule larme dans son corps. L'homme qu'elle avait le plus aimé durant sa courte vie était passé dans l'autre monde, celui où les souvenirs s'effaçaient les uns après les autres. « Mon père me reconnaîtra-t-il lorsque ce sera mon tour de franchir les portes des grandes plaines de lumière ? » s'alarma-t-elle, oubliant qu'elle était une déesse.

En fouillant du bout des doigts dans les cendres de Wellan, elle découvrit les cinq émeraudes qui avaient orné la cuirasse du grand Chevalier et l'anneau que Bridgess lui avait offert. Elle les nettoya avec douceur et les serra dans le creux de sa main. Jamais plus elle ne s'en séparerait.

– Adieu, papa, sanglota-t-elle.

Elle se leva et marcha jusqu'au bord de la falaise, où son maître avait eu la délicatesse de la laisser seule un moment. Les Chevaliers et leurs Écuyers étaient massés sur la plage, devant les ruines de Zénor, attendant le retour des scarabées qui marchaient vers le Désert. Hadrian avait envoyé Falcon s'informer des autres champs de bataille tandis qu'il se préparait à recevoir les hommes-insectes.

Bridgess se tenait au milieu de son propre groupe. Normalement, elle aurait dû succéder à son mari, mais elle ne possédait pas de bracelets magiques. Elle ne pouvait donc pas déplacer sa troupe selon les ordres du nouveau grand commandant.

– Il est temps que les Immortels nous donnent plus de pouvoirs, décida Jenifael en reprenant courage.

En digne fille de son père, elle entendait revendiquer ce droit dès qu'elle serait en présence d'Abnar, de Fan ou de Danalieth. Cette guerre insensée avait assez duré. Il fallait y mettre fin.

Jenifael ? l'appela son maître par télépathie. La jeune apprentie se dématérialisa et réapparut près de Swan.

– Est-ce que ça va ? s'inquiéta la femme Chevalier.

– J'ai le cœur en miettes, mais je tiendrai le coup, pour honorer la mémoire de mon père.

Jenifael inséra les pierres précieuses dans une toute petite pochette qu'elle portait à sa ceinture. Elle examina ensuite sa mère. Stoïque, Bridgess attendait que Hadrian leur explique sa stratégie. L'adolescente considéra le commandant lui-même. L'ancien Roi d'Argent avait du chagrin lui aussi, mais il faisait de gros efforts pour ne pas le laisser paraître. Un peu plus loin, assis sur les fondations de l'ancienne cité, Onyx était plus sombre.

– C'est ici que nous les arrêterons ! proclama Hadrian, d'une voix forte.

Un vortex se forma alors sur la plage et Falcon en émergea en courant, pressé de faire son rapport à ses compagnons. Il leur raconta, en peu de mots, ce qu'il avait vu dans les autres royaumes. Avec l'aide des guetteurs de Cristal, les hommes-lézards avaient réussi à éliminer complètement les guerriers d'Amecareth qui tentaient de traverser leur territoire. Au Royaume d'Argent, le Prince Rhee en avait fait autant.

— Malheureusement, il y a eu des percées chez les Fées et chez les Elfes, laissa tomber Falcon.

— Raison de plus pour détruire les scarabées de Zénor au plus vite, grommela Swan. Il faudra empêcher les autres d'atteindre les Royaumes d'Émeraude, de Diamant et d'Opale.

Onyx tourna la tête vers le sud, attentif. Il percevait quelque chose que les soldats ne captaient pas encore.

— Ils arrivent, annonça-t-il en se levant.

— Dans quel état sont-ils ? voulut savoir Hadrian.

Chloé plaça ses mains sur les tempes de Kevin pour lui transmettre les informations qu'elle recueillait des insectes en utilisant sa magie. Privé de ses facultés surnaturelles, ce soldat ne pouvait que les traduire.

— Ils ont dormi dans le Désert, les informa Kevin, et ils ont eu froid.

— Tiens, ça c'est intéressant, souligna Nogait. Quelqu'un possède-t-il le pouvoir de fabriquer de la glace ?

— On pourrait transporter jusqu'ici celle du Royaume des Ombres, suggéra Cassildey.

Ce n'était pas une mauvaise idée, mais Hadrian ne l'utiliserait qu'en dernier ressort.

– Je peux le faire, affirma Onyx.

– Dans ce cas, conserve ton énergie, car nous pourrions avoir besoin de ce miracle.

L'ancien roi parcourut ses soldats du regard.

– Prenez les places que je vous ai assignées et rappelez-vous que l'ennemi a réussi à pénétrer chez les Fées et les Elfes. Nous n'avons pas de temps à perdre.

Les Chevaliers s'empressèrent d'obéir. Ils formèrent une longue ligne, des ruines du Château de Zénor à celles de la cité abandonnée.

Hadrian se posta près de Falcon et garda Kevin à ses côtés. Le nouveau chef ressentait l'approche des scarabées de la même façon que jadis, soit par une douleur de plus en plus aiguë dans sa poitrine. Hadrian n'avait jamais douté de la bienveillance des dieux. Ils avaient subtilement accordé à Danalieth la permission de le ramener dans le monde des vivants, il le savait. Les dieux ne faisaient rien sans raison. Hadrian avait encore un rôle à jouer dans cette vie et ce n'était pas uniquement de freiner les ardeurs du renégat.

Il jeta un coup d'œil inquisiteur à son ancien lieutenant. Près de Swan, Onyx se tenait sur ses gardes. Il était prêt à se battre. Une nouvelle fureur s'était installée dans son cœur, sourde celle-là, mais non moins dangereuse. Elle ne transparaissait pas dans ses gestes ni dans son comportement, mais on pouvait la déceler dans ses yeux pâles. Lui aussi voulait en finir une fois pour toutes avec cette interminable guerre.

Surtout, aucun geste précipité, ordonna Hadrian. *Laissez-les approcher.*

Jusqu'où ? voulut savoir Nogait. *Je vous le ferai savoir lorsqu'ils seront à notre portée*, répliqua le nouveau commandant.

Abnar apparut tout à coup devant Hadrian et le salua d'un bref mouvement de la tête.

– D'autres embarcations arrivent de l'ouest, annonça-t-il. L'empereur les envoie par vagues successives.

– On n'avait vraiment pas besoin d'autres adversaires, grommela Bergeau.

Hadrian n'entendit pas son commentaire. Il réfléchissait déjà à la façon de mener en même temps une attaque contre les scarabées revenant du Désert et contre ceux qui allaient bientôt débarquer sur le continent.

– Où mettront-ils pied à terre ? s'enquit-il.

– Sur les plages de Cristal et de Zénor, si le vent ne change pas de direction.

– Le mieux serait de les empêcher d'atteindre la côte, fit remarquer Santo.

– Mais tout le monde sait que les Immortels ne peuvent pas intervenir directement lors des assauts de l'ennemi, maugréa Bridgess.

– Il serait peut-être temps de nous accorder les pouvoirs que mon père vous a si longtemps réclamés, intervint Jenifael.

Les apprentis n'étaient pas censés s'adresser à leurs aînés sans y avoir été invités, mais Swan ne sévit pas. En fait, elle était curieuse de voir ce que le Magicien de Cristal répondrait à la petite déesse.

– Mes mains sont liées, confessa-t-il.

Jenifael allait lui suggérer de s'adresser à Theandras, sa véritable mère, qui ne demeurerait certes pas insensible à leur sort, lorsque Danalieth et Fan surgirent de chaque côté d'Abnar. Il ne leur fallut qu'un seul coup d'œil du côté de l'océan pour comprendre que les Chevaliers étaient en difficulté.

– Pouvez-vous détruire cette flotte ? les sollicita Hadrian.

– Aucun Immortel n'a le droit de détruire la vie, expliqua Danalieth, mais rien ne les empêche de jeter des obstacles sur la route d'un ennemi. Je crois que nous pourrions créer des récifs sur lesquels ces infortunés marins briseraient leurs embarcations.

– Il est dangereux de soulever le fond de la mer, rétorqua Hadrian. Ce phénomène pourrait en engendrer d'autres, plus terribles encore.

Onyx observait les Immortels avec des yeux chargés de rancune. D'une seconde à l'autre, il allait exploser de colère.

– *Nous pourrions utiliser les vents*, proposa Fan, *mais l'envahisseur débarquerait ailleurs.*

– Faites pour le mieux, accepta finalement l'ancien roi.

– De toute façon, je préfère affronter un raz-de-marée plutôt qu'un autre millier de ces satanés insectes, lança Bergeau.

– Puis-je faire une suggestion, maître Abnar ? fit Dempsey avec déférence. Si les transformations que vous entendez effectuer sont permanentes, je vous en prie, prévoyez un ou deux points de sortie entre ces récifs pour les pêcheurs de Zénor.

– Nous ferons de notre mieux, répondit l'Immortel, comprenant fort bien qu'il était dans la nature du Bérylois de penser aux moyens de subsistance des autres.

Les trois Immortels se déplacèrent vers la plage à la vitesse d'une flèche. Voyant que ses hommes avaient tourné la tête pour voir ce que feraient ces créatures surnaturelles, Hadrian utilisa aussitôt ses facultés télépathiques pour les rappeler à l'ordre. Les scarabées argentés approchaient rapidement par le sud et ils devaient être prêts à les arrêter. Justement, au loin, un nuage de sable s'élevait.

– Ils ne peuvent pas avoir passé la nuit dans le Désert et revenir au galop vers Zénor ! se découragea Nogait.

– On ne sait rien sur cette espèce, commenta Chloé, près de lui.

La terre se mit à trembler sous les pieds des soldats, qui comprirent que leurs défenseurs divins étaient à l'œuvre. Hadrian jeta un coup d'œil de leur côté, pour s'assurer qu'ils ne risquaient rien pendant l'opération magique. Il s'agissait d'un vieux réflexe de la part d'un homme qui avait participé à une guerre contre des sorciers. Ces derniers les avaient frappés de façon si sournoise cinq cents ans plus tôt...

– Hadrian, on dirait qu'ils sont plus nombreux, remarqua Onyx.

– Ils sont peut-être allés chercher des amis, ricana Nogait.

— Non, affirma Bergeau. Il n'y a pas de scarabées à deux pattes dans le Désert.

— Peuvent-ils avoir creusé des tunnels là-bas aussi ? demanda Keiko.

— Ce n'est pas impossible, admit Hadrian.

Pendant que les Immortels transformaient le relief sous-marin, le sol continuait de remuer, rendant plutôt précaire l'équilibre des unités de combat.

Oubliez le tremblement de terre et concentrez-vous sur votre travail, ordonna Hadrian en captant le malaise de ses troupes.

De l'écume blanche se forma alors au large, tandis que les pics rocheux arrêtaient de croître à la surface de l'eau. Mais le docte Hadrian avait vu juste : en modifiant la forme de la croûte terrestre, les Immortels avaient provoqué d'autres changements géographiques sur le continent. Les volcans à l'est du Royaume de Jade éclatèrent de fureur, lançant des jets de lave très haut dans les airs.

— Je m'en occupe, annonça Danalieth en s'évaporant.

Fan allait le suivre lorsqu'elle fut rappelée d'urgence dans le monde céleste par la déesse de Rubis. Seul Abnar demeura sur la plage pour surveiller l'efficacité de leur intervention.

Les coléoptères n'étaient plus qu'à une faible distance. Les Chevaliers pouvaient déjà entendre les cliquetis métalliques de leurs mandibules.

Préparez-vous ! cria Hadrian dans leurs esprits. *Servez-vous d'abord de votre magie ! Visez leurs yeux !* Les paumes s'allumèrent sur toute la ligne de défense. Même les Écuyers attendaient leurs adversaires de pied ferme. Ils pouvaient maintenant distinguer leurs carapaces, sur lesquelles se reflétaient les rayons du soleil.

Est-ce qu'ils sont assez près ? demanda nerveusement Nogait. *Attendez encore un peu !* leur commanda Hadrian. Il ne servait à rien de gaspiller des rayons incandescents qui n'atteindraient aucune cible et qui chaufferaient à blanc les mains des combattants. À quelques pas d'Hadrian, Onyx ressemblait un chat qui n'attendait que le moment de fondre sur sa proie.

Maintenant ! hurla mentalement Hadrian. Des centaines de faisceaux furent décochés, visant la tête des guerriers argentés. L'éblouissant feu d'artifice sema d'abord la confusion dans les rangs ennemis. Lorsque les rayons incisifs crevèrent les yeux de l'avant-garde, les insectes comprirent ce qu'ils devaient faire. Ils baissèrent la tête et foncèrent sur les soldats vêtus de vert en pointant leurs javelots droit devant.

Les Chevaliers dégainèrent rapidement leurs épées et chargèrent les guerriers-insectes. Dès lors, Hadrian cessa d'observer la bataille pour y participer lui-même. Il para les coups de lance, frappant le visage de ses opposants avec le plat de sa lame, espérant atteindre leurs orbites. Le choc des armes combiné au bruit métallique des mandibules devint bientôt insupportable. Le nouveau commandant aurait aimé savoir comment se débrouillaient les plus jeunes, mais il ne pouvait tout simplement pas porter son attention ailleurs que sur ses propres combats.

La mêlée dura de nombreuses heures et mit les soldats à rude épreuve. Lorsque le dernier scarabée tomba, aux mains de Bergeau, une odeur pestilentielle s'élevait du champ de bataille. Haletant et fourbu, Hadrian pivota lentement sur lui-même en sondant le carnage. C'est alors qu'il constata que beaucoup des siens avaient subi des blessures. Leurs frères et leurs sœurs d'armes, trop épuisés pour les soigner, s'étaient tout de même penchés sur eux.

Au loin, sur la plage, Hadrian vit la silhouette du Magicien de Cristal, qui avait assisté passivement à l'affrontement.

Pouvez-vous au moins transporter mes soldats dans le hall du Château de Zénor ? lui demanda-t-il par télépathie.

Abnar apparut instantanément près de l'ancien roi.

– Vous y compris ? s'enquit l'Immortel.

– Non. Il faut que quelqu'un reste pour incendier ces cadavres. Nous n'avons vraiment pas besoin d'une épidémie, en ce moment.

– Dans ce cas, ce sera moi.

Il n'eut pas le temps de questionner davantage le Magicien de Cristal sur les restrictions que lui imposaient les dieux. Il se retrouva sur-le-champ dans le hall humide de l'ancienne forteresse des rois de Zénor. Plus de la moitié de ses braves soldats gisaient sur le sol. Certains gémissaient de douleur, d'autres demeuraient silencieux. L'autre moitié des troupes était assise près des blessés. Personne n'avait assez de force pour rester debout. Malgré sa faiblesse, Santo appliquait déjà ses mains magiques sur les plaies de ses frères d'armes.

Hadrian s'aperçut alors qu'il ne voyait Onyx nulle part ! Il chercha Swan du regard et la trouva courbée sur son mari. Le commandant enjamba rapidement les corps qui le séparaient de son ancien lieutenant et s'agenouilla à son côté. Pantelant, Onyx cherchait à arrêter lui-même le sang qui jaillissait de la taillade dans son armure. Exténuée, Swan n'arrivait pas à accumuler suffisamment d'énergie dans ses paumes pour refermer la blessure. Hadrian repoussa les mains de son ami et cautérisa chair, veines et organes.

– Merci, articula péniblement Swan.

Elle se laissa tomber sur le dos près d'Onyx. « Je dois trouver un remontant pour que les bien portants puissent soigner leurs compagnons... », s'alarma le chef. En réponse à sa prière, Abnar se matérialisa près de lui.

– Je vous en conjure, redonnez des forces à ceux qui sont indemnes afin qu'ils viennent en aide aux blessés.

Une douce lumière blanche émana du corps de l'Immortel et se propagea rapidement dans toute la pièce. Hadrian ressentit lui-même une nouvelle vitalité s'installer dans tous ses membres.

– Merci, Abnar.

Pour donner l'exemple à ses soldats, le commandant se pencha sur ceux qui l'entouraient pour leur donner des soins.

– Sire, Christer est mort..., annonça Sherman d'une voix tremblante.

On lui apprit également que Jukos, Honsu, Armil et Cassildey avaient subi le même sort.

– Cassildey ? s'étonna Jenifael.

Elle n'avait jamais aimé ce prétentieux jeune homme, mais sa mort l'affligea terriblement. Elle vint s'agenouiller près de sa dépouille et chercha à savoir comment il avait perdu la vie. La lance d'un scarabée avait laissé un trou béant dans sa gorge. Téméraire et inconscient, il s'était sans doute précipité sur le plus gros des coléoptères sans s'assurer que ses compagnons pouvaient le seconder. Cassildey n'avait jamais appris à travailler en équipe et cette faiblesse venait de lui coûter la vie.

Les blessés n'étant pas en état de le suivre dans la cour du château, où il aurait dû procéder à l'incinération du Chevalier Honsu et des Écuyers Jukos, Armil, Christer et Cassildey, Hadrian décida de le faire sur place en utilisant un feu magique. Les cinq héros furent donc alignés au milieu de la grande pièce.

– Que les dieux accueillent favorablement ces braves soldats qui ont donné leur vie pour sauver leurs semblables, prononça solennellement l'ancien roi. Leurs noms passeront à l'histoire.

Les défenseurs d'Enkidiev se recueillirent en regardant brûler leurs compagnons. Plusieurs pleurèrent en silence. Lorsque les corps ne furent plus que des cendres, Jenifael les ramassa magiquement et quitta le hall sans inviter qui que ce soit à la suivre.

Les soldats n'avaient pas le cœur à manger, alors Hadrian attendit avant de leur proposer d'emprunter des mets un peu partout sur le continent. Il se tourna plutôt vers Abnar. L'Immortel observait les Chevaliers sans laisser transparaître ses émotions.

– Puis-je vous parler en privé ? lui demanda Hadrian.

– Certainement.

Les deux hommes quittèrent le hall et longèrent le corridor qui menait à la cour. Physiquement, ils ne se ressemblaient pas, même si, en théorie, Abnar aurait pu changer son apparence. Ce dernier avait choisi de conserver le visage de son enfance. Il portait ses cheveux blond foncé très courts, tandis que les cheveux noirs d'Hadrian touchaient ses épaules. Leur forme de visage était différente, mais ils avaient les mêmes yeux, ceux de leur père.

– J'aimerais vous entretenir au sujet de la loyauté, commença Hadrian une fois qu'ils furent dehors.

– Allez-vous aussi me réclamer des facultés magiques ? se rebiffa l'Immortel.

– Je ne les refuserais certes pas, mais je pensais plutôt à votre propre engagement vis-à-vis des dieux. J'admire votre fidélité et votre obéissance, mais je déplore que vous ne sachiez pas faire preuve de plus de souplesse.

– Nous ne sommes pas créés pour être flexibles.

– Est-ce qu'on vous ordonne spécifiquement d'être rigides ?

– Les dieux exigent notre soumission inconditionnelle.

– Mais vous ont-ils ordonné d'être rigides ?

– Pas en ces termes.

Hadrian fit quelques pas dans la grande cour, puis se retourna en fronçant légèrement les sourcils, car il voulait faire bien attention d'employer des mots qui iraient droit au cœur de son demi-frère.

— Il n'est pas facile d'être un meneur d'hommes, Abnar. Je parle ici par expérience. Notre père, le Roi Kogal, m'a enseigné tout ce qu'il savait sur la politique, la diplomatie, la stratégie de guerre, mais il a ajouté, lorsque je lui ai succédé, que malgré toutes mes connaissances, je devrais tôt ou tard faire face à des situations où mon intuition me serait plus utile.

— Je ne suis pas un dirigeant de ce monde, je suis un simple serviteur de Parandar.

— Le dieu suprême savait que, tout comme moi, vous feriez un jour face à des problèmes auxquels vos maîtres célestes ne vous avaient pas préparé.

— Cessez de tourner autour du pot, Hadrian.

— Au lieu d'analyser cette guerre en fonction des directives que vous avez reçues du panthéon, essayez de la voir à travers les yeux de ceux qui la vivent.

— Vous aimeriez que je me rebelle, comme Danalieth ?

— Cessez de raisonner comme on vous a enseigné à le faire et pensez à ces braves soldats qui ont été tués parce que le ciel les a laissés tomber. Parandar vous a prié de veiller sur les hommes. Croyez-vous vraiment qu'il vous garderait rancune de les aider à protéger leurs terres et leur façon de vivre ? Cela ne fait-il pas partie de votre mandat céleste ?

Abnar baissa les yeux pendant un moment, songeur. Hadrian ne le pressa pas.

– J'ai amèrement regretté d'avoir transformé des mercenaires en créatures magiques, soupira finalement l'Immortel.

– Ni vous ni moi ne pouvions prévoir ce qui se passerait. C'est toutefois cette décision de votre part qui nous a permis autrefois de l'emporter sur les sorciers et les guerriers d'Amecareth.

Le Magicien de Cristal ne répliqua pas.

– Il ne s'agit pas de milliers d'hommmes provenant de toutes les couches sociales d'Enkidiev, poursuivit Hadrian. Les Chevaliers ne sont que deux cents et ils ont été triés sur le volet. Vous leur confiez la défense de tout un continent sans rien faire pour les aider lorsqu'ils en ont le plus besoin.

Le Roi d'Argent enfonça le pieu encore plus creux.

– Danalieth n'est pas un insoumis, comme vous le prétendez. À mon avis, son amour pour ce monde est exemplaire.

– Il a été condamné à disparaître...

– Qu'est-ce qui est le plus important à vos yeux, Abnar : votre propre survie ou l'accomplissement de votre charge ?

Incertain, Abnar s'éloigna de son demi-frère en se tordant les mains.

– Je ne sais plus quoi faire, avoua-t-il enfin. Les dieux sont trop préoccupés en ce moment pour me conseiller.

– Les dieux ne devraient pas vous dicter vos moindres gestes. Ils vous ont confié une mission, alors qu'ils vous fassent confiance. Ils ne s'intéressent qu'à sa finalité, pas aux moyens que vous prendrez pour réussir. Laissez-vous guider par les besoins du moment. Prenons cette journée, par exemple. Lorsqu'il a vu que les vaisseaux de l'empereur allaient débarquer des milliers de nouveaux guerriers sur nos plages, Danalieth a tout de suite pensé à nous en protéger.

– Vous aimeriez donc que j'accorde plus de pouvoirs aux Chevaliers, c'est bien cela ?

– Ce qui presse le plus, c'est de donner au moins des bracelets magiques à un membre du groupe de sire Wellan et à un autre de celui de sire Jasson. Pour le reste, je m'en remets à vous.

Le Magicien de Cristal hocha doucement la tête. Hadrian sut qu'il ne pouvait pas pousser plus loin son audace. Il se courba avec respect et retourna à l'intérieur. En entrant dans le hall, il constata, avec satisfaction, que ses soldats prenaient du mieux. Nogait commençait d'ailleurs à tenter ses camarades en leur décrivant en détail ce qu'ils mangeraient à cette heure à Émeraude. Utilisant la magie que lui avait tout récemment enseignée son ami Onyx, Hadrian fit d'abord apparaître une longue table au centre de la pièce, puis des chaises, empruntées à son ancien palais d'Argent.

Ceux qui avaient repris leurs forces aidèrent les blessés à se rendre à leur siège. Swan fit asseoir son mari encore chancelant près d'elle. Onyx la remercia par un baiser, puis se tourna vers le nouveau commandant. C'était le Hadrian qu'il avait connu jadis, le guerrier sans peur et sans reproche que tous admiraient.

– Si j'ai bien compris, la nourriture d'Émeraude vous remettrait d'aplomb ? les taquina Hadrian.

– Moi, tant que j'ai du vin, je serai content, répliqua Onyx.

Ils se mirent tous à suggérer des mets différents. Puisqu'il était impossible de distinguer quoi que ce soit dans cette cacophonie, Hadrian s'en tint à sa première idée et alla magiquement chercher ce que les serviteurs étaient en train de préparer dans les cuisines d'Émeraude. Les soldats affamés se jetèrent sur les plats comme des loups.

Jenifael, où es-tu ? s'inquiéta alors Swan. *Je suis sur le balcon qui domine l'océan*, répondit aussitôt son apprentie. *Le repas est servi, jeune fille*, lui indiqua la femme Chevalier.

Donnez-moi encore quelques minutes, maître. Je dois dire au revoir à mes amis et ce n'est pas facile. Il y avait des sanglots dans la voix de Jenifael.

– Laisse-la tranquille, recommanda Onyx en se versant du vin.

– Elle est sous ma responsabilité, riposta Swan.

– Elle a presque l'âge de devenir Chevalier. Il est grand temps qu'elle apprenne à réfléchir seule.

De toute façon, la petite déesse n'avait pas l'intention de faire attendre son maître bien longtemps. Appuyée contre le parapet de pierre, elle faisait voler les cendres en spirale devant ses yeux.

– Tu aurais été un redoutable Chevalier si Sage n'avait pas été tué par l'ennemi, hoqueta-t-elle. Il est dommage que la vie ne t'ait pas donné la chance de remédier à tes faiblesses. Que les dieux t'accompagnent, Cassildey.

Elle lança les cendres dans la mer, puis essuya ses larmes.

– C'est à votre père que vous pensez ? demanda une voix qu'elle reconnut aussitôt.

– À lui et à tous les vaillants soldats qui ont perdu inutilement la vie, répondit-elle en se retournant.

– Wellan était un grand homme. Il me manquera beaucoup à moi aussi.

Hadrian portait l'armure des Chevaliers qui, de l'avis de Jenifael, lui seyait mieux que ses vêtements noirs. « Probablement parce qu'ils le font trop ressembler à Onyx », déduisit-elle.

– Pourtant, il a été votre maître de magie, se rappela l'ancien roi, qui avait capté ces réflexions.

– Il était encore Farrell à cette époque, du moins, je le pense.

– Onyx est un homme complexe. Il a plusieurs visages.

– Celui qu'il adopte depuis qu'il est devenu roi ne me plaît pas autant.

– Venez vous sustenter pendant qu'il en est encore temps.

Il lui tendit la main et Jenifael la prit en rougissant.

– Vous avez vieilli, on dirait, remarqua-t-il.

Cette fois, l'apprentie dut faire appel à sa maîtrise de la magie pour ne pas se transformer en boule de feu intimidée.

Elle accompagna le roi en lui bloquant ses pensées, de peur de paraître déplacée. Dès qu'ils entrèrent dans le hall, la jeune fille alla prendre place auprès de Swan.

– Est-ce que tu te sens bien ? s'enquit son maître devant son air morose.

– Je trouve injuste que Cassildey n'ait pas vécu assez longtemps pour devenir un véritable Chevalier d'Émeraude, déplora Jenifael. Mon père a bien essayé de lui apprendre à travailler de concert avec nous, mais Cassildey était bien trop fier pour suivre ses conseils.

– Et la fierté est un défaut, à ton avis ? la questionna Onyx, qui venait d'avaler tout le contenu de son hanap.

– Oui, quand une personne se croit supérieure aux autres alors qu'en réalité, elle ne l'est pas. Si Cassildey avait eu le bonheur d'être éduqué par un maître, il n'aurait sans doute pas été aussi arrogant.

– Sa Majesté a eu des parents et cela ne l'a pas empêchée d'avoir une opinion très avantageuse d'elle-même, fit remarquer Nogait, assis de biais avec Onyx.

Le silence s'abattit dans la grande pièce et les soldats attendirent de voir comment leur souverain réagirait à cette remarque cinglante. Au bout de la table, Hadrian réprima un sourire amusé. Il n'allait certainement pas venir en aide à son ancien lieutenant dans une affaire aussi personnelle.

– J'ai acquis le droit d'imposer ma supériorité à mes semblables, répondit très sérieusement Onyx.

– Quand, exactement ? voulut savoir Nogait, qui ne semblait pas comprendre qu'il jouait avec le feu.

– Nogait, c'est toi qui manques de respect en ce moment, l'avertit Dempsey, le commandant de sa troupe.

– Je suis seulement curieux.

– Lorsqu'on naît paysan et qu'on réussit à s'élever jusqu'au rang de roi, on peut tout se permettre, rétorqua Onyx.

– Ou presque, ajouta Swan pour détendre l'atmosphère.

Abnar apparut alors derrière Hadrian, mettant momentanément fin à cette discussion. Comme toutes les fois qu'un Immortel s'approchait de lui, Onyx éprouva aussitôt une répulsion instinctive.

– Ce soir, j'accorderai à deux d'entre vous un pouvoir qui leur permettra de remplacer leurs commandants, déclara le Magicien de Cristal.

– Et les autres ? réclama Bergeau.

– J'y songerai.

Il baissa la tête et disparut dans un tourbillon de petites étoiles dorées.

– Il n'a pas dit qui ! protesta Robyn.

– Je pense l'avoir deviné, annonça Bailey, assis près de Bridgess.

Cette dernière contemplait avec étonnement les deux bracelets noirs qui venaient de remplacer ceux qu'elle portait normalement pour protéger ses poignets.

– On connaît le nouveau chef du groupe de Wellan, alors qui est celui du groupe de Jasson ? demanda Falcon.

Ariane se leva lentement en montrant ses avant-bras à ses frères d'armes.

– La voilà, les informa Chloé.

Au même moment, un Chevalier et quatre Écuyers franchissaient le portail de l'antichambre des morts. Un Immortel souriant vint à leur rencontre et les informa de ce qui leur arrivait, puis les conduisit vers les immenses portes dorées, gardées par deux dieux inférieurs.

Wellan vit passer ses hommes sur le sentier de cailloux blancs. Malgré sa faiblesse, il parvint à se lever et à les rattraper.

– Wellan ! s'exclama joyeusement Honsu.

Les deux Chevaliers s'étreignirent un instant, puis le grand chef serra aussi dans ses bras Jukos, Christer et Armil. Il parut surpris de trouver Cassildey derrière eux.

– Je crains de vous avoir fait honte jusque dans la mort, confessa l'apprenti. J'ai combattu l'ennemi avec la fureur d'un lion, sans me soucier de mes coéquipiers. Les guerriers argentés ont réussi à m'isoler et il ne leur a pas été difficile de me tuer.

– Ce qui importe, c'est que tu reconnaisses maintenant ton erreur, affirma Wellan. Lassa est-il sauf ?

– Abnar l'a emmené en lieu sûr.

Pourtant, à la surface de l'étang révélateur, Wellan avait vu le porteur de lumière en proie à de grands tourments, dans ce qui ressemblait à une grotte.

– Sommes-nous sur les grandes plaines de lumière ? chercha à savoir Cassildey.

– Non, mais on vous y conduira dans un moment.

– Pourquoi n'y êtes-vous pas déjà ?

– J'ai encore des choses à régler avant de jouir de mon repos éternel. Suis les autres, Cassildey. Je vous rejoindrai bientôt.

Il embrassa le fougueux jeune homme sur le front et le regarda partir avec ses camarades. Wellan ne put s'empêcher de penser que cette fois, Lassa avait perdu tous ses protecteurs. Son sort reposait désormais entre les mains d'Abnar...

2

une nouvelle déesse

En quittant Abnar et Danalieth, Fan se fit un devoir de chasser l'image de ce dernier de ses pensées, afin de ne pas le trahir devant les dieux. Le travail que le paria effectuait auprès des humains était bien trop important pour qu'elle le dénonce. Elle flotta magiquement jusqu'à l'immense rotonde immaculée d'où régnait Parandar en admettant que Wellan avait raison de dire que le panthéon ne se souciait guère de ce qui se passait dans le monde des mortels. S'ils avaient prêté attention aux derniers événements, les dieux ne l'auraient certainement pas rappelée auprès d'eux tandis que des volcans menaçaient de détruire Enkidiev.

Elle gravit les marches de marbre blanc qui menaient à l'édifice circulaire, sans se douter de ce que le dieu suprême était sur le point de lui apprendre. Elle passa entre deux des immenses colonnes ioniques qui gardaient cet endroit sacré comme des colosses de carrare, et poursuivit son chemin vers le centre du palais. Lorsqu'elle y arriva, elle trouva Parandar assis sur son trône, vêtu d'un chiton serré à la taille par une ceinture d'étoiles brillantes. Dans ses voiles enflammés, Theandras était debout, la main posée sur l'épaule droite de son frère. Curieusement, toutes les alcôves de la cour étaient désertes.

L'ancienne Reine de Shola s'agenouilla devant le chef du panthéon, comme l'exigeait la tradition.

— Relève-toi, Fan, ordonna Parandar.

Elle lui obéit sans hésitation.

— Nous ne t'avons pas sommée de quitter Enkidiev pour te confier une nouvelle mission, l'avertit tout de suite la déesse du feu.

— Il s'agit d'une affaire plus personnelle, ajouta Parandar.

Fan s'étonna de les voir si hésitants. Pouvait-il s'agir de Wellan ?

— Les Immortels ignorent beaucoup de choses au sujet des dieux, poursuivit Parandar, alors nous allons t'instruire sur certaines de nos règles fondamentales.

La magicienne devenue Immortelle releva un sourcil, de plus en plus inquiète.

— Comme tu le sais déjà, Wellan a terrassé Akuretari. Le chef des Chevaliers a agi ainsi à notre demande, car le dieu déchu voulait tous nous détruire. Wellan nous a rendu un immense service, mais la mort d'Akuretari pose également un angoissant problème. Lorsque nos parents, Aiapaec et Aufaniae, nous ont confié cet univers, ils ont spécifié que notre existence reposait sur le maintien de notre triade. Akuretari était notre jeune frère et sa disparition a évidemment détruit cet équilibre.

— Cinn nous a informés que tu es la fille d'Akuretari, poursuivit Theandras.

Fan baissa honteusement la tête.

– Tu n'as pas à souffrir le déshonneur de ton géniteur, la rassura aussitôt Parandar. Nous connaissons ta loyauté et ta probité. Aussi, aimerions-nous que tu remplaces Akuretari.

– Moi ? s'étonna l'Immortelle.

– De par ton ascendance, tu es en réalité une déesse depuis ta naissance.

Prise au dépourvu, Fan ne savait plus quoi leur dire.

– Je conçois que cette requête est plutôt inhabituelle, concéda Theandras.

– Une requête ? Je pourrais donc refuser cet honneur ?

Voyant que Parandar commençait à s'impatienter, la déesse de Rubis décida de prendre cette affaire en main. Elle s'avança vers l'Immortelle, prit sa main et l'éloigna de son frère.

– Discutons-en entre femmes, si tu le veux bien.

Fan jeta un coup d'œil furtif en direction du dieu suprême, qui ne s'opposa pas à la démarche de Theandras. Les deux femmes quittèrent le cercle intérieur du palais et descendirent dans un charmant jardin agrémenté de fleurs irisées aux pétales presque transparents, qui se balançaient doucement sous la brise céleste.

– Bien sûr, tu pourrais ne pas consentir à ce que nous te demandons, expliqua la déesse du feu. Toutefois, nos parents nous ont avertis que si l'un de nous venait à disparaître, ce serait la fin de cet univers. C'est pour cette raison que Parandar a si longtemps souffert la mauvaise conduite de notre frère. Tant qu'il existait, nous étions saufs. Maintenant qu'il a été détruit, dans peu de temps, nous subirons le même sort.

– Ce que vous me demandez, c'est en fait de vous sauver la vie...

– Ainsi que celle de tous les êtres qui te sont chers, car ils s'éteindront avec nous.

Fan marcha en silence pendant un moment, considérant le pour et le contre de la proposition qu'on lui faisait.

– Si je suis née déesse, je n'ai cependant pas appris à me conduire comme telle, déclara-t-elle. On m'a montré à servir plutôt qu'à diriger.

– C'est Parandar qui prend les décisions importantes, mais il est influençable. Notre rôle est surtout de le conseiller.

– Aurais-je d'autres responsabilités ?

– Il nous faut aussi écouter les plaintes des autres dieux et des demi-dieux.

– Que faites-vous des prières des mortels ?

– Parandar n'a jamais eu le temps de s'en occuper. Cela pourrait devenir ta responsabilité. Mon frère est le dieu des étoiles, je suis la déesse du feu et tu pourrais être la déesse des supplications.

– Cette élévation au panthéon céleste serait-elle accompagnée de pouvoirs supplémentaires ?

– Oui, en temps et lieu. Par simple curiosité, peux-tu me dire pourquoi ce serait important pour toi d'acquérir plus de facultés divines ?

– Je veux retrouver ma fille que son grand-père déchu a emprisonnée dans le passé.

– Alors, tu n'as qu'à être patiente, car lorsqu'un sorcier ou un dieu détrôné est anéanti, ses sortilèges disparaissent un à un. Ta fille sera un jour rendue au présent. Alors, que décides-tu, Fan ?

– Accordez-moi un peu de temps pour y penser, déesse. Tout ceci est si inattendu.

– Nous ne pouvons pas nous permettre d'attendre très longtemps.

– Je vous donnerai ma réponse demain, et je crois bien qu'elle sera positive.

– Tu m'en vois ravie. Puis-je pousser l'audace jusqu'à te demander ce que tu comptes faire d'ici là ?

– J'ai donné naissance à trois enfants. Ma fille Kira, celle qui a disparu, est l'aînée. Elle a une sœur humaine, qui a été élevée par une sorcière, afin que personne ne s'en prenne à elle, et un frère immortel, que vous connaissez bien.

– Dylan, mon préféré. Il y a bien longtemps que je ne l'ai vu.

– Tout comme Kira, il a été victime d'un mauvais sort lorsqu'il a tenté de s'en prendre à Akuretari. Ce dernier lui a fait perdre son immortalité.

– Il la retrouvera bientôt.

– Je veux revoir mes enfants avant de me dévouer à mes nouvelles fonctions.

– Alors, soit. Nous attendrons ta réponse.

L'Immortelle s'inclina devant Theandras et s'évapora.

Fan chercha d'abord son fils et le trouva sur le champ de bataille. Le temps ne s'écoulait pas de la même façon sur le plan physique. Elle avait quitté Zénor au matin et avait eu l'impression de n'être restée que quelques minutes dans le domaine des dieux. Cependant, lorsqu'elle descendit à Émeraude, c'était déjà le soir. Les imagos s'étaient réfugiés sous la terre, ce qui permettait aux armées de se reposer avant de reprendre la chasse aux premières lueurs de l'aube.

Dylan était assis au milieu des troupes du Roi Lang de Jade. Maintenant à l'aise dans un corps solide, il vaquait à ses activités comme n'importe quel soldat. Après avoir nettoyé son épée, il s'apprêtait à s'enrouler dans une couverture à proximité du feu. La plupart des hommes dormaient déjà. Fan n'eut aucun mal à provoquer le sommeil chez tous les autres, afin d'avoir un peu d'intimité avec son benjamin.

Elle se matérialisa donc aux pieds du jeune homme.

– Ne me dites pas qu'il y a eu un autre malheur..., s'alarma l'Immortel.

Elle s'approcha davantage de Dylan et prit place sur le sol, un geste qu'elle n'avait jamais fait auparavant.

— *Je n'en sais rien encore,* confia-t-elle.

— Mère, est-ce bien vous ?

— *Es-tu à ce point devenu mortel que tu ne reconnais plus ta propre mère ?*

— Votre comportement est inhabituel.

— *Tu as sans doute raison sur ce point, mais c'est la conséquence de ce que nous venons tous de vivre.*

— Pourriez-vous être un peu plus claire ?

— *À la suite de la disparition d'Akuretari, on m'a offert de nouvelles responsabilités dans le monde des dieux.*

— Vous arrivez de là-bas ?

Fan hocha doucement la tête.

— Avez-vous vu mon père ?

— *Il est dans l'antichambre des morts et refuse de franchir les portes menant aux grandes plaines de lumière, car il se sent coupable d'avoir abandonné son armée. Il est aussi têtu dans la mort qu'il l'a été durant sa vie.*

— Lorsqu'on nous a appris sa mort, j'ai ressenti une accablante tristesse, car je n'aurai jamais la possibilité de passer du temps avec lui en toute quiétude. Depuis, j'éprouve des malaises dans ce corps matériel qui est si nouveau pour moi.

– *Je crains que ces désagréments n'aient une cause bien différente. C'est un mauvais sort jeté par Akuretari qui t'a fait perdre ta pérennité. Heureusement, lorsqu'un dieu déchu est anéanti, tout le mal qu'il a fait s'efface avec lui.*

– Je ne suis pas certain de bien comprendre ce que vous tentez de me dire.

– *Akuretari n'est plus, Dylan. Ce que tu éprouves en ce moment, c'est ton retour à l'immortalité.*

– Non...

– *Tu n'as pas été conçu pour évoluer sur le plan terrestre, mon fils. Tu es de descendance divine.*

– Je ne me suis jamais senti aussi utile qu'en combattant aux côtés du Roi Lang.

– *Dans un corps qui te fait continuellement souffrir ?*

– Qu'importe cet inconfort, puisque j'ai enfin le droit d'aimer sans avoir à me justifier. Je n'ai jamais appris, comme mes semblables, à demeurer indifférent face aux tourments des humains. Je ne veux pas retourner dans le monde glacial des Immortels.

Fan contempla le visage de son fils affligé en se demandant si elle voulait vraiment devenir la déesse des supplications.

– Dites-moi au moins que vos nouvelles responsabilités divines vous permettront de faire fléchir Parandar, la supplia-t-il.

– *Je doute que même Theandras puisse l'influencer, mais je verrai ce que je peux faire. En attendant, profite du temps qui t'est imparti sous cette forme.*

– Combien m'en reste-t-il ?

– *Quelques jours, tout au plus quelques semaines. Ne les gaspille pas.*

Fan se dématérialisa sans avoir tenté de le réconforter. « À quoi m'attendais-je ? » se reprocha Dylan. Jamais sa mère n'avait fait preuve de tendresse envers lui depuis qu'elle l'avait confié à ses maîtres célestes. Il acheva de s'enrouler dans sa couverture et se coucha sur le dos.

– Je ne peux pas quitter cette vie sans revoir Dinath...

Les regrets de son fils ne laissaient nullement Fan indifférente. Toutefois, son éducation royale l'empêchait de montrer ouvertement ses émotions. Si Wellan était né Prince de Rubis, leur fils, quant à lui, ne semblait pas avoir hérité de l'esprit de sacrifice des dirigeants d'Enkidiev. Dylan se laissait toujours emporter par ses émotions.

Fan réapparut presque aussitôt dans la forêt jadoise, aux abords de la rivière Sérida. De nombreuses années auparavant, dans le plus grand secret, elle avait confié à Anyaguara sa deuxième fille, qui n'était encore qu'un poupon. En marchant le long d'une roselière, la future déesse se rappela la tristesse qu'elle avait éprouvée lors de cette séparation. Kira n'avait que deux ans, à l'époque. La petite n'avait pas compris pourquoi sa mère abandonnait ainsi sa sœur. Elle ne se doutait pas non plus que Fan était sur le point de la remettre au Roi d'Émeraude, car la magicienne avait vu son assassinat imminent dans les étoiles.

Formée par les mages sholiens, Fan avait en effet appris à interpréter le langage des étoiles avec beaucoup de précision. La veille de la naissance de sa cadette, la Reine de Shola y avait vu sa propre mort et cette dernière était inévitable. Elle avait donc préparé un plan qui lui permettrait de sauver ses enfants tout en assumant, le cœur en paix, ses nouvelles responsabilités d'Immortelle. Sachant que son mari, le Roi Shill, se serait non seulement opposé à ses projets, mais qu'il aurait tourné son angoisse en ridicule, Fan avait quitté le château à son insu. Shill possédait des facultés magiques, mais il n'avait jamais eu l'envergure d'un véritable décideur.

En compagnie de fidèles membres de son entourage, la reine était partie à la recherche de la sorcière de Jade, dont lui avaient si souvent parlé ses maîtres. Au fil des siècles, les sorcières avaient toutes été éliminées, sauf Anyaguara. Les légendes racontaient qu'elle avait découvert le secret de la vie éternelle sans être pour autant devenue immortelle. Fan se doutait que cette femme avait tout simplement trouvé la source divine où s'abreuvait Abnar lorsqu'il passait de longs moments dans le monde physique.

— Myrialuna ! appela l'Immortelle.

Fan pouvait sentir tout près la présence de sa fille, mais elle ne la voyait pas. Anyaguara avait dû enseigner sa sorcellerie à cette enfant, et puisqu'elle était la petite-fille d'un dieu...

— Tu n'as rien à craindre, je suis ta mère.

L'Immortelle capta alors un mouvement dans un arbre. Un félin à la robe marron clair était accroupi sur une grosse branche et l'observait.

– Ne m'oblige pas à te faire descendre de là.

L'eyra sauta avec une grande souplesse sur le sol et se métamorphosa en une belle jeune femme à la chevelure rose tendre et aux yeux gris très pâles. Elle portait une courte tunique jadoise de couleur bronze.

– Vous êtes la Reine de Shola ? demanda-t-elle.

Sa voix était douce comme la brise.

– C'est exact.

Myrialuna s'approcha d'elle avec la prudence d'un chat sauvage.

– Vous n'êtes jamais revenue après m'avoir confiée à Anya. Pourquoi maintenant ?

– Si j'avais entretenu quelque contact que ce soit avec toi, j'aurais mis ta vie en danger, ce que je ne désirais pour rien au monde.

Fan marcha jusqu'au tronc d'un arbre déraciné qui était tombé dans la clairière. Elle y prit place et invita sa fille à en faire autant. Myrialuna choisit de s'asseoir à une certaine distance de sa mère.

– As-tu peur de moi ? s'étonna Fan.

– J'ai appris à craindre tout le monde. Peut-être l'ignorez-vous, mais les sorcières ont été frappées d'ostracisme par les humains, il y a fort longtemps.

– Tu n'es pas une sorcière, Myrialuna. Tu es la fille d'un roi tout ce qu'il y a de plus humain et d'une mère issue d'un dieu et d'une mère de descendance elfique et féerique. Tu possèdes très certainement des facultés extraordinaires, mais ce ne sont pas celles des sorcières.

– Comment expliquez-vous que je puisse me transformer en félin ?

Sous ses yeux, Fan se changea en un gerfaut blanc comme la neige, puis reprit sa forme habituelle.

– Mais comment ? s'étrangla la jeune femme.

– Rien n'est impossible à la fille d'un dieu. Où est Anyaguara ?

– Je n'en sais rien. Elle est partie depuis des jours. Normalement, lorsqu'elle me laisse seule, c'est pour éloigner des chasseurs ou des prédateurs, mais elle ne me quitte jamais longtemps. Je sais bien qu'elle sort toujours victorieuse de ses combats, mais j'ai le pressentiment qu'il lui est arrivé malheur.

Fan utilisa ses pouvoirs magiques pour inspecter tout le continent d'Enkidiev. Anyaguara n'était nulle part.

– Elle m'a dit qu'elle ne mourrait jamais, sanglota Myrialuna.

– Les sorcières n'ont pas d'ennemis suffisamment puissants pour les anéantir, à l'exception... des sorciers.

Il y en avait encore deux en ce monde : Asbeth et Amecareth. Étaient-ils à la recherche de sa seconde fille ? Myrialuna cacha son visage dans ses mains. « Elle a la faculté de lire dans mes pensées », comprit Fan.

– Je t'en prie, ne pleure pas. La mort n'est pas nécessairement la fin d'une personne. Les êtres magiques sont bien souvent plus forts une fois qu'ils ont abandonné leur enveloppe physique.

Myrialuna baissa doucement ses mains.

– Elle ne m'a jamais enseigné à me battre, avoua-t-elle. Comment vais-je survivre, ici ?

– Je ne connais pas d'endroit où tu serais entièrement en sécurité, sauf chez les Fées ou dans l'autre monde.

– Je préférerais rester ici et attendre un signe de ma protectrice, si, comme vous le prétendez, elle peut réapparaître.

– Surtout, ne crains rien. Là où je vais, je pourrai veiller sur toi. En fait, la raison pour laquelle je suis enfin venue faire ta connaissance, c'est pour t'annoncer que désormais, je résiderai dans la maison de Parandar. Il me sera difficile de m'en absenter, mais pas impossible.

– Qui est Parandar ?

Anyaguara ne lui avait probablement jamais parlé du panthéon, puisqu'elle ne reconnaissait pas elle-même sa suprématie. Fan expliqua donc à sa fille la hiérarchie chez les dieux, puis la place qu'elle allait bientôt occuper au ciel.

– Vous serez donc une étoile ? s'émerveilla Myrialuna.

– En quelque sorte. En attendant que je puisse t'aider, fuis les sorciers.

– À quoi ressemblent-ils ?

Fan traça avec sa main un demi-cercle dans les airs et fit apparaître les visages d'Amecareth et d'Asbeth au milieu de la clairière. Myrialuna se laissa aussitôt tomber derrière le tronc de l'arbre en grondant comme un chat effrayé.

— Ils ne sont pas réels, précisa sa mère.

La jeune fille risqua un œil au-dessus de l'écorce. Fan la laissa observer ces hideux personnages pendant quelques minutes, de façon à ce que Myrialuna ne les oublie jamais. Ensuite seulement elle les effaça. La cadette de Fan reprit nerveusement sa place, à quelques pas de l'Immortelle.

— Si tu évites de te retrouver au même endroit que ces meurtriers, tu devrais bien t'en sortir, la rassura Fan.

— S'ils passent par ici, je me cacherai, c'est certain.

Fan se leva.

— Je dois partir, annonça-t-elle. Je suis heureuse de voir que tu es devenue une aussi belle femme, Myrialuna.

— Attendez ! Qui est votre première fille ?

Un voile de tristesse couvrit sur les traits parfaits de l'ancienne souveraine de Shola.

— Elle s'appelait Kira.

— Vous parlez d'elle au passé...

— J'ignore ce qu'il est advenu d'elle. Incapable de la mettre à son service, son grand-père céleste l'a emprisonnée dans le passé.

– Pourrez-vous la ramener, une fois que vous serez devenue déesse ?

– Nous ne pouvons pas renverser les sorts d'un autre mage. Cependant, lorsque ce dernier meurt, habituellement, ses sortilèges tombent les uns après les autres. Il est possible que Kira nous soit bientôt rendue.

– Est-ce qu'elle me ressemblait ?

– Vous êtes sensiblement de la même taille, et les cheveux de Kira étaient d'une merveilleuse couleur, comme les tiens.

– Je souhaite de tout mon cœur pouvoir la rencontrer, un jour.

– J'exaucerai ce vœu, si je le peux.

– Sommes-nous vos seules filles ?

– Oui, mais vous avez un jeune frère qui, lui, est un Immortel. Après la guerre, je verrai à ce que vous fassiez connaissance. D'ici là, sois très prudente.

Myrialuna baissa la tête, pour lui témoigner de la déférence. « C'est bien le premier de mes enfants qui me montre du respect », ne put s'empêcher de penser Fan. Elle s'évapora comme un mirage, sous les yeux émerveillés de sa cadette, se promettant de lui fournir un sanctuaire dès qu'elle aurait acquis de plus grands pouvoirs.

Avant de retourner auprès de Parandar, Fan fit un dernier arrêt au Château d'Émeraude. Elle reprit forme dans la chambre royale que Kira avait partagée avec son époux. Le couple l'avait abandonnée depuis bien longtemps.

L'Immortelle marcha jusqu'à la coiffeuse et souleva la brosse à monture d'ivoire. Il y avait de longs cheveux violets entre les poils.

— Kira, où es-tu ? murmura-t-elle.

Si Dylan commençait à perdre sa mortalité, il était fort possible que sa fille aînée réapparaisse à l'endroit même où elle avait disparu... Fan aurait fort à faire pour bien la guider, une fois établie dans ses nouvelles fonctions. Elle déposa la brosse et fila vers le ciel.

Lorsqu'elle entra dans l'espace intérieur de la rotonde, cette fois, tout le panthéon l'attendait. Les dieux et les déesses se tenaient devant leurs alcôves, les mains jointes. Parandar était debout devant son trône, sa sœur enflammée à ses côtés. Derrière eux, Fan distingua leurs serviteurs, créatures innocentes et complaisantes qui ne possédaient aucune magie.

— Qu'as-tu décidé, Fan ? lui demanda le dieu suprême.

— Je suis prête à prendre la place de mon père.

Elle s'arrêta devant lui, docile comme toujours.

— As-tu décidé quel élément sera le tien ?

— Oui, ce sera l'air.

— Theandras m'a dit que tu aimerais être la déesse des supplications.

— En y réfléchissant bien, je préférerais qu'on me considère comme celle des bienfaits.

– Alors, soit.

Il prit sa main et la fit pivoter vers l'assemblée céleste.

– Je vous présente Fan, déesse des bienfaits, qui régnera avec Theandras et moi sur cet univers et tous ceux que nous avons créés ! annonça-t-il d'une voix forte.

La robe de l'Immortelle devint intensément lumineuse et s'agita comme sous l'effet d'un zéphyr surnaturel. Fan sentit une force inconnue naître en elle. Un froid intense partit de ses pieds et remonta vers sa tête, la soulageant de ses peines et de ses remords. Les dieux et les déesses s'inclinèrent sur-le-champ devant leur nouvelle maîtresse. À la grande satisfaction de Parandar, aucun d'entre eux ne songea un instant qu'elle puisse tomber dans les mêmes pièges qu'Akuretari.

Theandras prit l'autre main de Fan et la conduisit au trône de marbre blanc qui lui était réservé, à la gauche de Parandar. L'ancienne Reine de Shola y prit place en contemplant les colonnes qui délimitaient la salle circulaire. Son élévation au sommet du monde lui donnait le vertige. Ce fut le sourire de la déesse du feu qui parvint finalement à la rassurer.

Parandar et sa sœur s'assirent ensuite sur leurs propres trônes, déclenchant un tonnerre d'applaudissements dans la rotonde.

3

IVRE DE COLÈRE

Aucun mortel, fût-il un grand sorcier, ne pouvait anéantir l'empereur des Tanieths. Ce dernier s'était donc longtemps senti invincible. Il venait de recevoir une amère leçon sur Enkidiev : certains humains possédaient suffisamment de pouvoir pour lui infliger de terribles douleurs. Attaqué par un ancien soldat d'Émeraude et par une panthère ensorcelée, Amecareth s'était écroulé de faiblesse. Heureusement, son dragon veillait. Stellan l'avait prestement débarrassé des deux attaquants, mais il n'était pas revenu vers lui. En fait, un troisième gêneur le lui avait ravi.

Pour retourner dans son pays, le seigneur noir avait dû faire appel aux Midjins. Ces derniers élevaient des dragons mâles pour en faire de terribles machines de guerre. Cependant, ces bêtes volantes étaient rares et leur dressage était long et périlleux. Amecareth ne leur avait pas donné le choix, puisque sans dragon, il n'aurait jamais pu rentrer chez lui. Les Midjins avaient dû lui envoyer le seul animal adulte qui leur restait, les deux autres n'étant que des adolescents plutôt indisciplinés.

Rouge comme les braises de la tête au bout de la queue, Pyros était une terrifiante créature. Comme on le lui avait ordonné, il avait foncé au-dessus de l'océan et avait survolé les forêts côtières jusqu'à ce qu'il perçoive l'énergie du maître qu'on avait imprimée dans son esprit juste avant son départ. Il s'était posé devant Amecareth, les ailes déployées, mais sans pousser le cri strident si caractéristique de ces prédateurs lorsqu'ils touchaient le sol. Amecareth avait grimpé sur son cou avec beaucoup de difficulté et l'avait sommé, par télépathie, de le ramener à son palais.

Pyros avait déposé son passager sur le plus haut balcon de la ruche et avait reçu pour ses services une ration de viande sanglante qu'il avait goulûment avalée. Puisque la collectivité des insectes était reliée par l'esprit, tous les habitants d'Irianeth savaient ce qui était arrivé à leur empereur. Le sachant blessé, les femmes d'Amecareth avaient fait cueillir des algues par leurs esclaves, puis les avaient laissées tremper dans un curieux liquide nauséabond, au milieu de l'alvéole du maître. Elles se doutaient bien que leur époux serait d'une humeur massacrante et que la moindre maladresse de leur part pourrait leur coûter la vie. Deux d'entre elles seulement étaient restées dans la chambre royale, attendant en tremblant le retour de l'empereur.

Lorsque ce dernier émergea en grondant de colère de l'ouverture qui donnait sur le balcon, les femelles s'inclinèrent jusqu'au sol. Seul Sage ne bougea pas. Il était assis sur un amas de peaux, son petit dragon dans les bras. La vue de son grand-père dégoulinant de sang noir le paralysait.

— Allez-vous-en ! hurla Amecareth.

Ses épouses ne demandèrent pas leur reste et se bousculèrent jusqu'au corridor. Sage n'avait toujours pas remué. L'empereur s'approcha de la marmite où macérait le varech et tenta de s'en saisir du bout des griffes. Les plantes aquatiques lui échappèrent les unes après les autres.

– Laissez-moi vous aider, monseigneur, offrit Sage en déposant Aubèrone sur le sol.

Sage plongea la main dans le récipient et parvint à s'emparer d'une algue visqueuse.

– Je vous en prie, prenez place sur le trône.

Amecareth lui obéit en maugréant contre les humains. Avec prudence, son petit-fils enroula d'abord le pansement naturel autour de son poignet pour arrêter l'hémorragie.

– C'est un endroit étrange pour une blessure, remarqua-t-il.

– Les crocs de la panthère se sont enfoncés partout où ma chair n'est pas protégée par ma carapace.

– Cette bête était bien téméraire.

Sage ne savait plus à quoi pouvait ressembler une panthère. Son imagination forma donc dans son esprit l'image d'un monstre avec de très longues dents, aussi imposant que son grand-père.

– Elle est venue au secours d'un humain que j'ai autrefois fait prisonnier.

– Pourtant, ceux que vous détenez ici ne s'échappent jamais, s'étonna Sage.

– C'est Ucteth qui l'a voulu ainsi. Il l'avait emmené ici pour lui donner une leçon et pour en faire notre esclave, mais cet homme est d'une étonnante résistance.

Sage alla chercher une autre plante afin de poursuivre son traitement.

— A-t-il eu le temps de repérer vos faiblesses durant son séjour au palais ? demanda-t-il.

— Je n'ai aucune faiblesse ! tonna l'empereur.

Aubèrone courut s'enfouir la tête sous les peaux de bêtes, mais son jeune maître n'était nullement impressionné par les sautes d'humeur d'Amecareth.

— Ce n'est pas ce que je voulais dire, assura l'hybride.

Il enveloppa le coude du Tanieth, lui apportant un grand réconfort.

— Je vous connais maintenant assez bien pour affirmer que vous êtes sensible à certaines qualités chez vos sujets. Lorsque vous vous attendrissez, vous abaissez parfois votre garde.

— Tu l'as observé toi-même ?

— Oui, chaque fois que nous parlons de Narvath. Peut-être avez-vous affiché un instant de fragilité devant cet humain insolent et qu'il met maintenant à profit ce qu'il a découvert.

— Tu commences à parler comme un empereur, toi.

Sage se mit à panser l'autre bras. Rassuré par le ton plus doux du souverain, Aubèrone sortit de sa cachette et s'approcha pour voir de plus près ce que faisait son maître.

— Ce n'est pas mon souhait de prendre votre place, se défendit le petit-fils.

— Pourtant, c'est à toi qu'elle pourrait bien revenir si je ne trouve pas Narvath. Une de mes filles dégénérées m'a dit qu'elle avait été emprisonnée dans le passé par un dieu déchu. Mais je ne vois pas comment cela pourrait être possible. Personne ne peut retourner en arrière, pas même Listmeth.

Où Sage avait-il entendu parler de ce dieu déchu ? Il appliqua la plante sur la plaie en tentant désespérément de s'en souvenir.

— On dirait que tu n'es pas d'accord avec ce que j'avance, observa Amecareth.

— J'essaie de me rappeler de ce que je savais autrefois à ce sujet.

Aubèrone planta ses dents dans le bout d'algue qui pendait du trône et voulut l'emporter vers son lit, en oubliant que sa plus grande partie était enroulée autour du bras de l'empereur. Soumise à une soudaine tension, la longue plante se raidit, arrêtant brusquement la course du petit dragon. Le varech se déchira d'un seul coup, faisant culbuter Aubèrone, qui roula plusieurs fois sur lui-même avant de s'arrêter sur le ventre. Sage éclata de rire. Même si Amecareth ne saisissait pas le comique de la situation, la joie de vivre de son petit-fils acheva de le calmer.

— Les dieux ne sont-ils pas des créatures qui ont des pouvoirs étendus ? lui demanda Sage.

— C'est ce que nous a enseigné Listmeth, mais il n'a jamais parlé de défier le temps.

— Et si c'était vrai ? Comment pourrions-nous venir en aide à Narvath ?

— Nous n'avons rien à faire, croassa une voix qui donna la chair de poule à Sage.

Le sorcier Asbeth arrivait par derrière le trône. Il avait dû lui aussi se poser sur le balcon de l'alvéole royale. Akuretari ayant été défait, le corbeau géant était revenu penaud vers son premier maître.

– À moins que tu saches comment sortir Narvath de ce mauvais pas, je te conseille de partir, sorcier, gronda Amecareth.

– Je n'ai offert mes services à ce dieu déchu que pour mieux vous être utile, monseigneur.

Sage s'était immobilisé, ses yeux pâles rivés sur cette fourbe créature.

– Qu'as-tu appris ?

– Akuretari n'était pas qu'un vulgaire dieu. Il faisait partie des trois divinités qui règnent sur le monde.

– Possédait-il tous les pouvoirs ?

– Rien ne lui était impossible, mais il a été trahi par les deux autres membres de la triade.

– Êtes-vous bien sûr qu'il vous dit la vérité ? s'interposa alors Sage.

– Pourquoi mentirais-je à mon maître ?

– Parce que c'est ce que vous faites le mieux.

– Vous n'allez pas recòmmencer à vous injurier, s'impatienta Amecareth. Faites plutôt un effort pour élaborer ensemble un plan de sauvetage.

— Asbeth n'a jamais eu l'intention de vous ramener votre fille vivante ! fulmina Sage.

— Laisse-le parler, mon petit.

Furieux, l'hybride alla s'asseoir sur ses peaux, refusant de panser les plaies de son grand-père tant que le sorcier à plumes serait dans la même pièce que lui.

— Dis-moi tout, Asbeth, ordonna l'empereur.

Sage leva les yeux au ciel, découragé par la naïveté d'Amecareth.

— Akuretari ne m'a jamais parlé de votre fille, monseigneur, mais il aurait certainement été en son pouvoir de l'emprisonner dans le lieu de son choix.

— Même dans le passé ?

— Même là. Mais si vous voulez mon avis, la femme qui vous a renseigné vous a trompé. Rappelez-vous ce qu'ils ont fait au petit garçon que vous vouliez reprendre, jadis.

Le roi d'une des contrées d'Enkidiev avait en effet immolé cet enfant devant son armée pour tenter de mettre fin à l'invasion des Tanieths...

— Je suis sûr qu'ils ont également tué votre fille, ajouta Asbeth, conscient qu'il enfonçait un pieu acéré dans le cœur du seigneur noir.

— C'est un odieux mensonge ! s'agita Sage.

— L'un de vous deux entend-il les pensées de Narvath ?

Amecareth avait essayé des centaines de fois de reprendre contact avec la jeune femme mauve, sans succès.

– Lorsque les membres de cette communauté rendent l'âme, nous faisons toujours face à un affreux silence, insinua le sorcier.

Sage bondit comme un fauve et attaqua le corbeau. Ce dernier poussa un cri rauque et chargea ses ailes d'énergie bleuâtre. Aubèrone délaissa tout de suite le morceau d'algue qu'il mâchouillait depuis quelques minutes et se précipita à la rescousse de son maître. Il enfonça ses dents pointues dans la main griffue d'Asbeth et reçut une cuisante décharge sur le museau. Enragé, le petit dragon sauta à nouveau dans les plumes noires, les arrachant avec une ardeur furieuse.

Soudain, les antagonistes furent agrippés par le cou et soulevés de terre par les bras puissants de l'empereur. Aubèrone s'écrasa sur le plancher, la gueule pleine de duvet.

– C'est assez ! rugit Amecareth.

Ni Sage, ni Asbeth ne pouvaient protester, puisqu'il était en train de les étouffer. L'empereur laissa tomber son sorcier près de son trône et alla asseoir son petit-fils sur sa couche.

– Le premier qui attaque l'autre le regrettera amèrement, les avertit-il.

Voyant que l'hybride avait du mal à respirer, Aubèrone cracha violemment et galopa jusqu'à lui pour lui lécher le visage.

– Que Narvath ait été emprisonnée dans un autre temps ou qu'elle ait été tuée, le résultat est le même : je suis privé de la joie de l'avoir près de moi, laissa tomber Amecareth. Il est temps que ces impudents humains paient pour leurs crimes. Cette fois, je lance l'assaut final.

L'empereur tourna les talons et se rendit sur son balcon, qui surplombait l'océan. Dans le ciel, son nouveau dragon effectuait de grands cercles en happant au passage tous les oiseaux marins qui avaient le malheur de croiser son chemin.

– Que tous m'entendent ! aboya Amecareth. J'ordonne à tous mes sujets capables de se battre de prendre les armes et de converger sur le continent des humains. Ceux qui n'obéiront pas à cet ordre seront suppliciés sur l'autel de Listmeth !

La nuit était enfin tombée. Kevin s'était retiré dans l'écurie à peine éclairée du Château de Zénor pour brosser Virgith, avant d'aller marcher sur la plage et ainsi libérer ses yeux du bandeau qu'il portait toute la journée. Le cheval-dragon gazouillait comme un oiseau pour lui indiquer son contentement. Après que Kevin eut perdu ses facultés magiques sur Irianeth, cet animal était devenu son meilleur ami. Au lieu de le fuir comme les autres bêtes, Virgith lui prodiguait beaucoup d'affection et de réconfort. Avec le temps, l'homme et sa monture avaient appris à communiquer non seulement ce qu'ils voyaient ou ce qu'ils entendaient, mais aussi ce qu'ils ressentaient.

Kevin n'était plus relié à ses compagnons d'armes par ses pensées et, fort heureusement, il n'entendait plus la cacophonie des cliquetis et des sifflements télépathiques en provenance de l'empire. Les facultés magiques qu'il avait appris à maîtriser durant ses longues années d'étude avaient aussi disparu. Cependant, il ne cessait de découvrir d'étranges nouveaux pouvoirs en lui. Sa vision nocturne lui permettait de percevoir les objets qui se mouvaient dans le noir. Son odorat s'était également amélioré. Ses oreilles entendaient le moindre petit bruit, parfois à des lieues de l'endroit où il se trouvait. Il était également capable d'interpréter la langue des Tanieths.

Depuis peu, lorsqu'il s'isolait, le soir, il lui arrivait de voir apparaître une curieuse lueur bleue autour de ses doigts armés de griffes. Plus les jours passaient, plus elle devenait brillante. Kevin se rappela que l'énergie utilisée par les sorciers était presque toujours de cette couleur. Était-il encore en train de se transformer ? « Pourvu qu'il ne me pousse pas de plumes... », songea-t-il.

Soudain, Virgith releva l'encolure et se mit à pousser des plaintes stridentes. Kevin posa aussitôt les mains sur son front.

– Doucement, mon ami.

Il capta avec horreur le message télépathique que venait d'intercepter l'animal. *J'ordonne à tous mes sujets capables de se battre de prendre les armes et de converger sur le continent des humains. Ceux qui n'obéiront pas à cet ordre seront suppliciés sur l'autel de Listmeth !*

– Est-ce la voix de l'empereur ?

Virgith le confirma en secouant sa longue crinière.

– Je dois aller prévenir mon commandant. Reste ici.

Le Chevalier sortit de l'écurie en courant, traversa la cour du château et se précipita dans le palais. Il s'arrêta brusquement au seuil du grand hall où ses camarades s'installaient pour la nuit, mais n'y vit pas Hadrian. Privé des sens magiques qui lui auraient permis de scruter l'immense demeure, il se vit obligé de parcourir tous les corridors et de regarder dans chaque pièce. Il trouva finalement l'ancien Roi d'Argent en compagnie d'Onyx sur la terrasse. Ils observaient les reflets de la lune dans l'eau, une coupe de vin à la main.

– Qu'y a-t-il, Kevin ? s'alarma Hadrian en voyant son visage couvert de sueur.

– Virgith a entendu Amecareth proférer un nouvel ordre à ses troupes.

– Qui est Virgith ? voulut savoir Onyx.

– C'est mon cheval-dragon.

– As-tu pu interpréter ce message ? demanda Hadrian, fort inquiet.

– L'empereur lance tout ce qu'il a de combattants contre nous. Il faut faire quelque chose.

– Et c'est ton cheval qui t'a dit cela ? fit Onyx, incrédule.

– Virgith n'est pas un destrier comme le vôtre. Une partie de lui vient d'ailleurs et cet ailleurs est apparemment branché à l'empire. Il a seulement entendu ce commandement lancé à la collectivité. J'ai perdu mes facultés de Chevalier d'Émeraude, mais je comprends la langue des Tanieths.

– Les récifs arrêteront toute attaque en provenance de l'océan, raisonna tout haut Hadrian.

– Je ne suis pas encore assez ivre pour fonder notre nouvelle stratégie de combat sur les paroles d'un animal, tout de même, protesta son ancien lieutenant.

– Merci, Kevin, je m'occupe du roi, conclut Hadrian avec un clin d'œil.

Le Chevalier s'inclina respectueusement et quitta prestement le balcon pour aller avertir Falcon et les autres membres de son groupe.

– Tu as encore trop bu, soupira l'ancien souverain d'Argent en voyant le sourire béat d'Onyx.

– C'était seulement pour engourdir mon mal.

– Ou ton esprit ?

– Arrête de me faire la morale. C'est moi le roi, maintenant.

– Les dirigeants d'Enkidiev ne sont pas libres de faire tout ce qui leur chante, Onyx.

Le renégat avala tout le contenu de sa coupe.

– Je viens de te demander de ne pas me faire de sermon.

– Un conseil, alors ?

– Tu vas trouver la façon d'en faire une admonestation.

— Je veux seulement te recommander d'aller te coucher. La bataille a été longue et épuisante, et tu as été blessé. Va donc te reposer.

— Si tu n'écoutes jamais ta femme, écoute au moins ton ami, déclara Swan en surgissant près d'eux. Hadrian dit vrai : ce soir, tu ne bois pas pour les bonnes raisons.

Elle l'empêcha de s'emparer de la cruche qui reposait sur le parapet, lui agrippa solidement le bras et le tira vers la porte.

— Merci d'avoir gardé l'œil sur lui, Hadrian.

— Il semble que ce soit mon lot, plaisanta l'ancien roi.

— Il ne me surveillait pas, ronchonna Onyx en pénétrant dans le palais.

Il continua de tempêter dans le couloir, ce qui fit sourire son vieil ami. Hadrian termina sa coupe sans se presser. Il ne put s'empêcher de penser aux renforts que l'empereur dépêchait sur le continent. De combien d'effectifs disposait-il ? Les récifs stopperaient certainement une armada, mais que se passerait-il si ces nouveaux combattants arrivaient par les airs ?

Incapable de trouver le sommeil, Hadrian descendit dans la cour. Il pouvait entendre les chevaux renâcler et hennir doucement dans l'écurie. Il se rendit à la stalle où il avait laissé Staya, même si elle lui avait clairement manifesté son désir de combattre. La jument blanche passa la tête par-dessus la porte pour appuyer ses naseaux dans le cou de son ami.

— Comment vas-tu, Staya ? J'imagine que tu as envie de te délier les jambes.

Il l'emmena dehors, où elle galopa en rond pendant plusieurs minutes dans la lumière argentée de la lune. Puis, inexplicablement, la jument s'arrêta net et leva la tête vers le ciel. Hadrian sonda à son tour la région. Staya avait raison : une créature surnaturelle approchait par le sud.

– De qui s'agit-il ? demanda-t-il à l'animal.

Staya poussa des cris de joie. Elle connaissait donc leur visiteur.

– C'est un de tes amis, n'est-ce pas ?

La jument-dragon se mit à sautiller sur place avec enthousiasme. Lorsque le cheval ailé descendit dans la cour, Staya se hâta à sa rencontre et lui donna de petits coups de museaux sur l'encolure tandis que son cavalier mettait pied à terre. Hawke avait senti la présence de l'ancien souverain bien avant de débarquer à Zénor. Il marcha directement vers lui, laissant les deux destriers à leurs jeux. Hadrian vit étinceler les émeraudes de sa cuirasse sous les rayons de l'astre du soir.

– Bonsoir, sire, le salua l'Elfe.

– Si vous avez l'intention de porter cette armure, vous devrez m'appeler par mon nom.

– Mais vous êtes un personnage de légende.

– C'était dans une autre vie. Dans celle-ci, je suis un soldat comme les autres.

– C'est vous qui dirigez toute l'armée.

– Parce que Wellan n'est plus en mesure de le faire. C'est mon devoir de prendre sa place.

Les deux hommes s'assirent sur la margelle du puits.

– Je suis venu vous épauler, annonça l'Elfe. Quand l'ennemi sera-t-il ici ?

– Je crains que vous n'ayez manqué cette bataille. Les soldats impériaux sont revenus du Désert au début de la journée et ils nous ont rudement mis à l'épreuve. Un Chevalier et quatre Écuyers ont perdu la vie.

– Que les dieux leur ouvrent sans délai les portes des grandes plaines de lumière...

– Plusieurs des nôtres ont été blessés, dont le roi. Nous n'avons pas cessé de les soigner depuis.

– J'aurais dû arriver plus tôt.

– Personne ne vous le reprochera, Hawke. De toute façon, nous aurons bientôt d'autres ennemis à combattre. Mais dites-moi, que se passe-t-il à Émeraude ?

– Les larves continuent de progresser vers la Montagne de Cristal et nos alliés n'arrivent pas à les exterminer.

– Des scarabées ont également réussi à percer nos défenses et il semble qu'ils se dirigent au même endroit. C'est à n'y rien comprendre.

L'ancien roi poussa un soupir de découragement.

– Il est tard, fit-il remarquer. Que diriez-vous de mettre ces enfants au lit ?

Il parlait évidemment des deux chevaux-dragons qui se poursuivaient gaiement dans la grande cour. Hadrian se leva et Hawke l'imita.

– Attendez, le pria l'Elfe. Une question me trotte dans la tête depuis que nous avons empêché Onyx de réclamer les âmes des mages sholiens.

– Comme c'est étrange, j'en ai une aussi. Posez la vôtre en premier.

– Ce jour-là, vous étiez étonné que les dirigeants d'Enkidiev nous aient laissés dans l'ignorance des couloirs et des chambres de rituel creusés sous le château. Ils étaient donc connus, à votre époque ?

– Les rois et les magiciens s'en servaient régulièrement en effet, affirma Hadrian.

– Mais ces derniers ont disparu les uns après les autres...

– J'imagine que, privés de la science des mages, les souverains n'ont plus su comment les utiliser.

Hawke demeura silencieux quelques secondes.

– Quelle est votre interrogation ? dit-il finalement.

– Qu'avez-vous vu dans la pierre des Sholiens ?

– Une femme aux cheveux immaculés qui semblait me voir, comme si elle s'était tenue de l'autre côté d'un mur de cristal. Elle s'est même adressée à moi. Elle m'a dit que je deviendrais un guerrier magicien, comme mes camarades de classe, et que mon rôle serait de faire pencher la balance de notre côté.

– C'est très encourageant.

– Elle ne m'a malheureusement pas donné tous les détails de mon avenir...

Ils rappelèrent leurs bêtes, qui arrivèrent au galop, et les installèrent dans l'écurie où elles seraient protégées du vent.

4

UN ADOUBEMENT MÉRITÉ

Lorsque Chloé se réveilla le lendemain, blottie contre son époux, au Château de Zénor, elle ressentit aussitôt une étrange magie à l'œuvre. Se rappelant les terribles événements qui s'étaient produits quelques années auparavant à cet endroit même, elle quitta la première la chaleur de sa couverture. Cette fois, elle ne laisserait aucun sorcier s'en prendre à un membre du groupe. Elle pivota sur elle-même, cherchant la source de cette énergie, qu'elle localisa à l'extérieur du palais.

– Tout le monde debout ! ordonna-t-elle.

Les soldats sursautèrent dans leur sommeil. Hadrian et les commandants réagirent plus rapidement que leurs troupes. Ils se levèrent et évaluèrent la situation. L'ancien roi chercha des yeux les sentinelles qui auraient dû les avertir du danger. Elles n'étaient nulle part.

– Onyx ? appela Swan en se redressant.

Lui non plus n'était pas dans le hall. Pourtant, le soleil venait tout juste de se lever et son mari n'était pas un homme matinal. Hadrian marcha nerveusement entre les

Chevaliers et les Écuyers qui enfilaient leurs bottes à toute vitesse. Suivi de Bridgess, Chloé et Bergeau, Hadrian s'élança dans le corridor. En arrivant sous le porche, tous s'immobilisèrent, sidérés. Leurs compagnons s'entassèrent dans leur dos, obstruant la sortie.

– Que fais-tu là, Onyx ? s'exclama Hadrian.

Avec l'aide des Chevaliers qui étaient de garde depuis la veille, le Roi d'Émeraude leur avait préparé une surprise. Les Chevaliers et leurs apprentis débordèrent dans la cour, aussi stupéfaits que leurs chefs. Devant eux, sur de longues tables, étaient alignées une centaine de cuirasses vertes, des épées et des poignards.

– Je te donne une seule chance de le deviner, répliqua Onyx, qui disposait les armes les unes près des autres.

– Nous allons être adoubés ? se réjouit Coralie.

– Vous voyez bien qu'ils sont devenus suffisamment perspicaces pour devenir vos frères et sœurs d'armes, railla le roi.

– Onyx, pourquoi est-ce urgent de le faire ce matin ? demanda Hadrian en s'approchant de lui.

– Parce que nous devons repartir à la guerre et qu'il est grand temps que les Chevaliers cessent de s'inquiéter tout le temps des jeunes gens sous leur protection.

– As-tu demandé à leurs maîtres s'ils les jugeaient aptes à se battre seuls ?

– Ils vont avoir dix-sept ans. Votre nouveau code ne prévoit-il pas que c'est à cet âge qu'on les adoube ?

– Il a raison, l'appuya Bergeau. Personnellement, je peux affirmer que Lianan n'a plus besoin de moi sur le champ de bataille.

Les autres Chevaliers unirent leurs voix à celle de Bergeau.

– Tu as fait fabriquer ces cuirasses durant la nuit ? s'enquit Swan après avoir déposé un baiser sur les lèvres de son époux.

– Elles sont prêtes depuis longtemps. Je les ai seulement transportées jusqu'ici par magie.

– Moi, les adoubements me rendent nerveux, avoua Nogait. Chaque fois qu'on fait prononcer ce serment à des enfants, quelque chose nous tombe dessus.

Justement, Santo y avait pensé avant lui. Sans écouter les commentaires de ses compagnons, il sondait scrupuleusement la région.

– Je ne perçois rien, ni de loin, ni de près, annonça-t-il.

– Arrêtez de vous lamenter et mettez-vous en rangs, exigea Onyx.

Les apprentis se mirent à la recherche de leurs mentors et le Roi d'Émeraude dut attendre qu'ils aient tous formé des paires. Nikelai, dont le maître Jasson était absent, demanda à Kevin de lui servir de Chevalier. Ce dernier accepta volontiers sa requête, même si c'était Liam qu'il aurait voulu voir porter enfin la cuirasse de l'Ordre. L'Écuyer qui avait perdu son maître dans la bataille de la veille se plaça près des Chevaliers qui n'avaient plus d'apprentis.

– Comme vous le savez probablement déjà, je ne suis pas le genre à prononcer de longs sermons, commença Onyx.

– En effet, ce n'est pas le plus patient d'entre nous, murmura Falcon, faisant sourire ses voisins.

– Un par un, venez chercher une cuirasse, une ceinture et une cape et aidez votre Écuyer à les revêtir.

« Heureusement que ces soldats sont disciplinés », songea Onyx en les voyant approcher des tables. Les Chevaliers attachèrent les armures et les ceintures des adolescents avec beaucoup de fierté, puis ils agrafèrent les capes aux anneaux prévus à cette fin. Lorsque leurs protégés furent enfin prêts, ils se tournèrent vers le roi.

– Écuyers, vous avez désormais quitté le sentier du doute pour marcher sur celui de la lumière, récita le souverain. Vous êtes désormais Chevaliers d'Émeraude. Gardez votre corps et votre esprit toujours purs. N'entretenez aucune pensée négative ou inutile dans vos cœurs et faites-y plutôt croître votre amour pour Enkidiev et tous ses habitants. Ne cherchez pas seulement la connaissance dans les livres, mais aussi dans tout ce qui vous entoure. Apprenez à ressentir l'énergie dans tout ce qui vit. Partagez ce que vous savez avec ceux qui cherchent comme vous, mais soustrayez votre savoir mystique aux regards de ceux qui ont des penchants destructeurs. Méfiez-vous de ceux qui cherchent à vous dominer ou à vous manipuler. Soyez vigilants face à toute personne qui souhaite vous détourner de votre sentier pour sa gloire ou son avantage personnel.

Onyx se mit à marcher devant les nouveaux Chevaliers d'Émeraude, observant leurs visages rayonnants.

– Ne vous moquez jamais des autres, car vous ne savez jamais qui vous surpasse en sagesse ou en puissance. Que vos actions soient honorables, car le bien que vous ferez vous reviendra au centuple. Honorez tout ce qui respire. Ne détruisez pas la vie, sauf si vous devez défendre la vôtre. Maintenant, répétez après moi : Je prends l'engagement de suivre avec honnêteté les règles du code de chevalerie.

Les apprentis lui obéirent sans hésitation et même certains des vétérans se joignirent à eux, renouvelant leurs vœux.

– Et de travailler avec toute l'ardeur et le courage dont un Chevalier doit faire preuve, poursuivit Onyx d'une voix forte.

Bridgess voulait se montrer brave pour ne pas ternir la joie de sa fille et de la jeune Atalée qui répétaient les paroles du roi, mais des larmes coulaient malgré elle sur ses joues. Wellan aurait tant aimé assister à cette importante cérémonie.

– De servir la paix et la justice sur tout le continent et même dans les pays non encore découverts, continua Onyx.

Jenifael prononçait l'engagement la gorge serrée, car elle pensait aussi à son père, tombé au combat avant son adoubement.

– Je m'engage aussi à maîtriser ma colère, ma peur et ma hâte en toutes circonstances et à faire appel à mon jugement lorsque je dois prendre des décisions ou aider mon prochain, termina le roi.

Hadrian arqua un sourcil devant la modification que venait d'apporter Onyx au serment. Ce n'est pas de « faire appel à mon jugement » qu'il aurait dû dire, mais de « faire appel aux dieux ». Cependant, aucun des aînés ne sembla lui en tenir rigueur.

Onyx s'immobilisa et garda le silence pendant quelques minutes en promenant son regard sur la marée de soldats vêtus de vert.

– Vous êtes désormais des Chevaliers d'Émeraude, déclara-t-il enfin.

– Que les dieux vous prêtent longue vie, ajouta Hadrian, sachant fort bien que son lieutenant escamoterait cette dernière phrase du serment.

Une joyeuse clameur s'éleva dans la cour du château. Les maîtres remirent les nouvelles épées et les nouvelles dagues à leurs apprentis, les félicitèrent puis les laissèrent aller complimenter leurs anciens camarades de classe.

Swan embrassa Jenifael sur le front et vit qu'elle faisait de gros efforts pour ne pas pleurer.

– Sois forte, Jeni, l'encouragea-t-elle. Je suis sûre qu'il te voit de là-haut.

– Ce n'est pas pareil...

– Les dieux reprennent les hommes quand bon leur semble. Nous ne pouvons rien y changer.

Jenifael trouvait Swan très courageuse, car elle avait aussi perdu un fils.

– Nous allons tous finir au même endroit, de toute façon, raisonna la femme Chevalier. Tu pourras lui raconter cette cérémonie en détail et lui dire que mon mari a fait en sorte de l'écourter.

L'adolescente s'efforça de sourire pour rassurer son maître. Onyx annonça alors qu'il n'y aurait pas de parade dans la campagne zénoroise, comme le voulait la coutume.

– C'est la même chose pour la grande fête qu'on prépare habituellement pour célébrer l'adoubement de jeunes Chevaliers. Je suggère qu'on la jumelle à celle de notre victoire finale sur l'ennemi !

– Victoire ! cria Bergeau en levant un poing serré vers le ciel.

Ses frères et ses sœurs d'armes l'imitèrent.

– Mais je ne vous empêcherai pas de prendre le premier repas de la journée, enchaîna Onyx lorsqu'ils se furent calmés.

Sur les grandes tables débarrassées des armes et des cuirasses, il fit apparaître des aliments empruntés à tous les royaumes d'Enkidiev. Les laissant se rassasier et bavarder gaiement, Onyx quitta discrètement la cour du château.

Jenifael croqua dans une pomme sans afficher beaucoup d'appétit. Les deux garçons qui avaient grandi avec elle n'étaient pas là pour recevoir l'honneur de devenir enfin Chevaliers. Elle savait qu'il aurait été parfaitement inutile de demander au Magicien de Cristal de libérer Lassa le temps de son adoubement. « S'il avait été ici, peut-être que d'autres horribles créatures nous auraient attaqués », se dit-elle pour se consoler. Quant à Liam... Elle sentit des bras lui saisir les épaules et la faire pivoter en douceur. Bridgess l'étreignit contre sa poitrine en sanglotant.

– Ton père aurait été si fier de toi..., hoqueta-t-elle.

– Il faut que nous soyons braves, maman, souffla Jenifael en pleurant avec elle. Il sera encore plus content lorsque nous aurons débarrassé le continent des affreux insectes de l'empereur.

Hadrian marchait au milieu de la joyeuse assemblée en mangeant du pain au miel encore tout chaud. Il sondait le cœur de ses soldats. Déjà, certains des aînés avaient coupé le cordon ombilical qui les liait à leurs apprentis. Pour d'autres, l'opération était plus difficile. Bergeau n'arrêtait plus de donner des conseils à son ancien Écuyer qui l'écoutait avec attention, conscient que l'homme du Désert n'agissait ainsi que pour lui exprimer son affection. Pour Santo, c'était plutôt le contraire. Au lieu de faire des recommandations à Shangwi, il répondait à ses questions aussi honnêtement que possible pour le rassurer sur ses nouvelles responsabilités.

L'ancien Roi d'Argent ressentit aussi la peine de Bridgess et de sa fille. Des mots n'auraient pas suffi à soulager leur douleur, alors il se contenta de leur transmettre une vague d'apaisement. Les Chevaliers qui avaient perdu leurs Écuyers la veille et l'apprenti qui pleurait son maître étaient moins volubiles que leurs compagnons, mais ils faisaient un effort pour sourire.

« Mais où est donc passé Onyx ? » se demanda Hadrian. Swan discutait avec Nogait et Dempsey en dégustant des dattes cueillies magiquement à Fal. Elle ne semblait pas se soucier d'avoir perdu son mari de vue.

Hadrian chercha son vieil ami avec ses sens télépathiques et le repéra un peu à l'extérieur de la forteresse. Sans alarmer personne, il sortit lui aussi de la cour pour aller voir ce qu'Onyx fabriquait, cette fois. Il le trouva debout sur une grosse pierre rectangulaire, qui avait jadis fait partie des murs du château. De ce point stratégique, il pouvait voir une bonne partie de la côte. Hadrian grimpa le rejoindre.

Onyx ne regardait pas au large, là où les nouveaux récifs formaient de l'écume blanche. Il observait plutôt la plage, où des morceaux de bois s'étaient échoués, témoins des terribles naufrages soufferts par l'ennemi.

– Je n'ai pas encore aperçu de corps, lui dit Onyx.

– Ce n'est pas surprenant, puisque ces eaux sont infestées de créatures carnivores. Les guerriers insectes ont pu aussi être repêchés par les embarcations qui ont évité les écueils à temps.

– Donc, l'empereur devrait maintenant savoir que le littoral d'Enkidiev est inaccessible.

– Ils communiquent en effet par leur esprit. Amecareth est forcément au courant de ce qui s'est passé ici.

– Dans ce cas, pourquoi envoie-t-il d'autres vaisseaux ?

Onyx tourna doucement la tête vers son ancien commandant, les yeux chargés d'interrogation.

– Cela me tracasse également, soupira Hadrian. En fait, ce que je crains, c'est que ces nouveaux combattants arrivent par le ciel.

– Comme les sorciers... Mais il ne lui reste que son corbeau, non ?

– J'imagine que s'il avait eu d'autres mages noirs à son service, il les aurait déjà utilisés contre nous. Tu sais, cependant, que l'empereur possède une intelligence différente de la nôtre. Il ne faut pas tenter de deviner sa stratégie en fonction de ce que nous ferions à sa place.

– Je n'aime pas du tout ce que je ressens, en ce moment.

– Les Immortels nous viendront en aide.

L'expression du Roi d'Émeraude passa de l'angoisse à la colère.

– Laisse-moi transiger avec eux, le pria Hadrian. Cela évitera des frictions entre nos deux univers.

– S'ils s'en prennent à un seul de mes hommes, après la guerre, je démolirai le palais de Parandar de mes propres mains.

– Il faut avouer que tu ne manques pas d'ambition, le taquina son ami. Fais-moi confiance, Onyx. Nous ne répéterons pas les erreurs du passé.

Ils captèrent en même temps l'approche de Hawke, qui les avait cherchés partout dans la cour.

– A-t-il tenu suffisamment longtemps la pierre des Sholiens dans ses mains pour hériter de quelques-uns de leurs pouvoirs ? voulut savoir Onyx.

– C'est difficile à dire. Il prétend avoir eu une conversation avec un Ancien, mais il ne m'a pas parlé de nouvelles facultés.

– Puis-je me joindre à vous ? les héla l'Elfe.

– Mais certainement, maître Hawke, acquiesça Hadrian.

Le magicien s'éleva doucement dans les airs, comme s'il eut possédé des ailes.

– Je crois que voilà ta réponse, indiqua l'ancien Roi d'Argent à Onyx.

– Que contemplez-vous ainsi ? les questionna le magicien d'Émeraude.

– Des épaves, indiqua Hadrian.

– Avez-vous l'intention de nettoyer la plage avant les prochains combats ?

– Malheureusement, cela nécessiterait des jours. Nous ne disposons pas d'autant de temps libre.

– Laissez-moi m'en charger, alors. Pour une raison que j'ignore, mes pouvoirs de lévitation semblent s'être accrus.

Onyx allait lui recommander de ne pas gaspiller ses forces, car ils devaient rapidement se mettre en route vers Émeraude. Cependant, sans remuer un cil, l'Elfe avait déjà commencé à opérer sa magie. Hadrian sentit un vent glacial le frôler et constata, d'après la surprise de son ancien lieutenant, qu'il en était de même pour lui. Les planches cassées, les cordages et les voiles déchirées s'élevèrent dans le ciel aussi loin que l'œil pouvait voir.

– Nous pourrions les retourner à leurs propriétaires, suggéra Hawke avec un sourire malicieux.

– À quatre jours de bateau d'ici ? s'étonna Hadrian.

Les débris décollèrent vers l'ouest, comme des projectiles décochés par un millier d'archers. En quelques secondes à peine, ils avaient franchi l'horizon.

– Ce n'est plus de la lévitation, lança Onyx. C'est de la propulsion ! À partir de cet instant, vous demeurerez avec l'armée. Plus question d'aller vous balader chez vous.

L'Elfe inclina doucement la tête en guise de soumission.

5

Les deux sœurs

Le nouveau commandant des Chevaliers d'Émeraude était un homme prudent. Avant de lancer ses soldats à l'attaque des envahisseurs qui avaient franchi la ligne de défense des Elfes et des Fées, Hadrian étudia attentivement la situation. Ses sens magiques lui indiquèrent que les progrès des insectes dans ces deux royaumes étaient considérablement ralentis par l'intervention du Roi Hamil et du capitaine Kardey. Ils n'avaient donc pas encore atteint les Royaumes d'Opale et de Diamant. Puisqu'ils traversaient encore des forêts, Hadrian jugea inutile d'y précipiter ses hommes. Il les posterait plutôt sur les plaines, pour empêcher l'ennemi de se rendre jusqu'à Émeraude. Jusque-là, il avait l'intention de les laisser reprendre leur souffle.

Hadrian circula entre les Chevaliers qui mangeaient avec appétit en bavardant amicalement. Certains souffraient encore de leurs blessures, mais Santo s'en était déjà aperçu. Ayant terminé son repas, le guérisseur avait commencé à isoler les cas les plus pressants pour leur offrir un deuxième traitement. Mann faisait la même chose. Dans quelques heures, tous seraient en mesure de retourner au combat.

Il allait retrouver Onyx pour jeter lui-même un coup d'œil à sa blessure lorsque le Chevalier Ariane lui barra la route. Elle avait le visage parfait des Fées, mais ses cheveux étaient noirs comme la nuit.

– J'ai une faveur à te demander, fit-elle, avec un sourire implorant.

– Tu sais bien que je te l'accorderai si elle est raisonnable.

– Est-ce que je me trompe en affirmant que nous ne quitterons pas Zénor ce matin ?

– Mon intention est de partir lorsque le soleil sera haut dans le ciel, en effet.

– Dans ce cas, pourrais-je utiliser mes nouveaux brace-lets pour aller voir ma fille, même si ce n'est que pendant quelques minutes ?

– Je t'appellerai lorsque nous serons prêts à nous rendre sur le champ de bataille.

– Merci, Hadrian.

Elle s'empressa de quitter la cour pour aller former son vortex en lieu sûr, car elle n'avait jamais utilisé cette magie auparavant. L'ancien Roi d'Argent n'aurait jamais pu lui refuser cette permission, car il avait eu des enfants lui aussi, et ils lui avaient terriblement manqué durant la première invasion. Il savait ce que ressentait cette femme, éloignée de sa petite depuis trop longtemps.

Une fois sur la grève, Ariane commença par prendre une profonde inspiration. « Je dois d'abord visualiser l'endroit exact où je veux me rendre », se rappela-t-elle pour avoir souvent entendu Jasson le mentionner. Elle imagina donc, avec le plus de détails possible, la vallée où le Roi

Tilly cachait son château de verre. Puis elle croisa ses deux bracelets noirs l'un sur l'autre. Un point lumineux apparut à quelques mètres d'elle. Il se mit à tourner sur lui-même jusqu'à atteindre un diamètre suffisant pour y faire entrer trois hommes à cheval. Ariane ne savait pas encore très bien combien de temps ces maelströms demeuraient ouverts, alors elle fonça.

En un instant, elle se retrouva à deux pas de la rivière qui coulait près du palais. « C'est vraiment formidable », songea-t-elle. Désormais, elle pourrait régulièrement venir serrer Améliane dans ses bras. Elle se dirigea vers l'endroit où s'élevait la forteresse invisible, même s'il arrivait à son souverain de la déplacer de temps en temps. Elle perçut une douce mélodie à la harpe et sut qu'elle approchait de son but.

Ariane ne fit que deux pas encore et se retrouva dans le jardin intérieur du château, d'où provenait la musique. Au milieu de la vaste enceinte, entourée de roses rouges, une harpe nacrée jouait d'elle-même les notes qu'on lui avait enseignées. Elle se tut un instant à l'arrivée du personnage vêtu d'une cuirasse, puis reconnut son essence de Fée et se remit à jouer.

– Mais où sont-ils allés ? s'étonna Ariane.

Elle pénétra dans le palais et longea un couloir, où la lumière aux teintes changeantes fluctuait au rythme d'un battement de cœur inconnu. De plus en plus intriguée, la femme Chevalier se rendit au grand hall, dans lequel elle captait de fortes émotions. Quelle ne fut pas sa surprise, lorsqu'elle s'arrêta à l'entrée de la salle du trône, de voir une centaine de jeunes Fées formant un cercle. Elles babillaient tout bas, excitées par ce qu'elles regardaient.

Ariane s'approcha davantage, sans que personne flaire sa présence. « Heureusement que je ne suis pas un scarabée argenté ! » songea-t-elle. Une émouvante scène se joua alors devant elle. Au milieu des Fées, sur un petit nuage duveteux, une jeune femme était couchée sur le ventre. Le roi était debout près d'elle, les mains posées sur son dos.

« Elle va avoir ses ailes », comprit enfin Ariane. Sans faire de bruit, elle assista à cette importante cérémonie. Habituellement, les Fées avaient leurs ailes à l'âge de dix ou onze ans. Pourtant, celle qui allait bientôt obtenir les siennes était une adulte. Ariane marcha derrière le groupe, pour mieux voir ce qui se passait. C'est alors qu'elle reconnut l'heureuse élue : c'était Éliane ! Avant qu'elle n'arrive à se faufiler à travers les adolescentes pour aller encourager l'épouse de son frère d'armes Derek, le phénomène tant attendu se produisit. Deux appendices humides sortirent finalement du dos d'Éliane, qui arrêta aussitôt de souffrir. Tilly les essuya avec un carré de soie jusqu'à ce qu'elles se déploient de toute leur longueur. Il demanda ensuite à la Fée azurée de les agiter avec douceur pour qu'elles sèchent complètement.

Ariane remarqua alors le joli minois de sa fillette, dans la première rangée de spectatrices. Améliane se mit à applaudir en voyant s'agiter les belles ailes de libellule. En grandissant, la fillette ressemblait de plus en plus à sa grand-mère, la Reine Calva, sauf que ses cheveux étaient noirs comme ceux de sa mère et bouclés comme ceux de son père. Ariane continua de l'épier en silence, son cœur se gonflant de joie. Améliane détacha soudain son regard de la Fée azurée et vit finalement la femme Chevalier.

– Maman ! s'écria-t-elle.

Elle bouscula tout le monde pour se jeter dans les bras d'Ariane. Elle parsema le visage de sa mère de baisers en poussant de petits cris de joie. Les autres Fées exprimèrent leur ravissement devant le touchant spectacle.

– Ce n'est pas moi qui devrais attirer ainsi l'attention, mais Éliane, souffla la guerrière.

Elle marcha jusqu'à la Fée azurée qu'on aidait à se lever.

– Elles sont belles, n'est-ce pas, maman ? s'émerveilla Améliane en contemplant les ailes.

– Elles sont magnifiques. Comment te sens-tu, Éliane ?

– La tête me tourne un peu, mais le bonheur que je ressens compense cet inconfort. J'aimerais bien bavarder avec vous, Lady Ariane, mais il serait préférable que je me repose.

– Nous aurons très certainement d'autres occasions de nous revoir.

Les jeunes Fées aidèrent Éliane à quitter la grande salle et deux d'entre elles la reconduisirent à sa chambre. Seuls Tilly et Calva demeurèrent dans le hall.

– Nous ne nous attendions pas à ta visite, laissa tomber le roi, inquiet.

– Je voulais faire l'essai de mes nouveaux bracelets magiques, alors j'ai pensé que le meilleur endroit à visiter, c'était mon royaume de naissance.

– C'était aussi pour me voir ! ajouta la petite qui ronronnait dans ses bras.

– Oui, c'était surtout pour cette raison.

– Partageras-tu le repas du matin avec nous ? l'invita sa mère.

– J'ai déjà mangé avec mes compagnons, à Zénor, mais je n'empêcherai certainement pas cette belle enfant de se régaler de vos bons petits plats.

– Je n'ai pas faim, affirma Améliane. Je veux rester avec toi jusqu'à ce que tu repartes, parce que tu devras encore t'en aller, n'est-ce pas ?

– Il y a encore de vilains scarabées qui rôdent sur nos terres. C'est mon travail de les chasser.

– Papa les combat, lui aussi.

Ariane dirigea un regard interrogateur vers ses parents.

– Avec ma permission, il tente d'arrêter les envahisseurs avant qu'ils n'atteignent la rivière Mardall, expliqua Tilly. Veux-tu que je le rapatrie au château ?

– Non. Il fait son devoir de soldat et cela me remplit d'un vif plaisir.

– Il faisait la guerre avant de vivre ici, précisa la fillette avec un air sérieux.

– Venez avec moi, toutes les deux, les pria Calva.

Sachant ce que son épouse s'apprêtait à faire, Tilly ne les suivit pas. Il avait élevé Ariane, même si elle n'était pas sa fille, mais il ne pouvait tout simplement pas accepter que Calva ait eu un deuxième enfant par la suite avec le même amant. Il supportait la présence de Dinath chez lui par respect du protocole, car elle avait demandé asile aux Fées. Mais dès que la guerre serait terminée, il lui faudrait trouver un nouveau foyer.

Calva conduisit sa fille et sa petite-fille dans les grands vergers. Au pied d'un pommier, une jeune fille était assise, le dos appuyé contre l'arbre, un livre entre les mains. Ses longs cheveux noirs étaient attachés derrière sa tête et son front plissé par l'intérêt qu'elle portait à sa lecture. « Elle me ressemble tellement... », remarqua la femme Chevalier.

— Ariane, je te présente ta sœur, Dinath.

La voix de la reine fit sursauter sa benjamine. Dinath laissa tomber son livre sur ses genoux en reconnaissant Ariane, sa mère la lui ayant déjà fait voir par magie. Elle se leva et s'approcha de sa sœur aînée avec un sourire timide.

— Je suis heureuse de faire enfin ta connaissance, affirma Ariane avec sincérité.

— Moi de même.

— Je vais emmener cette charmante enfant prendre une bouchée pendant que vous discutez, annonça Calva en cueillant Améliane dans les bras de la guerrière.

— Je veux rester avec maman, gémit la petite.

— Tu viendras les rejoindre dès que tu auras mangé.

Améliane fit la moue, mais se laissa emmener par sa grand-mère. Ariane glissa ses doigts entre ceux de Dinath. Une étincelle jaillit de leurs mains jointes.

– Que s'est-il passé ? s'étonna Ariane. Ressens-tu une curieuse sensation dans ta main ?

– J'espère que ce n'étaient pas mes bracelets...

Dinath hocha lentement la tête. Ce n'était pas de la douleur à proprement parler, mais une grande chaleur qui remontait dans leurs bras.

– As-tu mal ? s'inquiéta Ariane.

– Non, au contraire. C'est de plus en plus agréable.

Elles se mirent à marcher entre les pommiers, sentant un étroit lien magique s'établir entre elles.

– Le roi te traite bien ? voulut savoir la femme Chevalier.

– Il tolère ma présence, sans toutefois m'adresser la parole. Heureusement que j'ai une mère.

– Quand es-tu revenue vivre avec elle ?

– Lorsque le sorcier m'a enlevée sur l'île des Ancêtres.

Ariane s'immobilisa, stupéfaite.

– Père m'a conduite sur Osantalt pour me soustraire à la cruauté de l'Empereur Noir, mais son fidèle corbeau m'y a trouvée assez facilement, lui raconta Dinath. Il s'est emparé de moi, mais m'a relâchée au-dessus de l'océan. C'est un dauphin qui m'a sauvé la vie. Une bête magnifique qui ressemble à un poisson, mais qui est dotée d'une remarquable intelligence. Père a fait fuir Asbeth et il m'a emmenée ici, en m'assurant que je serais hors de danger.

– Je crains qu'aucun endroit sur le continent ne soit totalement sécuritaire tant que l'empereur y enverra des troupes.

– Père me dit que tu les combats depuis très longtemps.

– C'est vrai. Toute ma vie, je n'ai connu que la guerre. Heureusement, c'est ainsi que j'ai rencontré mon mari.

– Un homme très séduisant, si tu veux mon avis.

– Kardey est l'être le plus remarquable que je connaisse, et pourtant, je côtoie des centaines de soldats formidables. J'admire sa loyauté, sa sincérité, sa force et sa tendresse.

– J'approuve entièrement ton choix, assura Dinath.

– Et toi, es-tu amoureuse ?

– C'est difficile à dire. J'ai croisé un jeune Immortel sur la Montagne de Cristal il y a quelque temps déjà, et je n'arrête jamais de penser à lui. J'ai même vu son visage dans les nymphéas.

– Connais-tu la légende des lunes d'eau ?

– Les légendes sont des contes qui n'ont pas nécessairement de fondement dans la réalité.

– Comment s'appelle celui qui t'apparaît dans les étangs magiques ?

– Dylan.

– Le fils de Wellan ?

– C'est ce qu'il prétend. Est-ce que tu le connais ?

– La première fois que je l'ai vu, dans le hall des Chevaliers, il avait à peine l'âge d'Améliane. Dylan aimait tellement son père mortel qu'il désobéissait aux dieux pour lui venir en aide.

Les deux femmes prirent place sur le bord de la rivière. Ariane relata à sa sœur toutes les interventions du jeune rebelle dans la vie des Chevaliers d'Émeraude. Elle conclut en lui avouant que la blessure infligée au jeune homme par un dieu déchu lui avait fait perdre sa pérennité.

– Il est peut-être aussi amoureux de toi, ajouta-t-elle.

– J'imagine que s'il est devenu mortel, nous pourrions sans doute envisager une relation...

– Je te fais la promesse solennelle de te le présenter dès que nous aurons mis un terme aux ravages d'Amecareth.

– Tu crois vraiment que la guerre se terminera de notre vivant ?

– Il le faut.

Un assourdissant vrombissement fit trembler la vallée. Ariane sauta aussitôt sur ses pieds, prête à se défendre.

– C'est seulement l'une des divisions qui revient, la rassura Dinath en se levant, elle aussi.

– Une division de quoi ?

– Ton mari a organisé les Fées en plusieurs troupes, afin qu'elles ne quittent plus le champ de bataille toutes en même temps, au moment des repas. Elles regagnent donc le palais à tour de rôle pour se reposer, puis elles retournent au combat.

– Alors, là, je reconnais bien le Kardey que j'ai épousé.

– Allons prendre des nouvelles du front.

Les deux Fées suivirent les soldats ailés dans le hall du palais. Le détachement était composé d'autant d'hommes que de femmes, une grande première dans ce royaume, puisque les mâles avaient toujours été tenus à l'écart des affaires publiques. Les Fées ne semblaient pas épuisées, mais elles étaient manifestement affamées. Elles firent honneur aux mets qui venaient d'apparaître sur la longue table transparente.

Ariane distingua alors, parmi les centaines de créatures éthérées, la silhouette de son époux. La guerrière se faufila aussitôt entre les voiles et les ailes et s'arrêta à quelques pas de l'ancien capitaine d'Opale. Sa tunique était souillée de terre, ses cheveux tout de travers et ses jointures avaient saigné. Malgré tout, sur son visage brillait un sourire triomphant. Il mordit dans une miche de pain avec appétit. Ariane demeura immobile, à l'observer avec plaisir. Les hommes Fées qui entouraient Kardey échangeaient des commentaires sur le dernier assaut. Le capitaine hochait la tête en guise d'assentiment, tout en avalant son repas comme un loup affamé. « Il a fait sa place au sein de mon peuple », constata la femme Chevalier.

Comme s'il avait entendu son commentaire, le soldat pivota vers elle. Il arrêta de mastiquer et ses yeux se remplirent de larmes de joie. Ariane n'y tint plus : elle sauta dans ses bras et l'étreignit avec force.

– Les Chevaliers sont-ils venus nous prêter main-forte ? demanda-t-il, une fois qu'il eut avalé sa bouchée.

Sans lui répondre, Ariane l'embrassa passionnément, suscitant des murmures de surprise parmi les Fées. Le baiser durant un peu trop longtemps au goût du roi, ce dernier transporta magiquement les époux dans leur chambre à coucher.

– Je suis venue seule, annonça enfin Ariane.

– Si je n'étais pas si fourbu, je me jetterais sur toi dans notre lit, déplora Kardey.

– Console-toi. Je devrai partir dans quelques minutes pour aller rejoindre mon groupe, car j'en suis désormais le commandant.

– Le commandant ? Est-il arrivé malheur à Jasson ?

– Il a déserté.

– Jasson ? Non, je n'en crois rien.

– Il n'a pas été capable d'encaisser la mort de Wellan et il est parti.

– Je suis certain qu'il reviendra. Rappelle-toi bien mes paroles.

Kardey avait fait partie de la troupe de Jasson, avant d'être fauché par les guerriers d'Amecareth et ressuscité par le Roi Tilly. Il avait appris à bien connaître son chef. Jasson avait des défauts comme tout le monde, mais ce n'était pas un lâche.

– Alors ma femme est maintenant commandant ! s'enorgueillit le capitaine.

– Je n'ai reçu le titre qu'hier et je n'ai pas encore exercé mon autorité.

– Ils apprendront à marcher au pas.

Ils échangèrent de nouveau quelques baisers.

– Avez-vous réussi à arrêter les soldats-insectes sur la côte ? demanda-t-il en s'arrachant à l'étreinte.

– Partout, sauf ici et chez les Elfes. Justement, nous avons l'intention d'aller les intercepter le plus rapidement possible avant qu'ils n'atteignent Émeraude.

Ariane, c'est le moment de rentrer, fit alors la voix d'Hadrian dans son esprit. À l'expression de déception sur son visage, Kardey devina tout de suite qu'elle venait de recevoir un ordre.

– Je dois partir, soupira-t-elle. Tu m'accompagnes dehors ?

– Je crois que je vais t'accompagner bien plus loin que cela.

Il lui prit la main et l'entraîna dans le labyrinthe de couloirs du palais, jusqu'à ce qu'ils aboutissent à l'extérieur. Il se plaça alors devant elle, suppliant.

– Ton père m'a libéré du sort qu'il jette aux Fées mâles, lui apprit-il. Je suis libre de te suivre à la guerre.

– Mais Améliane ? Et toutes ces Fées sous ton commandement ?

– J'en ai déjà discuté avec ta mère. Elle protégera Améliane. Quant à mes troupes, elles ne m'écoutent pas, de toute façon. Seul le Roi Tilly réussit à les faire obéir.

– Je ne voudrais pas te perdre une deuxième fois, Kardey...

– Et moi, je ne veux plus vivre loin de toi.

Ariane hésita, déchirée entre son besoin de garder son mari à ses côtés et sa peur de le voir encore mourir aux mains de l'ennemi.

– Laisse-moi venir avec toi, implora-t-il.

– Moi aussi ! réclama Dinath en s'approchant du couple.

– Êtes-vous tombés sur la tête ? rétorqua Ariane. Vous vivez dans le pays qui court le moins de risque d'être anéanti et vous voulez vous exposer aux griffes des Tanieths ?

– Si nous n'arrivons pas à les repousser, il n'y aura aucun endroit où nous pourrons nous cacher, affirma Kardey.

– Je sais me battre, ajouta Dinath. Je vous l'ai prouvé au Château d'Émeraude, le soir où Akuretari et Asbeth ont fait front commun pour vous attaquer.

« Lors du mariage de Santo », se rappela Ariane.

– Tes bracelets ne réagissent qu'en présence d'Immortels ou de dieux malveillants, protesta la grande sœur. Ce sont des fantassins recouverts d'épaisses carapaces que nous affrontons.

Dinath chargea ses deux mains et laissa partir un faisceau ardent qui faucha un arbre de cristal.

– C'est plutôt convaincant, admit Kardey.

Ils entendirent alors les cris perçants de la petite Améliane qui se débattait dans les bras de Calva. Incapable de la retenir plus longtemps, la grand-mère la déposa sur le sol. L'enfant détala comme un lapin et courut s'accrocher à la jambe d'Ariane.

– Te rappelles-tu notre discussion de l'autre jour, grenouille ? demanda son père en s'accroupissant devant la fillette.

– Non, je ne veux pas m'en souvenir.

– Je t'ai dit que la guerre se terminerait bien plus rapidement si nous nous mettions tous ensemble pour chasser les méchants insectes. Je vais y aller avec maman et nous pourrons enfin vivre ensemble tous les trois.

– Mais moi ? pleurnicha Améliane.

– Tu vas continuer d'apprendre à jouer de la harpe et prendre soin de la reine, comme tu me l'as promis. Et puis, regarde ce que ta mère a reçu des dieux.

L'enfant leva les yeux sur les bracelets que lui montrait Ariane.

– Ils sont magiques et ils permettent à maman d'aller instantanément où elle veut, expliqua Kardey.

– C'est vrai ?

– Est-ce que je t'ai déjà menti ?

– Une fois, pour que je dorme.

– Je dois y aller, ma chérie, la pressa Ariane.

Calva s'approcha, prête à reprendre la fillette. Les parents l'embrassèrent à profusion, puis ce fut au tour de Dinath de la cajoler un peu. Améliane accepta à regret que sa grand-mère la tienne à nouveau dans ses bras. Ariane lui fit un clin d'œil et croisa ses bracelets. Le tunnel de lumière éclatante arracha une exclamation de plaisir à l'enfant, qui laissa finalement partir Ariane, Kardey et Dinath.

6

La falaise de Zénor

Pour les protéger, Kira et lui, pendant la saison des pluies, Lazuli avait bâti une hutte sur le promontoire créé par la jeune femme. La petite habitation était circulaire, comme toutes celles des Enkievs, et surtout bien étanche. Heureusement, la crue de la rivière Mardall ne fut pas aussi importante que l'avaient prévu les deux aventuriers, ce qui leur permit de quitter périodiquement leur abri sans avoir à marcher dans l'eau.

Pour la première fois depuis des années, Kira parvenait à se détendre. Son compagnon était un homme agréable et compréhensif. Il vivait un jour à la fois, ne manquant jamais de remercier le ciel pour tous ses bienfaits. Kira avait parfois du mal à croire qu'il était l'ancêtre d'Onyx.

Puisqu'il était difficile de trouver des racines dans les champs et les forêts détrempés et que les fruits n'avaient pas encore poussé dans les arbres, le couple se nourrissait des produits de la chasse et de la pêche. L'habile jeune homme avait fabriqué des harpons, des arcs et des flèches. Évidemment, cette constante proximité avait incité Kira à s'ouvrir davantage. La hutte était rapidement devenu leur petit nid d'amour et la femme Chevalier avait bientôt cessé de penser à la guerre. Incapable de revenir à son ancienne vie, elle avait bien l'intention de profiter de celle que le destin lui offrait.

Graduellement, la pluie diminua sur le sud du continent et le soleil fit quelques timides percées à travers les nuages gris. Ils pourraient bientôt se remettre en route. Cependant, Kira n'éprouvait plus la même hâte à franchir l'océan pour aller régler ses comptes avec l'Empereur Noir. Elle commençait à se demander si le jeu en valait vraiment la chandelle. Un matin qu'ils pêchaient sur la rive, Lazuli lui fit savoir ce qu'il pensait de cette expédition.

– Si toute une armée de Chevaliers n'est pas arrivée à éliminer les hommes-insectes qui vous ont attaqués, comment une seule femme en viendrait-elle à bout ? la questionna-t-il en plongeant le harpon en eau peu profonde.

– Mes pouvoirs sont plus considérables ici qu'ils le seront dans le futur, répondit Kira en surveillant les mouvements des poissons. Je n'ai qu'à détruire les dragons qui vivent sur les plages d'Irianeth, puis à démolir la ruche tandis que son ignoble maître s'y trouve.

Lazuli se redressa subitement, le visage déformé par la peur.

– Mais si tu détruis celui qui te donnera un jour la vie, tu cesseras également d'exister, s'étrangla-t-il.

– Sans doute, mais ma disparition sauvera des milliers d'hommes et de femmes.

Il projeta le harpon sur la berge et s'éloigna en direction de la forêt.

– Lazuli ! le rappela-t-elle.

Il fit la sourde oreille. Kira s'élança à sa poursuite et le rattrapa avant qu'il ne s'enfonce entre les arbres. Le visage du jeune Gariséor était baigné de larmes.

– Je ne veux pas te causer de chagrin, tu le sais bien, le consola-t-elle. Je t'ai dit dès le début que mon intention est de tuer l'empereur.

Elle essuya les yeux de Lazuli avec tendresse en cherchant la meilleure façon de l'apaiser.

– Si tu dois mourir, hoqueta-t-il, alors je mourrai avec toi.

– Tu es jeune et tu as encore de belles choses à accomplir, Lazuli.

– Pas sans toi.

Elle l'attira dans ses bras et le laissa pleurer. Quand il agissait ainsi, il ressemblait beaucoup plus à Sage qu'à Onyx. Oubliant la pêche, elle le ramena à la hutte. Ils s'allongèrent sur leur lit de feuilles et se regardèrent dans les yeux pendant un long moment.

– Tu ne pourras pas m'empêcher de te suivre, déclarat-il finalement.

« Là, il me fait penser à Onyx », songea Kira avec amusement.

– Tu ne sais pas naviguer, objecta-t-elle.

– Je me débrouillerai.

– Et si j'utilise ma magie pour me rendre sur cette île ?

– J'essaierai de faire la même chose.

– Tu pourrais manquer ton coup et te retrouver au milieu de l'océan.

– Je tenterai ma chance.

– Lazuli, tu es intraitable.

– Non, je suis amoureux.

Il alla chercher un baiser sur ses lèvres violettes et elle n'eut pas le courage de le sermonner davantage. Elle se laissa gagner par son ardeur et oublia ses plans de destruction pendant quelques heures. Après l'amour, il resta blotti contre elle, mais son estomac criait famine.

– Je vais nous trouver à manger, décida-t-elle.

Il se redressa et jeta un coup d'œil par l'ouverture de l'abri.

– Il fait bien trop sombre pour attraper du poisson, répliqua-t-il.

– Je vais utiliser une vieille façon d'obtenir ce dont nous avons besoin.

Elle ferma les yeux et laissa son esprit errer sur le continent sans trop savoir où chercher, car aucun des châteaux et des agglomérations qu'elle avait connus n'existait dans le passé. Elle repéra finalement un petit village de pêcheurs sur la côte et constata avec bonheur qu'ils avaient fait cuire une grande quantité de poisson pour une fête quelconque, probablement le retour de la saison chaude.

Deux écuelles apparurent entre elle et Lazuli.

– Et dire que tout ce temps, je m'évertuais à nous procurer de la nourriture ! s'exclama-t-il.

Sa nouvelle gaieté réchauffa le cœur de la guerrière.

– À mon époque, il était facile d'en trouver, car le continent était mille fois plus peuplé, expliqua Kira.

Il savoura son repas, puis fit sa prière habituelle à Parandar pour le remercier de ses bontés. Kira n'eut pas le courage de le désillusionner.

– Montre-moi à me battre avec mes pouvoirs, la supplia soudain le jeune homme.

– Pour souiller la pureté de ton âme ?

– Elle ne m'appartient plus.

– Lazuli, je t'en conjure, sois raisonnable.

Son air déterminé fit comprendre à Kira qu'il resterait inflexible.

– Laisse-moi y penser, soupira-t-elle, vaincue.

Lorsqu'ils se réveillèrent, le lendemain, le soleil inondait Zénor. Lazuli sortit de la hutte et laissa l'astre du jour réchauffer son visage. Une brise chaude se mit à souffler du sud. La saison des pluies était finie.

– Nous pourrons nous mettre en route ce matin, annonça-t-il à Kira lorsqu'elle le rejoignit enfin dehors. Un changement de décor nous fera le plus grand bien.

Ils n'emportèrent que les couvertures, leurs armes et leurs gourdes et piquèrent vers l'ouest, traversant d'abord les grandes forêts de la partie orientale du pays. « Il y a beaucoup plus d'arbres à Zénor maintenant que dans le futur », songea Kira en marchant derrière son compagnon. C'était sans doute le passage des dragons, lors de la première invasion, qui avait décimé la sylve zénoroise. Puisqu'ils étaient à pied, les deux aventuriers ne couvrirent pas beaucoup de terrain la première journée.

Lazuli établit le campement dans une clairière et ramassa du bois pour le feu. Lorsqu'il se mit à chercher des pierres pour allumer les broussailles, Kira l'émerveilla une fois de plus en les embrasant magiquement.

— Enseigne-moi à faire la même chose, l'implora le Gariséor.

— Seulement à la condition que tu n'enflammes pas la forêt, le taquina-t-elle.

Il hocha vivement la tête.

— Tout ton pouvoir se trouve ici, commença-t-elle en posant la main au milieu de sa poitrine. Peu importe l'opération magique que tu désires réaliser, ta puissance partira toujours de cet endroit. Avec de la pratique, on n'y pense même plus, mais au début, il faut faire l'effort conscient de se rappeler que ce centre d'énergie se trouve en nous. Ferme les yeux et dis-moi ce que tu ressens.

— C'est l'endroit le plus chaud de mon corps.

— Très bien. Tu sais déjà comment faire irradier tes paumes pour refermer les blessures. Fais-le, mais en suivant mentalement le mouvement de cette chaleur jusqu'à tes mains. Ne lui insuffle pas trop de force.

Il lui obéit sur-le-champ. Une douce lueur s'échappa entre ses doigts.

– Il suffit de visualiser d'abord le feu dans ta poitrine, puis de le faire sortir de tes mains. Son intensité dépendra de tes intentions. Tu peux donc l'utiliser autant pour allumer du bois que pour incendier un dragon. Cependant, j'ai vu échouer des élèves magiques, uniquement parce qu'ils étaient paralysés par la peur. Donc, en même temps que tu apprends à maîtriser cette puissance, tu dois aussi dominer tes craintes.

– Puis-je essayer de créer des flammes ?

– Dirige tes paumes vers le feu de camp et vas-y doucement.

Les premiers essais de Lazuli ne donnèrent que de la lumière, mais il ne se découragea pas et, au bout d'une heure, il fit enfin jaillir quelques petites flammes de ses paumes. Il poussa un cri de douleur et secoua ses mains meurtries.

– Est-ce toujours aussi douloureux ? s'étonna-t-il.

– Seulement au début. Je t'assure qu'on s'endurcit rapidement, surtout lorsque d'affreux scarabées sur deux pattes se mettent à nous taper dessus.

Après un second essai, Lazuli dut s'arrêter pour la nuit, les paumes calcinées. Kira les soigna avec amour, terminant le traitement par un baiser. Ils s'enroulèrent dans leurs couvertures et réussirent à s'endormir malgré les hurlements des loups. Ce ne fut qu'au matin que Kira se rendit compte de ce qu'elle avait entendu.

– Il n'y a plus de loups depuis des centaines d'années à Zénor, indiqua-t-elle à son compagnon. Ils ont été refoulés dans les forêts de Perle et de Turquoise et ils ne sont pas très nombreux.

– On dirait qu'il manque beaucoup de choses dans ton monde du futur.

– C'est vrai, avoua-t-elle en pliant sa couverture, mais je ne sais plus très bien pourquoi. J'aurais dû porter davantage attention à mes cours d'histoire.

Ils poursuivirent leur route dans la forêt et tombèrent sur une formation rocheuse comme Kira en avait déjà vu au Royaume de Turquoise et au Royaume des Elfes. Il y en avait même une semblable dans les bois, derrière le Château d'Émeraude. Kira était bien trop curieuse pour ne pas y jeter un coup d'oeil. Elle s'arrêta au pied d'un menhir deux fois plus grand qu'elle. Une vingtaine de ces gros rochers formaient un cercle.

– Est-ce que ce sont les Enkievs qui ont placé ces pierres de cette façon ? demanda-t-elle.

– Non, ce sont les dieux, affirma Lazuli. Les cromlechs étaient là bien avant notre création.

– À quoi servent-ils ?

– Ce sont des portails vers l'au-delà.

– Vraiment ?

Kira se faufila entre deux mégalithes pour aller examiner ce prodige de plus près. Lazuli la suivit en se demandant pourquoi elle lui posait ces questions.

– Tu devrais pourtant savoir tout ceci, hasarda-t-il.

– Je suis d'ascendance divine, mais je ne suis pas une déesse. Combien de fois devrai-je te le répéter ?

– Peut-être encore plusieurs fois.

Elle fit volte-face pour le sermonner, mais en fut incapable lorsqu'elle aperçut son adorable sourire.

– Tu n'arriveras jamais à me convaincre que tu n'es pas descendue tout droit du ciel, ajouta-t-il.

– Tu es vraiment têtu.

« Comme Onyx », songea-t-elle. Au moins, il n'avait pas les idées de grandeur de son plus illustre descendant.

– J'ai aussi des qualités, se défendit-il.

– J'en connais déjà quelques-unes.

Il la fit reculer jusqu'à l'autel en pierre qui se dressait au centre du cercle de menhirs et se mit à l'embrasser.

– Lazuli, arrête ! souffla Kira en se débattant. C'est un endroit sacré.

– Seulement lorsque la lumière réunit les rochers et, comme tu vois, ils ne sont pas allumés.

Il voulut poursuivre ses caresses, mais elle l'arrêta une seconde fois.

– Quelle lumière ?

— Celle qui permet l'ascension, évidemment.

— Des gens s'élèvent dans les airs au milieu de ces cercles ? Qui sont-ils ? Où vont-ils ?

— Ce sont les prêtres et les prêtresses qui désirent rejoindre les dieux à la fin de leur vie. Il faut avoir acquis une grande puissance magique pour stimuler le cromlech.

— Sais-tu le faire ?

Le visage de Lazuli s'attrista.

— Tu veux retourner chez toi, c'est cela ?

— Non ! s'exclama Kira. Je t'ai déjà fait part de mes plans et je n'ai pas changé d'idée. Dans des milliers d'années, les gens auront oublié l'utilité de ces monuments et je voudrais pouvoir leur laisser quelque part un indice pour les aider à comprendre.

— Ma mère a reçu dans ses rêves les incantations qui font briller les pierres.

— Les a-t-elle déjà utilisées ?

— Oui, une fois, pour aider un des anciens à quitter ce monde.

— Elle te les a transmises ?

— Pas tout à fait. Je l'ai suivie en cachette et j'ai assisté à la cérémonie. Des mois plus tard, je suis retourné au même endroit pour voir si je possédais le don.

— Tu as donc réussi...

– Puisqu'il n'y avait personne sur l'autel, les rochers sont devenus tellement éblouissants qu'ils ont éclaté, soupira-t-il.

– Et tu as été puni, c'est cela ?

– J'ai dû avouer mon crime à ma mère pour expliquer les blessures que j'avais subies.

Il montra à Kira une longue cicatrice sur son bras gauche. Elle l'avait déjà remarquée, mais ne lui avait jamais demandé ce qui lui était arrivé.

– Ma mère m'a admonesté pendant des heures, puisqu'à cause de moi, le cromlech au pied des volcans était désormais inutilisable et que les autres cercles de pierre se situaient de l'autre côté de la rivière, sur le territoire des dragons. Alors, si ni toi ni moi n'en avons besoin, je n'ai pas vraiment envie de faire briller celui-ci.

– Je comprends tes craintes. En fait, il me suffit seulement de faire savoir à tes descendants à quoi servaient ces mégalithes.

Du bout d'une griffe, elle écrivit magiquement quelques mots sur la table de pierre : *En prononçant des paroles magiques, on peut s'élever jusqu'aux dieux au milieu du cercle.*

– Je n'ai qu'à écrire les incantations ailleurs, et l'heureux mortel qui fera le lien entre les deux passera à l'histoire.

Lazuli l'emprisonna dans ses bras et l'embrassa dans le cou jusqu'à ce qu'elle se mette à rire. L'éclat de voix se répercuta d'une étrange façon sur les pierres qui les entouraient.

– Je t'en prie, allons ailleurs, implora Kira.

Le jeune homme saisit sa main et la fit sortir de l'endroit magique. Ils marchèrent pendant plusieurs heures, puis s'arrêtèrent dans une clairière où coulait un ruisseau.

– Est-ce encore loin ? demanda le Gariséor.

– C'est difficile à dire, étant donné que la géographie de ce pays ne ressemble pas du tout à celle que j'ai connue.

Kira ne se découragea pas pour autant, car elle était en très bonne compagnie. Son amour pour Lazuli grandissait sans cesse et, bientôt, elle commença à fléchir devant ses incessantes demandes de l'accompagner à la guerre. Pendant tout leur trajet vers la côte, la guerrière enseigna au jeune Enkiev à utiliser les pouvoirs de ses mains. Lazuli devenait de plus en plus habile. En quelques jours à peine, il parvint à créer des flammes intenses et des rayons incandescents aussi fins qu'un fil de soie.

Ce fut l'odeur du vent salin qui annonça aux aventuriers qu'ils approchaient de leur but. Sans avoir rencontré le moindre village sur le plateau de Zénor, ils se retrouvèrent subitement au bord de la falaise qui dominait la mer. Kira écarquilla les yeux avec étonnement, car le paysage qu'elle avait connu toute sa vie avait disparu. Aucun château ne s'élevait sur la langue de terre qui s'avançait dans l'eau. Au lieu d'une grande plaine parsemée de ruines, le bord de l'océan était boisé ! Dans ses nombreuses clairières s'élevaient des volutes de fumée qui signalaient la présence de petits villages.

– C'est bien ici que tu voulais te rendre ? se renseigna Lazuli en lisant la surprise sur le visage de sa compagne.

– Oui, c'est bien ici. De l'autre côté de cette immense nappe d'eau s'étend l'empire d'Amecareth, mais j'imagine que son ancêtre lointain devait porter un autre nom.

– Comment nous y rendrons-nous ?

– C'est une très bonne question, soupira Kira, qui ne voyait de bateaux nulle part.

Elle s'assit dans l'herbe, profondément songeuse. Lazuli l'imita en retenant toutes les questions qui se bousculaient dans sa tête. Il avait appris à respecter les silences de son amie mauve.

– Je ne connais rien à la construction des barques, dit-elle finalement, mais je pourrais sans doute fabriquer un radeau. Par magie, je le propulserais au-dessus des flots.

– Jusqu'à ce pays lointain ? s'étonna le Gariséor.

– Jusqu'où il le faudra.

Lazuli s'étira sur le bord du précipice pour regarder en bas.

– Comment descendrons-nous sur le bord du grand lac ?

Kira tendit le cou et constata avec découragement que le passage si souvent emprunté par les Chevaliers n'existait pas encore.

– Il faut vraiment que je fasse tout, gémit-elle.

Utilisant les faisceaux tranchants de ses mains, elle se mit à découper le sol à ses pieds. Au bout d'une heure, elle dut abandonner, exténuée.

– J'ai pourtant beaucoup plus d'endurance, habituellement.

– Rien ne presse, la consola Lazuli. Tu continueras demain, et je t'aiderai.

Il l'éloigna de la falaise pour qu'elle ne tombe pas tête première dans le vide.

– J'ai creusé moi-même ce sentier, marmonna Kira en se pressant contre son compagnon. Est-ce la raison pour laquelle je m'y suis si témérairement aventurée, sur ma petite jument Espoir, le jour où j'ai attiré les dragons loin des Chevaliers ?

Lazuli ne comprenait pas toujours ce qu'elle lui disait, mais sa mère lui avait souvent répété que les dieux avaient leur propre langage.

7

UN HÉROS AFFLIGÉ

Assis au bord de l'étang révélateur, Wellan regardait ce qui se passait sur le continent. Plus le temps passait, plus il faiblissait. Têtu dans la mort comme dans la vie, il ne voulait pas quitter son poste d'observation tant que ses soldats n'auraient pas remporté la victoire. Leurs progrès étaient lents, mais ils arrivaient à éliminer efficacement l'envahisseur. Le seul regret du défunt chef était que sa femme ne lui ait pas succédé. Wellan avait préparé Bridgess à prendre sa place à la tête des Chevaliers d'Émeraude, mais elle s'était écroulée le jour de sa mort. Il ne pouvait pas lui en vouloir, car lui-même aurait été inconsolable s'il avait perdu son épouse ou sa fille.

Hadrian d'Argent était évidemment tout indiqué pour diriger les défenseurs d'Enkidiev, ayant déjà eu à le faire dans une autre vie. Wellan surveillait ses décisions avec attention et il les approuvait toutes, même si personne ne pouvait l'entendre. Comme le nouveau commandant, il trouvait sage d'attendre que tous les hommes soient remis de leurs blessures avant de les lancer une fois de plus dans la mêlée. Cependant, il espérait qu'il ne tarde pas trop.

Wellan avait appris de ses parents qu'une fois dans l'au-delà, rien n'était plus caché aux humains. Pourtant, il ne comprenait toujours pas ce que cherchaient les hommes-insectes en s'attaquant à la Montagne de Cristal. Les larves s'y rendaient inexorablement, malgré les incessants assauts des armées alliées d'Enkidiev. Bientôt, les scarabées argentés, qui venaient de débarquer sur le continent, les rejoindraient. Voulaient-ils détruire le sanctuaire d'Abnar ? Personne ne savait vraiment ce qu'il contenait. Croyaient-ils y trouver un trésor ?

– Si j'avais su ce que les dieux allaient vous demander, j'aurais empêché votre fille de brûler votre corps, fit une voix qu'il reconnut aussitôt.

Il pivota doucement, incapable désormais de faire des mouvements brusques.

– Jenifael a agi comme n'importe lequel de mes soldats aurait agi, car cela fait partie de nos rites funéraires.

– Une fois que l'âme a quitté son véhicule humain, ce qui arrive à ce dernier n'est pas important, Wellan.

– Sauf lorsqu'on veut transcender la mort et y séjourner encore un peu.

– Il s'agit de cas très rares.

Fan prit place sur une des grosses pierres qui bordaient la mare miraculeuse. Il sembla au Chevalier que sa robe blanche était plus lumineuse tout à coup, ou était-ce son manque de vigueur qui lui faisait percevoir les choses d'une autre façon ?

– Que serait-il arrivé si les enfants d'Hadrian avaient brûlé son corps sur un bûcher au lieu de le déposer dans un tombeau de pierre ? s'enquit-il.

– Il n'aurait pas pu quitter les grandes plaines de lumière. Vos parents vous ont-ils enseigné que cet endroit magique est la récompense qui attend tous les mortels qui ont mené une bonne vie ?

– Mon père m'a souvent répété que les dieux ouvrent les portes de cet endroit à tous ceux qui ont accompli de grandes choses.

– Qu'attendez-vous pour en profiter ? S'il est un homme qui mérite ce grand honneur, c'est bien vous.

– Je n'ai même pas su m'acquitter de la tâche pour laquelle je suis né, déplora Wellan.

– Vous avez dirigé vos soldats de main de maître et protégé ce continent plus d'une fois. Vous avez même sauvé Parandar en personne.

– Enkidiev est toujours en danger.

– Et, surtout, vous avez aimé votre femme de tout votre cœur.

Wellan se retourna une fois de plus vers la surface de l'étang.

– Abnar lui a offert des bracelets magiques pour qu'elle puisse vous remplacer à la tête de votre division.

– Rien de plus ?

– Les choses vont bientôt changer, noble Chevalier. J'occupe désormais un plus haut rang dans le monde céleste. Parandar a fait de moi la déesse des bienfaits.

– Toutes mes félicitations, murmura Wellan sans la regarder.

– Cessez donc d'être amer.

– Je connais très peu l'univers des dieux et encore moins leurs intentions à l'égard des humains, mais ce que j'ai vu durant ma vie me déçoit profondément. Pour éviter d'avoir mauvaise conscience, le Magicien de Cristal ne nous a jamais secondés comme il l'a fait lors de la première invasion. S'il avait fait son devoir d'Immortel, nous aurions depuis longtemps mis fin à la guerre et je ne serais pas ici à regretter d'avoir accepté ces spirales enflammées.

Les cicatrices au creux de ses mains brillaient d'une faible lueur depuis l'arrivée de Fan, mais elles ne le faisaient pas souffrir.

– Si je répondais à toutes vos questions, accepteriez-vous de reposer enfin en paix ?

– Même Theandras ne pourrait pas satisfaire entièrement ma curiosité.

– Mettez-moi à l'épreuve, le défia Fan.

Il garda le silence. Elle se vit donc contrainte de fouiller dans son esprit pour en extraire ses principales préoccupations. En fait, Wellan voulait savoir comment se terminerait la guerre, mais surtout, il se demandait quel genre de vie il aurait eu si l'étoile de feu n'avait pas traversé le ciel pour annoncer une catastrophe à Shola. Fan passa doucement la main au-dessus de l'eau et les images changèrent.

Wellan ne s'y intéressa pas tout de suite, car il avait l'âme en peine. Au bout d'un moment, il reconnut la pièce que lui montrait l'étang. Il s'agissait de la chambre de glace du palais de Shola, où Fan avait jadis perdu la vie. Cependant, elle n'était pas allongée sur le sol, un poignard enfoncé dans la poitrine. Elle se tenait debout, près de la fenêtre, et regardait dehors.

– Mais qu'est-ce..., s'étrangla Wellan.

Il se vit arriver à cheval dans la cour de la forteresse, sans ses frères d'armes. Il portait sa cuirasse sous une épaisse pelisse. Il mit pied à terre et un palefrenier vint aussitôt chercher sa monture. Lorsqu'il voulut entrer dans le palais, un homme lui barra la route. C'était le Roi Shill.

– Ces événements ne se sont jamais produits, protesta Wellan en levant un regard troublé sur la nouvelle déesse.

– Ce serait peut-être arrivé, si nous n'avions pas été attaqués par les dragons de l'Empereur Noir.

– Sans l'avertissement dans le ciel, je ne serais pas allé à Shola.

– En êtes-vous bien certain ? J'aurais quand même confié Kira au Roi d'Émeraude, car c'était son destin, et je serais retournée chez moi. N'auriez-vous pas eu envie de me revoir ?

« Évidemment », songea le défunt soldat en regardant une fois de plus dans la mare enchantée.

– Mon mari était un homme très possessif, ajouta Fan.

La jalousie qui déformait les traits du souverain de Shola en faisait largement état.

– Je suis venu porter une missive à la reine, annonça le Wellan de l'étang.

– Je la lui donnerai pour vous.

– Mon roi a exigé que je la lui remette en mains propres.

Shill bouillait intérieurement. Les serviteurs s'étaient arrêtés au milieu de leurs tâches pour voir comment il réagirait devant ce refus. Le protocole voulait bien sûr que le monarque accueille ce défenseur du continent avec la plus grande courtoisie, sinon il aurait à répondre de son impolitesse devant les autres dirigeants d'Enkidiev.

– Je vais vous conduire à sa salle d'audience privée, siffla-t-il entre ses dents.

Wellan le suivit avec la prestance d'un prince. Il dépassait Shill d'une tête et ses épaules étaient bien plus larges. Tous se retournèrent sur leur passage, et ce n'était pas pour admirer le roi. Une fois laissé seul dans cette pièce aux murs nus, où les seules décorations étaient de magnifiques chandeliers sur pied sertis de joyaux, le jeune Chevalier demeura parfaitement immobile, à l'affût du moindre bruit suspect. Une flèche était si rapidement décochée...

Fan de Shola apparut à la porte quelques minutes plus tard, accompagnée de ses suivantes, mais sans son mari. Wellan mit un genou en terre.

– Majesté.

– Je suis vraiment heureuse de cette visite, sire Wellan. Mon époux me dit que vous devez me remettre un message de la part d'Émeraude Ier.

Wellan retira le cylindre doré de sa ceinture et le tendit à la reine, incapable de détacher son regard du visage si pâle de cette magnifique femme. Elle brisa le seau de cire qui retenait le bouchon du tube et fit glisser le parchemin dans sa main. Ses yeux argentés parcoururent rapidement les quelques lignes de la missive.

– Si vous me le permettez, je vous transmettrai ma réponse oralement plutôt que de l'écrire, indiqua-t-elle en remettant le cylindre à une servante.

– Je suis à vos ordres, Altesse.

– Il faudra évidemment me donner le temps de rassembler mes pensées. Venez.

Elle lui tendit le bras. Wellan bondit presque sur ses pieds pour y accrocher le sien. Les Sholiennes chargées de surveiller leur souveraine échangèrent des regards inquiets. Fan ne se préoccupa plus d'elles et guida son invité vers le hall.

– Vous m'avez si bien accueillie à Émeraude, lui dit-elle. Je voudrais vous rendre la pareille.

– Les paysans voulaient vous lancer des pierres ! lui rappela Wellan, désolé.

Fan lui décocha un sourire amusé, car c'est ce que le Roi Shill aurait probablement fait lui aussi, s'il en avait eu l'occasion. Sans se presser, elle lui fit visiter le palais, puis l'entraîna dans un long couloir de glace qui semblait mener dans un bâtiment séparé.

– C'est mon sanctuaire, expliqua-t-elle en le faisant entrer dans une pièce sphérique dont le sol était recouvert de fourrure blanche. C'est ici que je viens méditer. Je crois que les Chevaliers d'Émeraude pratiquent aussi la méditation.

– Aussi souvent que nous le pouvons.

Fan l'invita à s'asseoir sur un des deux fauteuils de bois qui étaient placés face à face.

– J'ai souvent rêvé à vous depuis mon retour à Shola, avoua-t-elle, sans la moindre gêne.

– Moi de même.

– Malheureusement, nous devrons en rester là, malgré l'attirance que nous éprouvons l'un pour l'autre, car je suis mariée.

Wellan prit sa main et caressa ses doigts.

– Que nous arriverait-il si nous entretenions une liaison secrète ? chercha-t-il à savoir.

– Mon époux vous provoquerait sans doute en duel. C'est un habile escrimeur, mais vos bras sont jeunes et expérimentés. Je crois bien que vous en sortiriez vainqueur.

La reine dégagea ses doigts, s'avança vers le Chevalier et prit son visage émerveillé entre ses mains.

– Mon cœur vous appartient à jamais, murmura-t-il, subjugué.

– Je le sais.

Elle l'embrassa longuement, se croyant à l'abri dans ce lieu inviolable. Le Wellan spectateur de cette scène détourna aussitôt le regard.

— Rien ne prouve que les choses se seraient passées ainsi, s'affligea-t-il.

— L'avenir est constitué d'une multitude de possibilités, Wellan. Toutefois, un seul élément serait demeuré inchangé : nous sommes des âmes sœurs.

— Que les dieux ont décidé de séparer.

— Parce que nos destins respectifs étaient trop importants. Vous aviez une armée à diriger et, de mon côté, je devais m'assurer que la balance ne penche pas trop en faveur des Tanieths.

— Je fais maintenant partie du monde supraterrestre et je ne comprends toujours pas la façon de raisonner de Parandar.

Fan caressa le visage du grand guerrier avec beaucoup de douceur.

— Je n'étais pas libre de vous dire tout ce que je savais lorsque vous étiez vivant, confessa-t-elle.

— Ne vous gênez surtout pas, dorénavant.

— Je ne veux pas m'apitoyer sur mon sort, mais sachez que les Immortels sont des créatures coincées entre deux univers. Ils n'ont pas leur place auprès des dieux et ils ne peuvent pas partager la vie des humains. Ils sont uniquement des messagers de la volonté divine. Ils n'ont aucun libre-arbitre. Ils reçoivent leurs ordres et doivent les exécuter, que cela leur plaise ou non.

— Dylan prenait pourtant un malin plaisir à se rebeller.

– Notre fils est différent. Il a hérité de votre tempérament frondeur, ce qui a bien failli lui coûter la vie. Les dieux n'aiment pas qu'on leur désobéisse.

– Comment se fait-il qu'ils se soucient de la soumission des Immortels et qu'ils se moquent totalement du sort des humains ?

– Ils sont reliés aux Immortels par une énergie qui émane d'eux-mêmes. Ce lien leur permet de savoir où ils sont, ce qu'ils font et ce qu'ils pensent en tout temps. Seul Danalieth a réussi à y échapper. Lorsque vous demandiez à Abnar de faire un geste contraire aux ordres qu'il avait reçus, le pauvre savait que s'il cédait à vos exigences, il risquait de perdre sa pérennité sur-le-champ. Il voulait vous aider, mais il craignait pour sa propre existence.

Wellan poussa un profond soupir de découragement.

– Quant aux humains, il n'y a vraiment que Theandras qui se soucie d'eux. Même s'ils ont été créés pour Clodissia, cette dernière a fini par s'en lasser. Ce fut une très bonne décision de votre part de vous attacher à la déesse du feu.

– Si les humains ont été conçus pour plaire à une déesse, les Tanieths et tous les autres insectes pensants ont-ils été offerts en cadeau à un autre membre du panthéon ?

– Nous ignorons qui les a placés dans votre univers. Parandar avait confié à Danalieth la mission de leur imposer sa loi, mais comme vous le savez déjà, ce demi-dieu a préféré se consacrer aux Elfes.

– Je ne peux pas le blâmer d'avoir refusé de passer une éternité auprès de l'empereur.

– Wellan, écoutez-moi. Toutes ces questions qui vous empoisonnent l'esprit disparaîtront lorsque vous serez sur les grandes plaines de lumière. Vous cesserez de vous angoisser et vous pourrez enfin vous reposer.

– Les dieux récompensent-ils leurs fidèles serviteurs en effaçant leur mémoire ? Je trouve cette pratique plutôt barbare.

– Venez avec moi. Je vais vous y conduire personnellement.

Le Chevalier hocha négativement la tête.

– Je mérite de voir mes hommes l'emporter sur l'empereur.

– S'ils tardent trop, vous cesserez d'exister.

– C'est un risque que je suis prêt à courir.

– Je vous en conjure, faites-le pour moi, le supplia la déesse.

– Il fut un temps où j'aurais fait n'importe quoi pour vous, Fan, mais vous avez refusé mon amour. Vous vous êtes servie de moi pour protéger votre fille et pour concevoir à mon insu un Immortel. Vous m'avez blessé quand j'ai osé vous le reprocher et, à part ces bracelets magiques, vous n'avez rien fait pour m'aider à repousser, une fois pour toutes, mon ennemi. De grâce, laissez-moi seul. Ces derniers instants de ma vie n'appartiennent qu'à moi seul.

La déesse se leva sans cacher son déplaisir.

– Si vous changez d'idée, vous n'avez qu'à prononcer mon nom, soupira-t-elle en s'évaporant.

Wellan se pencha de nouveau sur l'étang. Heureusement, le Royaume de Shola n'y apparaissait plus.

– Je veux voir ma femme, commanda-t-il.

Le visage stoïque de Bridgess se forma à la surface de l'eau.

– Je t'aime..., s'étrangla Wellan.

8

Myrialuna

Sous forme d'énergie, le Magicien de Cristal survola le continent à la manière d'un aigle. Sa conversation avec l'ancien Roi d'Argent continuait à le tourmenter. À son avis, Hadrian était l'homme le plus intelligent d'Enkidiev et son opinion lui importait beaucoup. Ces dernières années, Abnar avait patiemment supporté les doléances de Wellan d'Émeraude, un chef militaire exigeant et impétueux. Toutefois, les mêmes reproches sortant de la bouche de son propre demi-frère le déroutaient.

Abnar avait bien sûr reçu des dieux d'immenses pouvoirs, mais ces dons surnaturels étaient assortis d'une terrible responsabilité. Parandar l'avait chargé de veiller sur le paradis qu'il avait façonné pour sa femme et de s'assurer que les humains le cultivent. Cela incluait bien sûr d'empêcher les immondes Tanieths de le dévaster et d'éliminer les hommes. Pour cette raison, il avait aidé Hadrian et les premiers Chevaliers d'Émeraude à repousser leur invasion, mais à quel prix... Une partie de la population de Zénor et plusieurs villages de Perle et d'Émeraude avaient été décimés, sans parler de tous les soldats qui avaient perdu la vie sous les lances des guerriers noirs et les crocs des dragons volants.

Parandar n'avait même pas voulu savoir dans quel état se trouvait Enkidiev, après la première tentative d'invasion d'Amecareth. Il lui avait tout simplement demandé s'il restait assez d'humains pour adorer les dieux. Abnar avait trouvé bien cruel le chef du panthéon inférieur, qui ne se souciait pas des malheurs qui s'abattaient sur ses créatures.

Abnar se percha au sommet de la Montagne de Cristal pour évaluer le danger que représentaient les larves et les guerriers d'élite d'Amecareth pour les armées humaines et réfléchir à une nouvelle stratégie. Lassa était en sûreté sous ses pieds, même s'il se sentait affreusement seul dans cet abri sans issue. Était-ce le porteur de lumière que les larves cherchaient à atteindre ? Abnar était prêt à le transporter à Osantalt, si elles continuaient de s'approcher davantage. Le Magicien de Cristal calcula qu'elles seraient bientôt au pied du grand pic. Il devrait donc garder un œil vigilant sur le plus important personnage de la prophétie.

Il porta son regard vers l'ouest et perçut l'approche de deux divisions ennemies, qui semblaient elles aussi converger vers sa montagne. « Mais que cherchent-elles ? » se demanda-t-il. Devait-il prendre activement part à ce combat, au risque d'encourir la colère du ciel ? Les Immortels étaient censés être des créatures insensibles, qui se soumettaient sans réfléchir à leur créateur. Pourtant, depuis son adolescence, Abnar ressentait des émotions de plus en plus variées. La première avait été la déception, lorsque les premiers Chevaliers d'Émeraude avaient commencé à s'entretuer, puis la colère, quand ils avaient refusé de lui obéir.

À la fin de la guerre d'Hadrian, Abnar s'était isolé pour méditer sur ses origines et sur sa mission. Il considérait que les choses avaient très mal tourné, même si les humains étaient victorieux. L'apparition d'un nouveau message dans les étoiles avait fait naître en lui une autre émotion : la peur.

Le ciel annonçait le retour des forces d'Amecareth et, par conséquent, la levée d'une nouvelle armée sur le continent. Abnar ne voulait pour rien au monde répéter les mêmes erreurs et s'en sentir coupable pendant des centaines d'années.

Son lien magique avec Parandar informerait sur-le-champ ce dernier de toute utilisation excessive de ses pouvoirs. Pourtant, il lui fallait stopper la seconde invasion. Abnar songea alors à la décision de Danalieth de créer des récifs pour briser la flotte de l'Empereur Noir et tenta de trouver une stratégie similaire pour empêcher les scarabées argentés de pénétrer dans les villages de Diamant et d'Émeraude.

Un volcan explosa alors à la frontière du Royaume de Béryl. Abnar y dirigea tout de suite son attention et capta la présence divine de Danalieth qui s'employait déjà à calmer sa fureur. En réveillant les volcans du nord, Akuretari avait créé une réaction en chaîne qui pourrait durer encore plusieurs mois. Remettant à plus tard sa décision d'intervenir dans la guerre, le Magicien de Cristal rejoignit le demi-dieu au pied des montagnes en éruption.

Les bras tendus vers l'est, Danalieth contenait les jets de lave afin qu'ils retombent autour du cratère, où il les solidifierait plus tard.

– Puis-je vous venir en aide ? proposa Abnar en suivant des yeux la trajectoire de la pierre enflammée dans le ciel.

– Je crains que cette activité volcanique ne stimule à nouveau les pics du nord. Si vous pouviez vous assurer qu'elle s'arrête avant de se propager jusqu'à la mer, je l'apprécierais beaucoup.

Abnar repéra le mouvement de la roche liquide sous la terre. Danalieth avait raison : les volcans en bordure du Royaume de Jade étaient sur le point d'éclater. Il fonça vers ce pays et réapparut sur la berge de la rivière Sérida. La seule manière d'empêcher le magma de remonter à la surface était de le refroidir à la base du cône. L'Immortel ferma les yeux et fit appel à toute la puissance qui se trouvait en lui pour lancer sur le point sensible de la montagne une énergie glacée. Le prodigieux souffle réfrigérant eut l'effet désiré. Il pénétra dans le sol, tout au fond du cratère, et forma un bouchon d'une centaine de mètres de profondeur. La lave bouillonnante n'arriva pas à le percer et se stabilisa enfin.

Abnar tomba à genoux. L'anneau qu'il portait au cou s'illumina, lui signalant qu'il devait à tout prix se retirer du monde physique pour refaire ses forces. Il souhaita mentalement réintégrer sa caverne au sommet de la Montagne de Cristal, mais rien ne se produisit. Il avait mis à sec ses facultés magiques.

– Danalieth..., appela-t-il, dans un souffle.

Il s'effondra la face contre terre. Sans ses pouvoirs, il ne pouvait pas faire parvenir un message de détresse aux autres Immortels. « Est-ce que Parandar pourra m'entendre ? » s'alarma-t-il, paralysé par la faiblesse. Il fut alors témoin d'un curieux phénomène. Un animal sortit de la jungle et s'approcha prudemment de lui. Tandis qu'il n'était plus qu'à quelques pas, ses pattes fauves se transformèrent en jambes humaines.

– Aidez-moi, l'implora Abnar.

Une jeune fille aux cheveux roses comme l'aurore s'agenouilla près de lui et parvint à le retourner sur le dos.

— Êtes-vous un magicien ou un sorcier ? s'informa-t-elle avec un brin de frayeur.

— Ni l'un, ni l'autre... Je suis un Immortel...

— Avez-vous été blessé ?

— J'ai épuisé mes réserves d'énergie... Si je n'arrive pas à me rendre à une source divine, je disparaîtrai à tout jamais...

— C'est de l'eau lumineuse ?

Il n'avait même plus la force de hocher la tête.

— Je sais où en trouver.

Se métamorphosant à nouveau en félin, Myrialuna planta ses crocs dans la tunique d'Abnar et le traîna dans la forêt. Ne possédant pas véritablement de corps physique, le Magicien de Cristal ne souffrit pas du dur traitement que le court déplacement aurait infligé à un humain. L'eyra le tira dans une petite caverne, dissimulée entre deux énormes arbres aux racines saillantes.

Myrialuna reprit son apparence humaine et fouilla dans un grand coffre de bois, puis en sortit un petit flacon dont le contenu illumina la pièce.

— C'est de cela dont vous avez besoin ? demanda-t-elle en approchant le contenant des yeux de l'Immortel.

Il bougea les lèvres pour dire oui, mais aucun son ne sortit de sa gorge. Myrialuna interpréta son geste comme un acquiescement et déboucha la fiole avec ses dents. Elle approcha le goulot de la bouche d'Abnar et y versa doucement le liquide luminescent. Même en si petite quantité, l'eau divine redonna suffisamment de vitalité à l'Immortel pour qu'il parvienne à s'asseoir.

– Vous m'avez sauvé la vie, constata-t-il avec le plus grand soulagement.

La jeune fille baissa la tête avec timidité.

– Qui êtes-vous ?

– Je m'appelle Myrialuna. J'ai été élevée par Anyaguara, mais en réalité, je suis la fille de la Reine Fan et du Roi Shill de Shola.

– Fan a une deuxième fille ? s'étonna-t-il.

– Je ne connais pas ma sœur ni mon frère, je suis désolée.

– Elle vous a cachée dans la forêt de Jade, sous la protection de la sorcière ?

– C'est ce qu'elle m'a dit. Les Immortels ont de plus grands pouvoirs que les sorcières, n'est-ce pas ?

– Nos pouvoirs sont surtout différents et nous ne les appliquons pas de la même façon.

– Êtes-vous capable de me dire où se trouve Anyaguara sans risquer la mort une fois de plus ?

– Je vous assure qu'il est bien plus facile de repérer quelqu'un sur le continent que d'endormir un volcan.

Le regard du Magicien de Cristal s'immobilisa un court instant, puis il battit des paupières.

– Je regrette, Myrialuna, mais elle semble avoir disparu de la surface de la terre.

La jeune femme éclata en sanglots et cacha son visage dans ses mains. Abnar ne savait plus très bien ce qu'il devait faire. Il avait souvent observé les humains dans leurs moments de détresse, alors il décida de les imiter. Il attira Myrialuna dans ses bras et l'étreignit contre sa poitrine.

– Je suis vraiment désolé...

– Que vais-je devenir sans elle ? hoqueta l'apprentie sorcière.

– Votre mère ne peut certainement pas vous recueillir, puisqu'elle habite les plans divins, et votre père est mort il y a très longtemps. Quant à votre sœur, elle est emprisonnée dans le passé, et votre frère combat avec l'armée de Jade. Ce ne serait pas un endroit très sécuritaire pour vous.

– Vais-je passer ma vie à me cacher ?

– Tant que nous n'aurons pas anéanti l'empereur, ce serait mieux pour vous.

– Pourrait-il me retrouver ici, dans la jungle ?

– Théoriquement, oui, mais nous allons nous assurer qu'il ne se rende pas jusqu'aux royaumes orientaux.

– Vous êtes un soldat, donc.

– Pas vraiment, mais mon rôle de protecteur des hommes m'oblige malheureusement à faire des gestes qui vont contre ma nature.

– Quelle est votre nature ?

Abnar arqua les sourcils avec incertitude. Jamais personne n'avait tenu ce genre de conversation intime avec lui.

– Eh bien, je suis un être qui n'aime pas les querelles et les disputes, commença-t-il.

– Moi non plus.

– Je possède de formidables pouvoirs, mais je voudrais les utiliser pour faire le bien, pas pour tuer.

– C'est la même chose pour moi.

Myrialuna se dégagea de son étreinte pour observer son visage. C'est alors que les paroles de la jeune fille revinrent à l'esprit du mage. Elle était la fille de Shill, donc une descendante du Roi Hadrian, son demi-frère !

– Nous avons bien plus de points communs que vous pouvez l'imaginer, indiqua-t-il.

Elle se pencha vers lui et déposa un baiser sur ses lèvres. Une décharge électrique traversa le corps éthéré du Magicien de Cristal.

– Je ne suis pas supposé ressentir ce que je ressens en ce moment, s'étonna-t-il.

– Je vous ai fait mal ? se désola Myrialuna.

– Non, au contraire ! Je veux dire... c'était...

La jeune sorcière l'embrassa encore.

– ... nouveau.

Il contemplait le visage de Myrialuna, incapable de définir les émotions qui naissaient dans son cœur.

– Pour moi aussi, assura-t-elle avec un sourire timide. Anya m'a dit, un jour, que s'il devait lui arriver malheur, il serait temps pour moi de trouver un compagnon qui me protégerait et qui me donnerait des enfants.

– Un baiser ne scelle pas ce genre d'union, Myrialuna, s'empressa-t-il de préciser. Et puis, je suis un Immortel. Je n'ai pas de corps physique, comme vous.

Elle caressa sa joue et dessina le tour de ses lèvres du bout de son index.

– Pourtant, je vous touche.

– Ce que vous touchez est une manifestation de ma volonté magique. En réalité, je suis une pure énergie et je suis même très vieux.

– Vous ne sentez donc pas mon contact ? s'affligea-t-elle.

– C'est justement le contraire, et je n'arrive pas à m'expliquer comment c'est possible.

– Peut-être est-ce différent avec moi parce que nous sommes tous deux magiques ?

Il s'agissait évidemment d'une matière que les maîtres divins d'Abnar ne lui avaient jamais enseignée. Il se rappela alors que sa mère, la déesse Cinn, avait séduit le Roi Kogal malgré son essence immatérielle. Fan avait même eu un enfant du Chevalier Wellan. « Si les dieux avaient voulu que je crée pour eux un nouveau maître magicien, ils me l'auraient dit clairement », voulut se rassurer le Magicien de Cristal.

– Éprouvez-vous quelque chose si je fais ceci ?

Elle l'embrassa dans le cou. Abnar ferma les yeux, transporté hors de lui.

– Myrialuna, surtout ne vous méprenez pas sur mes intentions, mais de redoutables insectes sont sur le point de dévaster des villages où vivent des milliers d'innocents, alors je ne peux pas rester plus longtemps et mener cette expérience plus en profondeur.

Elle s'éloigna de lui avec un air chagrin.

– Vous avez raison, agréa-t-elle. Il est urgent de vous porter à leur secours.

– Cette grotte est protégée par une puissante sorcellerie. Vous y serez en sécurité.

Il se traîna sur le ventre et parvint à sortir de la caverne. En s'accrochant aux racines des arbres, il arriva même à se mettre debout. Myrialuna le suivit.

– Où sont ces insectes, en ce moment ?

– Ils ont mis le pied sur les plages de l'ouest, là où se couche le soleil. Je m'assurerai qu'ils ne se rendent pas jusqu'ici.

– Et ensuite, vous reviendrez ?

L'anneau de cristal que l'Immortel portait au cou se remit à briller.

– Oui, je reviendrai. Je vous en conjure, restez en vie, car j'aimerais bien percer le mystère de mes nouvelles impressions physiques.

Elle se releva sur le bout des pieds et l'embrassa une dernière fois. Étourdi par toutes ces sensations, Abnar recula en titubant et s'évapora comme un mirage.

Quelques instants plus tard, Abnar se matérialisa à l'intérieur de son refuge, au sommet de la Montagne de Cristal. Il marcha péniblement vers la source claire qui coulait sur l'autel de verre et tombait dans un grand récipient transparent. Son anneau était de plus en plus brillant. Abnar s'accrocha au rebord de la vasque et y plongea la tête, avalant la sève céleste à petites gorgées.

Lorsqu'il se releva, les cheveux et les épaules trempés, il vit les deux petites sentinelles qui l'observaient avec inquiétude. Leur maître avait fait bien des entrées remarquables depuis qu'elles veillaient sur son antre, mais jamais rien d'aussi saisissant.

– On dirait bien que vous revenez d'un combat à l'issue très serrée, observa le dragon rouge.

– J'ai seulement fait preuve d'imprudence en tentant de calmer un volcan.

– Êtes-vous revenu chercher l'enfant ? demanda le dragon bleu.

— Non. Il est trop tôt. Où est-il ?

— Nous avons réussi à l'endormir en lui chantant des berceuses dans toutes les langues que nous connaissons.

— Il souffre d'ennui, ajouta le dragon rouge.

— Nous avons tous des sacrifices à faire, mes amis. Qu'il se repose pendant qu'il le peut.

Abnar grimpa sur l'autel et s'y assit en tailleur.

— Surtout, ne le réveillez pas, ordonna-t-il aux sentinelles.

Son corps s'entoura d'un éclatant cocon de lumière blanche. Il ferma les yeux et laissa l'énergie divine le pénétrer tout entier.

9

La royaume de saphir

La mort de Wellan avait jeté son frère d'armes Jasson dans le désarroi le plus complet. Ce dernier était devenu Chevalier d'Émeraude longtemps avant tous ces jeunes qui s'étaient greffés aux sept membres de la première génération, mais jamais il n'avait aimé la guerre. Son seul désir avait été d'y mettre fin le plus rapidement possible afin de retourner vivre sur sa ferme. Jasson n'était pas fait pour tuer, mais pour encourager la vie. Toutes les fois qu'il avait combattu aux côtés de ses compagnons, il avait envisagé de devoir un jour les quitter pour mettre sa famille en sûreté. Ce jour fatidique était arrivé.

Jasson avait récupéré sa femme et sa fille à Émeraude et rassemblé leurs affaires. Sanya n'avait pas eu d'autre choix que de le suivre dans cette folle aventure. Cela ne voulait pas dire qu'elle était d'accord avec sa décision, surtout qu'elle impliquait de vivre dans un endroit que les habitants d'Enkidiev jugeaient trop dangereux pour le coloniser. Jasson savait que sa femme finirait par comprendre la sagesse de son choix. Sanya était d'une intelligence remarquable.

Dès son arrivée dans la Forêt interdite, Jasson avait fait une découverte inespérée : un temple, apparemment abandonné depuis des années. Il en avait dégagé la façade, puis le pourtour. Le monument ancien était suffisamment grand pour que sa famille y soit à l'aise, mais il était dépourvu de meubles. Le temple était divisé en sept pièces : une grande au centre, et trois plus petites de chaque côté. Le couple, leur fillette et leur servante auraient chacun leur chambre et il resterait assez d'espace pour ranger leurs vivres à l'intérieur, loin des prédateurs.

Avant d'aller chercher les femmes, qu'il avait laissées un peu plus loin, dans la jungle, Jasson nettoya la rampe en pierre qui donnait accès à l'une des deux entrées ovales. Il avait rapidement examiné les gonds en acier enfoncés dans leurs encadrements. Il ne serait pas difficile de fabriquer de nouvelles portes ainsi que des volets pour les quatre fenêtres. La partie arrière de l'édifice avait dû être une cour, mais la végétation l'avait envahie depuis longtemps. Jasson crut même distinguer une fontaine parmi les lierres. Il avait beaucoup de pain sur la planche.

Convaincu qu'il avait trouvé l'emplacement idéal pour terminer ses jours, Jasson retourna chercher sa famille. Sanya l'accueillit avec un air de reproche, mais il ne s'en offensa pas. Il souleva plutôt la charrette, grâce à son pouvoir de lévitation, et l'entraîna jusqu'au temple. Puisqu'elle était trop grosse pour y entrer, il la déposa au pied de la rampe de pierre.

– Jasson, il est encore temps de revenir sur ta décision, maugréa Sanya.

Faisant la sourde oreille, le Chevalier alla se poster devant la porte. Il prit une bonne inspiration et commanda au vent de s'élever. Les femmes s'accrochèrent à la charrette en protestant. Jasson projeta dans le temple une bourrasque si puissante que toute la poussière, ainsi que les oiseaux et leurs nids furent projetés à l'extérieur par la porte opposée. Il ne resterait aux femmes qu'à laver les pièces une par une, dès qu'il aurait trouvé de l'eau.

Satisfait de son travail, il enleva sa cuirasse, puis se mit à décharger la charrette et à transporter leurs affaires dans leur nouveau logis, les déposant dans la plus grande des pièces en attendant de prendre une décision quant à la vocation des autres.

– Jasson, je t'en prie, arrête-toi et réfléchis ! l'intima Sanya en se plantant entre lui et la voiture.

– Si vous n'avez pas la force de nettoyer la maison aujourd'hui, nous dormirons dans la salle principale.

– Nous ne sommes pas chez nous, ici. Calme-toi et ramène-nous à Émeraude.

– Je dois construire les portes avant la nuit.

Il contourna son épouse et sortit du temple. Immobiles près de l'amoncellement de meubles, d'ustensiles et de provisions, Lérine et Katil observaient Sanya avec des yeux effrayés.

– On dirait qu'il a perdu la raison, s'affligea la servante.

– Il a subi un grand choc, c'est certain, tenta de la rassurer la paysanne, mais il va s'en remettre et comprendre que nous ne pouvons pas rester ici.

Sanya marcha résolument jusqu'à l'entrée du temple et trouva son époux en train de démolir la charrette pour en faire des portes.

– Jasson, je comprends ta peine, fit-elle sur un ton plus doux. Souviens-toi de ce que tu m'as dit lorsque Liam a disparu. Tu m'as demandé d'être forte, pour Katil. Aujourd'hui, c'est moi qui te supplie d'être fort pour ta fille et pour moi.

À l'aide d'un rayon fin émanant de sa paume, le Chevalier découpa les planches clouées ensemble pour leur donner la forme ovale de la porte.

– Nous ne voulons pas vivre dans cet endroit dangereux. Nous voulons retourner sur la ferme.

– Les soldats-insectes tueront tout le monde et ils mangeront le bétail, répliqua-t-il enfin. Je vous ai fait un beau cadeau, mais je ne m'attends pas à ce que vous me remerciiez tout de suite.

– Et si tu t'étais trompé ? Fuir n'est pas la seule façon de régler le conflit.

– Il fait délicieusement chaud ici, tu ne trouves pas ?

Il posa la porte dans l'embrasure de pierre et serra les écrous dans les pentures.

– Heureusement, j'ai pensé à apporter les loquets que j'avais façonnés pour la grange.

Sanya décida d'attendre. Sans doute qu'au bout de quelques jours de cette existence impossible, au milieu de la jungle, il finirait par reconnaître son erreur. Elle retourna à l'intérieur afin d'aider Lérine à disposer les meubles ailleurs qu'au milieu de la pièce principale.

Lorsque la nuit tomba, Jasson avait façonné les deux portes et les volets des quatre fenêtres. Il installa les clenches et les mentonnets et s'assura qu'aucune bête ne pourrait forcer les entrées. Il disposa ensuite de petites pierres en rond au centre de la grande pièce : il avait en effet remarqué l'ouverture dans le plafond pour laisser échapper la fumée, à moins qu'elle n'ait servi à autre chose, jadis. Utilisant les retailles de bois de la charrette, il alluma un feu. Sanya et Lérine préparèrent un repas sommaire avec les vivres qu'ils avaient apportés.

Une couverture recouvrant ses frêles épaules, Katil observait son père avec appréhension. Elle ne le connaissait pas aussi bien que sa mère, car il avait passé beaucoup de temps à se battre avec les autres soldats d'Enkidiev. Elle se fiait surtout aux souvenirs qu'elle avait gardés des quelques années qu'il avait passées à la maison, à attendre que les imagos sortent de terre. Ce qu'elle lisait maintenant dans l'esprit de Jasson la bouleversait. Elle avait l'impression que c'était bel et bien son corps, assis à quelques pas d'elle, mais qu'une autre entité l'habitait.

Les réfugiés confectionnèrent des matelas de fortune avec les vêtements et les couvertures, qui leur offraient un peu plus de confort que le plancher. C'était la première fois que Sanya se couchait sans inviter son époux à la rejoindre. Jasson était resté devant le feu, le regard absent. « Qu'il fasse ce qu'il veut », songea la paysanne, découragée. Les épais murs de leur nouvelle maison amoindrissaient les bruits de la nuit, alors les femmes s'endormirent rapidement, sans penser à tous les dangers que recelait la Forêt interdite.

Aux aguets, Jasson suivait attentivement ce qui se passait à l'extérieur. De petites bêtes circulaient autour du temple. Certaines d'entre elles n'étaient pas très contentes de s'être frappé le museau à une porte, alors que, depuis des années, elles pouvaient circuler librement dans l'édifice. Le Chevalier perçut aussi le passage d'animaux beaucoup plus gros, probablement des félins ou des loups, mais ils n'émirent aucun son. Au bout de quelques heures, persuadé que les planches tiendraient le coup, il s'enroula dans sa couverture et transforma le feu en flammes magiques qui brûleraient toute la nuit.

Le lendemain, il se réveilla avant les autres et décida de se mettre au travail sans tarder. Il ouvrit la porte arrière et estima que sa magie lui ferait gagner du temps. Afin d'éviter d'arriver nez à nez avec un prédateur ou, pire encore, avec un serpent tandis qu'il débroussaillerait les lieux, Jasson incendia toute la végétation. Lorsqu'elle retomba en cendres sur le sol, il découvrit qu'il était l'heureux propriétaire d'une vaste cour dominée par un balcon et délimitée par un mur plus haut qu'un homme. La terre était recouverte de petites pierres carrées, accolées les unes aux autres, qui formaient des cercles concentriques en partant de la fontaine, au centre de l'espace clos.

Tout comme la veille, Jasson débarrassa la cour des cendres en utilisant la force du vent. Il inspecta ensuite le bassin, creusé à même une seule pierre géante. Sur son rebord, des signes montraient qu'il avait déjà contenu de l'eau. Le fond de la fontaine était tapissé de plusieurs générations de larges feuilles d'un arbre inconnu dans le reste du continent. Une fois encore, pour éviter la morsure d'une vipère ou d'un insecte venimeux, le Chevalier nettoya le réservoir en utilisant son pouvoir de lévitation. Dès que le feuillage en décomposition s'éleva dans les airs, un jet d'eau jaillit vers le ciel. Jasson catapulta les résidus végétaux par-dessus la muraille de son nouveau domaine et examina la qualité de l'eau. Elle avait une bonne odeur, mais elle était encore un peu trouble.

« Au château, on faisait bouillir l'eau les premiers jours après la saison des pluies pour la rendre potable », se rappela-t-il. Il chargea ses mains et lança des jets brûlants dans le bassin. L'eau s'agita en formant des bulles. Après quelques minutes, Jasson mit fin au processus de stérilisation. Un mécanisme inconnu maintenait le niveau de la fontaine juste au-dessous du bord. Dès qu'elle aurait refroidi, cette eau pourrait être consommée.

– Maintenant, voyons si je peux protéger davantage cet endroit.

Il traversa la maison, sortit par l'autre porte et descendit la rampe. Jasson ignorait si, autrefois, les arbres poussaient aussi près du temple, mais il considéra qu'ils représentaient un danger pour sa famille, car leurs branches permettaient aux félins de grimper sur le toit de l'édifice.

– De toute façon, j'ai besoin de construire de nouveaux lits.

Il avait apporté sa hache, mais jugea plus rapide d'utiliser ses faisceaux tranchants. Petit à petit, il dégagea le côté gauche du temple sur plusieurs mètres. Le tronc de ces arbres n'était pas très gros, mais la qualité du bois le surprit. Il commençait à façonner des planches lorsque Sanya apparut à la porte.

– Jasson, viens manger, l'appela-t-elle.

À la grande surprise de son épouse, il laissa son travail en plan et remonta la rampe. Il prit place devant le feu, sans dire un mot. Lérine lui remit le pain rassis et le fromage apportés de la ferme.

– Nous aurions dû prendre quelques poules, observa la servante.

– Je suis certain que nous en trouverons ici, assura Jasson.

Dès qu'il eut terminé son repas, il retourna à sa tâche. N'ayant rien à faire pendant que les femmes finissaient de ranger les pots, les sacs et les ustensiles sur l'unique étagère, Katil sortit pour voir ce que faisait son père. Elle s'assit au milieu de la rampe et l'observa en silence. Très habile de ses mains, Jasson assembla quatre châlits. La petite sur les talons, il les installa ensuite dans quatre des six petites chambres, car il espérait toujours revoir son fils disparu.

– Avec quoi feras-tu les matelas ? s'enquit Katil.

– C'est une excellente question, ma chérie.

– Nous n'avons ni laine, ni crin, ni plumes, ni paille.

– Il faut nous adapter à notre nouvel environnement. Allons voir ce que nous pouvons trouver.

Il lui tendit la main. Heureuse de retrouver son père, Katil s'y accrocha avec plaisir. Ensemble, ils explorèrent le côté défriché du temple, à la recherche d'un matériau suffisamment doux pour rembourrer les lits. Jasson crut alors percevoir un mouvement dans la jungle. Ses sens magiques l'informèrent aussitôt qu'il s'agissait de plusieurs petits animaux. Il grimpa Katil sur ses épaules pour qu'elle puisse les voir par-dessus les fougères.

– On dirait des moutons, chuchota-t-elle. On pourrait peut-être les tondre.

– Est-ce qu'ils ont de grandes dents ?

– Je ne crois pas. Leurs bouches sont toutes petites.

C'est alors que Jasson eut l'idée de créer un pâturage clôturé, où ils pourraient élever les bêtes apprivoisables qu'ils trouveraient. Il poursuivit donc le défrichement de ce côté de l'édifice. Katil surveilla son travail pendant quelques minutes, puis laissa partir un rayon intense de sa main et coupa son premier arbre.

– C'est toi qui as fait cela ? s'étonna le père. Toi qui n'as aucun pouvoir magique ?

– Tu sais bien que j'en ai toujours eus. Seulement, je ne voulais pas m'en servir pour la guerre. Ici, c'est différent.

– En fin de compte, c'est à moi que tu ressembles, punaise.

Le père et la fille passèrent une bonne partie de la journée à abattre des arbres, puis, lorsque la fillette fut épuisée, Jasson la fit asseoir sur les troncs qu'il ramenait magiquement au temple pour les découper en petites bûches.

– Nous aurons du bois pour chasser l'humidité de ce vieux bâtiment pendant bien longtemps, lui dit Jasson, mais nous n'avons pas réglé le problème des matelas.

– Une fois, lorsque j'étais au Château d'Émeraude, j'ai entendu parler d'un fabuleux pouvoir que ne possédaient que certaines personnes très puissantes. J'ai posé des questions et j'ai beaucoup appris.

– Jasson, qu'est-ce que cela signifie ? le questionna Sanya en sortant du temple.

– Je m'assure que nous pourrons chauffer notre nouvelle demeure, même si je me doute qu'il ne fait jamais froid, ici.

– Je ne parle pas de ce que tu fais dehors, mais de ce que tu as fait à l'intérieur.

Le Chevalier capta le regard malicieux de sa fille.

– Je suis donc sur le point de découvrir moi aussi ce fabuleux pouvoir ?

– C'est possible, lui confia l'enfant, à voix basse.

Jasson cessa son travail et accompagna sa femme dans la grande pièce, où s'alignaient une dizaine de gros sacs de toile. Ils contenaient du duvet de canard !

– Où les as-tu pris ? continua de l'interroger Sanya.

Le Chevalier se tourna vers l'enfant.

– Je les ai seulement empruntés, affirma Katil. C'est ainsi que cela fonctionne.

Sanya dévisageait sa fille, ignorant si elle devait la gronder pour ce larcin ou la féliciter d'utiliser enfin ses pouvoirs magiques pour leur apporter un peu de confort.

– Si tu pouvais aussi emprunter de la farine, nous pourrions faire du pain, insinua la servante.

– Lérine ! se révolta sa maîtresse.

– C'est seulement pour nous rendre la vie plus facile jusqu'à ce que nous soyons capables de tout faire nous-mêmes, maman.

Puisque la paysanne n'entendait rester dans la Forêt interdite que le temps de guérir son mari de son sentiment de culpabilité, elle voyait d'un mauvais œil l'initiative de la fillette.

– Et la fontaine dehors ? voulut-elle savoir.

– Là, c'est moi, confessa Jasson. Elle y était déjà, cependant. Je n'ai fait que nettoyer la cour.

– Vous faites une belle paire, tous les deux.

Katil haussa les épaules en même temps que son père.

– Ces plumes, c'est ton idée, petite coquine, alors tu vas nous aider à confectionner les matelas, ordonna sa mère. Et pas de magie. Tu dois apprendre à te servir de tes mains comme tout le monde.

Jasson fit un clin d'œil à l'enfant et retourna dehors pour voir s'il ne pourrait pas déboiser l'autre côté du temple avant la nuit. Puisque Sanya n'était pas là pour le surveiller, il se servit largement de ses facultés surnaturelles. Au crépuscule, il avait réussi à dénuder le terrain entourant le temple, ce qui découragerait certainement les prédateurs de s'en approcher, dorénavant. Ce fut l'odeur du pain qui le ramena finalement à l'intérieur.

– Regarde, papa ! s'exclama joyeusement Katil. Tous les matelas sont prêts et nous avons même construit un four, dehors !

Il barricada les portes et les fenêtres, puis prit place devant le feu et accepta sa portion de pain, de viande bouillie et de haricots.

– Il faudra trouver un nom à ce nouveau royaume, suggéra Katil.

Sanya leva les yeux au ciel.

– Tu peux le choisir, l'encouragea son père.

– Il faut que ce soit une pierre qui n'a pas été retenue par les autres pays.

Elle repassa mentalement le nom de tous les royaumes, puis son visage s'illumina.

– Saphir ! s'écria-t-elle. Il n'y a pas de Royaume de Saphir.

– Dans ce cas, ce sera le nôtre.

Après le repas, les femmes allèrent se coucher dans leurs chambres respectives. Jasson ne les suivit pas. Il demeura près du feu, perdu dans ses pensées. Sanya l'attendit patiemment et quand elle comprit qu'il n'avait pas l'intention de bouger, elle quitta la chaleur de son lit pour tenter de le convaincre de dormir avec elle. Il avait ramené ses genoux contre sa poitrine et serrait ses jambes entre ses bras. Des larmes coulaient en silence sur ses joues.

– Jasson..., s'émut son épouse.

Elle s'assit près de lui et passa un bras autour de son cou.

– Wellan ne méritait pas de mourir si jeune, hoqueta-t-il.

– Les dieux reprennent les hommes quand bon leur semble, tu le sais bien.

– Pourquoi nous ont-ils abandonnés ?

– D'autres Chevaliers sont-ils morts ? s'alarma Sanya.

Il hocha doucement la tête.

– Tu continues de les entendre, n'est-ce pas ?

– J'aimerais me couper complètement d'eux, mais en agissant ainsi, je risquerais de ne pas entendre Liam s'il m'appelle à l'aide.

Il dirigea sur elle des yeux remplis de larmes.

– Je n'ai pas décidé de venir ici pour le plaisir, Sanya. Je suis parfaitement conscient que la vie dans cette jungle ne sera pas toujours aussi douce qu'elle l'est depuis deux jours. Mais je ne voulais pas vous voir broyées par les mandibules des scarabées. Est-ce que tu comprends ?

– Je sais bien que tu l'as fait par amour pour ta famille, mais nous aurions pu emmener avec nous les familles de tes frères d'armes.

– Je ne pouvais pas le faire sans savoir ce qui nous attendait.

« Il a donc l'intention de retourner à Émeraude, une fois que nous serons bien installés », comprit Sanya.

– Tu as un grand cœur, Jasson de Perle.

– Il y a bien longtemps que je n'ai pas entendu ce nom, avoua-t-il en essuyant ses yeux. En fait, c'était surtout ma mère qui m'appelait ainsi quand elle s'apprêtait à me corriger.

– Viens te coucher. Tu as besoin de te reposer, toi aussi.

Elle le força à se lever et le tira dans la pièce qu'elle avait choisie pour eux.

10

Les sentiments d'un roi

Lorsque le nouveau commandant des Chevaliers d'Émeraude sentit que les scarabées argentés s'approchaient de la rivière Mardall malgré les efforts des Elfes et des Fées pour les ralentir, il ordonna à son armée de se préparer à partir. Hadrian s'assura aussi que tous ses soldats étaient prêts pour le combat et que les blessés étaient parfaitement remis. Le seul qui l'inquiétait vraiment, c'était son ami Onyx. Ce dernier se tenait bien droit, mais son visage restait crispé. Hadrian avait appris depuis longtemps à déchiffrer son langage corporel.

Tandis que les Chevaliers se massaient dans la cour du Château de Zénor, l'ancien Roi d'Argent s'arrêta devant son ami. Lorsqu'il approcha la main de sa cotte de mailles pour examiner magiquement sa blessure, Onyx lui saisit vivement le poignet.

– Si cette plaie n'est pas guérie, tu devras rester ici, l'avertit Hadrian.

– Je voudrais bien te voir m'y obliger.

– Ne me mets pas au défi, Onyx. Tu connais ma politique de combat.

– Et tu connais ma volonté. Il n'est pas question que je sois exclu de cette bataille.

Les deux hommes se défièrent du regard pendant un moment, puis un large sourire apparut sur le visage du renégat.

– La royauté n'a certainement pas amélioré ton caractère, soupira Hadrian.

– Après cinq cents ans, ce serait peine perdue d'essayer.

– Je suis d'accord, lança Swan en se joignant aux deux soldats. Moi, j'ai abandonné.

– Parce que je suis un homme adorable, au fond, la taquina-t-il.

– Si je m'aperçois que tu te bats de façon isolée, tu auras affaire à moi, conclut Hadrian, voyant qu'Onyx n'en ferait qu'à sa tête.

Le nouveau chef des Chevaliers se tourna ensuite vers les guerriers vêtus de vert qui envahissaient maintenant la cour.

– Commandants ! appela-t-il.

Bridgess, Santo, Dempsey, Chloé, Falcon et Bergeau s'approchèrent docilement. Hadrian les examina et plissa le front avec inquiétude.

– Où est Ariane ?

Personne n'eut le temps de répondre : un vortex éclatant se forma juste à l'extérieur des portes de la forteresse. À la grande surprise des Chevaliers, la Fée guerrière n'en sortit pas seule. Une jeune demoiselle parée d'une multitude de voiles diaphanes et un homme vêtu d'une tunique bleu clair l'accompagnaient. Les membres de la division de Jasson reconnurent immédiatement Kardey. Ils se précipitèrent comme des enfants d'école pour accueillir leur ancien camarade.

– Comment se fait-il que tu sois ici ? se réjouit Yamina. Je croyais que le Roi des Fées jetait un sort aux mâles de son pays pour qu'ils ne puissent pas traverser ses frontières.

– Il m'en a libéré, répondit Kardey.

– As-tu l'intention de nous suivre au combat ? demanda Fabrice.

– Si je le peux, oui, c'est certain. Mais je crois qu'il serait judicieux que j'en sollicite l'autorisation à votre nouveau chef.

Justement, ce dernier s'approchait du groupe en liesse.

– C'est moi qui ai pris la tête des Chevaliers d'Émeraude en l'absence de Wellan d'Émeraude. Je suis Hadrian d'Argent.

– Et moi, Kardey d'Opale, époux du Chevalier Ariane d'Émeraude, adopté par les Fées, si je puis m'exprimer ainsi. Je faisais partie du groupe du Chevalier Jasson avant d'être terrassé par l'ennemi et j'aimerais me joindre de nouveau à mes camarades.

– Tu ne vas pas te battre accoutré ainsi, laissa tomber Onyx.

– Mon armure d'Opale est demeurée chez les Fées, sire.

Onyx posa ses mains sur les épaules du soldat qui fut instantanément vêtu de la cuirasse des Chevaliers d'Émeraude.

– On gagnerait du temps s'il faisait cela pour tout le monde chaque matin, railla Nogait.

Le Roi d'Émeraude lui adressa un coup d'œil agacé.

– Nogait, si j'étais à ta place, je commencerais à le laisser tranquille, chuchota Swan à son oreille.

Onyx se tourna vers la jeune fille qui demeurait silencieuse dans l'ombre d'Ariane et reproduisit la même opération magique.

– Mais…, s'étrangla Dinath, soudainement vêtue de l'uniforme des défenseurs d'Enkidiev.

– Pas de discussion. Nous avons mieux à faire, la coupa Onyx.

Voyant que les commandants des unités de combat étaient réunis devant Hadrian, Ariane se joignit à eux, laissant sa sœur dans la confusion la plus totale. Kardey prit donc la main de Dinath et l'entraîna vers son propre groupe.

– C'est plutôt lourd, constata la fille de Danalieth en baissant les yeux sur la croix de l'Ordre qui ornait sa poitrine. Comment faites-vous pour vous battre ?

Elle n'arrivait même pas à sortir l'épée de son fourreau.

– Il faudrait lui en trouver une plus petite, suggéra Yancy.

– C'est que les forgerons ne pleuvent pas, dans le coin, lui fit observer Koshoff.

– Si seulement mon père était ici, soupira Dinath.

Soudain, l'arme devint si légère qu'elle la sortit d'un coup de sa gaine de cuir. *Je suis toujours avec toi, ma fille chérie*, fit une voix dans sa tête. *J'aurais cependant préféré que tu restes parmi les Fées.*

Embarrassée, elle utilisa le même langage pour le remercier de veiller sur elle, mais n'osa pas lui dire qu'elle avait l'intention d'affronter un détachement de dangereux scarabées sur les plaines d'Enkidiev. Elle se sentit alors enveloppée de l'amour de Danalieth.

Hadrian informa les chefs de troupe qu'il ne s'adresserait qu'à eux pour donner ses ordres, évitant ainsi de distraire toute l'armée. Il leur recommanda aussi de retirer sans délai du combat tous ceux qui seraient sérieusement blessés. Puis le commandant s'adressa aux autres Chevaliers.

– Restez le plus possible avec le groupe auquel vous appartenez, ordonna-t-il. Ne laissez pas les Tanieths vous isoler, car c'est ainsi qu'ils ont réussi à tuer vos compagnons, hier. Nous ne prendrons pas les chevaux, pour leur éviter des blessures mortelles. Nous reviendrons les chercher plus tard.

Virgith et Staya se mirent à protester furieusement dans l'écurie.

– J'allais justement dire que nous ferons une exception dans le cas des chevaux-dragons, soupira Hadrian, qui ne s'habituait pas à l'intelligence supérieure de ces bêtes. Préparez-vous à partir, maintenant. Nous ne formerons qu'un seul vortex pour nous retrouver tous au même endroit.

Bergeau savait que c'était à lui que reviendrait cet honneur puisque, de tous les soldats qui avaient reçu des bracelets magiques, c'était lui qui arrivait à former le plus gros maelström.

Tandis que les unités de combat formaient des groupes compacts, Hadrian se dirigea vers l'écurie, où Kevin venait de faire sortir Virgith. Il y entra en même temps que Hawke.

– Sire, devrai-je faire partie d'une troupe ? voulut savoir l'Elfe.

– J'aimerais que vous vous joigniez à celle de Wellan et que vous secondiez Bridgess. Elle nous montre une façade très brave, mais je sens au fond d'elle une rage qui pourrait lui être fatale. Aussi, je communiquerai directement avec vous s'il devenait urgent que vous jetiez un coup d'œil au champ de bataille à partir des airs.

– Entendu.

Hawke alla chercher Hardjan, qui se prélassait dans la paille fraîche de sa stalle. Ressentant l'approche de son maître et ami, Staya était déjà prête à partir. Hadrian caressa ses naseaux avec affection.

– On dirait que tu veux toujours te battre, toi.

La jument blanche gazouilla dans ses oreilles, lui signifiant qu'elle voulait surtout veiller sur lui. Hadrian l'emmena dehors et vit que Jenifael était assise sur une grosse pierre, en retrait de son groupe. Tout comme Bridgess, elle tentait désespérément de cacher sa peine à ses compagnons d'armes.

– Puis-je vous parler, Lady Jenifael ?

Elle arqua les sourcils avec surprise, car on ne l'avait pas souvent appelée ainsi.

– Vous êtes mon commandant, sire.

– Jenifael, vous possédez d'immenses pouvoirs que vous n'exploitez jamais.

– N'est-il pas dangereux de les utiliser alors que je ne les maîtrise pas encore ? Je pourrais tout aussi bien tuer mon adversaire que mettre le feu à la campagne tout entière.

– Ce que je souhaiterais, c'est que vous vous en serviez si jamais la bataille devait tourner en faveur des Tanieths.

– Ce serait une excellente façon de venger la mort de mon père.

– La vengeance ne sert qu'à noircir le cœur des hommes, milady. Voyez plutôt la perte de votre père comme un grand sacrifice de sa part.

Des larmes s'échappèrent des yeux de la jeune déesse.

– Comment avez-vous réagi à la mort de votre propre père ? demanda-t-elle dans un sanglot.

– J'ai eu le bonheur de le connaître plus longtemps que vous n'avez profité du vôtre, mais je l'ai pleuré, moi aussi. Je vous en conjure, soyez brave.

– Merci d'être revenu parmi nous, sire Hadrian. Je ne vous dirai jamais assez à quel point j'apprécie vos conseils.

Elle se leva sur la pointe des pieds et l'embrassa sur les lèvres. Avant que l'ancien roi ne puisse réagir, la jeune fille se dirigea promptement vers son unité de combat. Hadrian avait besoin d'amour comme tous les autres hommes, mais le souvenir de sa vie auprès de son épouse, avec qui il venait de passer une éternité sur les grandes plaines de lumière, était encore trop frais à sa mémoire. Comment réussirait-il à aimer une autre femme comme il avait chéri Éléna ? Staya lui donna un petit coup de museau derrière la tête, le ramenant à la réalité.

– Tu seras beaucoup moins pressée, une fois sur le champ de bataille, la taquina Hadrian.

Il traversa lentement la cour, la jument blanche sur ses talons, content de voir que les Chevaliers étaient une fois de plus prêts à défendre leur pays.

Au milieu de son groupe, Ariane laissait Kardey serrer chacun de ses anciens compagnons dans ses bras et féliciter les Écuyers qui étaient devenus Chevaliers. Elle réprima un sourire en voyant sa petite sœur rouler des épaules pour être plus à l'aise dans sa cuirasse.

– Onyx est bien préoccupé, en ce moment, lui dit l'aînée. Si tu veux l'enlever, je suis certaine qu'il comprendra.

– Je sais que je serai moins vulnérable ainsi, mais je n'ai rien fait pour mériter un tel honneur.

– Qui est cette belle jeune fille ? s'enquit alors Dienelt, un Chevalier Elfe.

– C'est ma sœur, Dinath.

Ariane en profita pour la présenter à son unité de combat, en précisant qu'elle ne savait pas se servir d'une épée, mais qu'elle pouvait utiliser ses pouvoirs magiques pour viser les yeux des scarabées. Elle ajouta qu'elle devait être protégée à tout prix.

– Je ne suis pas un bébé, tout de même, grommela Dinath.

Hadrian s'arrêta près de Bergeau, qui l'attendait depuis un petit moment.

– C'est quand tu veux, annonça l'homme du Désert.

– Vas-y.

Bergeau croisa ses bracelets noirs. Un tourbillon de lumière dorée se forma devant les portes de la cour. *Entrez dans le vortex dans l'ordre suivant*, fit Hadrian. *Bridgess, Santo, Dempsey, Chloé, Ariane, Falcon et Bergeau.* Il n'avait pas fini l'énumération que le groupe de Bridgess s'engageait déjà dans le tunnel. Bergeau et lui furent les derniers à y pénétrer, malgré l'impatience de Staya qui piaffait derrière son maître.

L'armée réapparut quelques secondes plus tard au Royaume des Fées, aux abords de la rivière Mardall, là où Hadrian avait demandé à Bergeau de les conduire. L'ancien Roi d'Argent grimpa sur le dos de Staya et alla se poster au centre des six bataillons. Il sonda attentivement la côte et comprit bientôt que les troupes d'Amecareth qui traversaient le Royaume des Elfes et le Royaume des Fées étaient des unités distinctes. Puisqu'elles n'arriveraient pas en même temps au Royaume de Diamant, le commandant pourrait se permettre d'utiliser toute son armée contre le premier groupe, puis contre le second, qui n'atteindrait le même endroit que le lendemain, ou même plus tard.

Onyx rejoignit son ami, scrutant lui aussi la région. Hadrian profita de sa concentration pour évaluer l'étendue de ses souffrances. La lance de l'ennemi avait fait beaucoup de dommage et, malgré les bons soins des guérisseurs, ses organes internes étaient encore sensibles.

– Ils approchent de la rivière, annonça Onyx. Ils sont nombreux.

– Que les dieux nous assistent, pria Hadrian.

Et il ajouta par télépathie, pour les chefs des unités de combat : *préparez-vous, ils arrivent.*

11

Le mal du pays

Sur l'île des araignées, le soleil descendait lentement dans les nuages, comme il le faisait chaque jour. Appuyé contre l'une des pattes de sa protectrice, Liam ne prenait plus plaisir à regarder ce féerique spectacle de lumière. Il restait sagement assis, attendant que Kiarinah le ramène dans sa cage. Régulièrement, la jeune Tégénaire hissait l'adolescent sur le toit de sa maison, dans l'espoir qu'un jour, le ciel s'éclaircisse et qu'il puisse lui montrer où se trouvait sa patrie. C'était peine perdue au sommet de ce pic rocheux perpétuellement coiffé de brume.

Depuis qu'il avait été attaqué par Thoft, Liam était brisé, soumis et apathique. Il se laissait déshabiller, laver et rhabiller docilement et mangeait sans se plaindre la nourriture que sa maîtresse lui donnait. Il avait perdu sa joie de vivre et rien de ce que Kiarinah faisait pour lui plaire n'avait d'effet sur lui.

— Je t'en prie, dis-moi à quoi tu penses, Liam ? l'encouragea l'araignée.

— J'ai rêvé à mon père, la nuit dernière.

– Tu commences à te souvenir de ton passé ? Le poison de la fléchette aurait-il cessé d'agir ?

Des larmes se mirent à couler sur les joues de son protégé. Kiarinah les toucha doucement du bout d'une patte, inquiète.

– Il t'arrive souvent de perdre du liquide par tes yeux. Dis-moi pourquoi.

– J'ai de la peine.

– Qu'est-ce que c'est ?

– Si tu étais tombée dans le vide et qu'une race de géants t'avait recueillie en te disant que tu ne pourrais plus jamais rentrer chez toi, est-ce que tu ne serais pas triste, toi aussi ?

L'araignée songea à cette situation hypothétique pendant un long moment.

– Mes parents me manqueraient beaucoup, conclut-elle.

– C'est la même chose pour moi. Non seulement je ne verrai plus jamais ma famille, mais je n'aurai pas participé à la guerre, je ne marierai jamais et je n'aurai jamais d'enfants qui feront mon bonheur comme j'ai fait celui de mon père.

Liam éclata en sanglots amers, au grand désarroi de la Tégénaire. Personne ne lui avait dit que les animaux de compagnie pouvaient devenir aussi déprimés.

– Dis-moi quoi faire pour te consoler.

– Tu ne peux rien faire, Kiarinah, se lamenta-t-il. Il n'y a aucune façon de quitter cette île.

– Comment y es-tu arrivé, le premier jour ?

– Une épaisse corde m'a hissé jusqu'ici.

– Si nous la retrouvions, peut-être serais-je assez forte pour te redescendre d'où tu viens.

Les farouches visages des Pardusses apparurent dans l'esprit de Liam. S'il parvenait à quitter l'île des araignées, il aurait à les affronter, encore une fois. Toutes ses tentatives pour leur échapper avaient jadis échoué...

– Il me faudrait aussi un sauf-conduit, soupira-t-il.

– À quoi cela sert-il ?

– C'est une autorisation d'un dirigeant haut placé, qui me permettrait de traverser tous les territoires jusqu'à Enkidiev sans me faire capturer.

– Je m'en informerai auprès de ma mère. Elle sait sûrement comment en obtenir un.

Liam essuya ses larmes en posant un regard interrogateur sur Kiarinah.

– Il n'y a pas si longtemps, tu ne m'aurais jamais laissé partir. Pourquoi as-tu changé d'idée ?

– Je t'aime, Liam, et je veux ton bonheur. Si tu es trop misérable auprès de moi, alors je préfère que tu partes et que tu sois heureux.

– Tu as un plus grand cœur que bien des humains.

– C'est cela que tu appelles un compliment ?

– Oui, Kiarinah. C'est une parole aimable qui met en valeur les qualités de quelqu'un. Dans la vie, on n'en reçoit jamais assez.

– Puis-je t'en faire un, moi aussi ?

– Seulement s'il est vraiment sincère. Il ne faut jamais louanger quelqu'un uniquement pour obtenir des faveurs.

– Tu m'as déjà apporté beaucoup de joie. Je ne pourrais rien te demander d'autre, Liam. Je veux seulement te dire que tu as beaucoup de courage. Je ne suis pas certaine qu'une Tégénaire survivrait à autant de bouleversements dans sa vie.

– Merci, c'est gentil.

– Il faut dire merci, quand on nous fait un compliment ?

– Oui, c'est mieux.

– Allons voir où se trouve cette mystérieuse corde qui t'a fait entrer dans mon monde.

Avec douceur, l'araignée grimpa l'adolescent sur son dos. Elle descendit le long du large cube qui lui servait de maison et atteignit le bord de l'île en quelques minutes. Avec prudence, Kiarinah marcha au bord de la falaise. Sur son dos, Liam scrutait attentivement le terrain. Ils avaient cherché pendant des heures sans rien trouver lorsque la Tégénaire s'immobilisa et se mit à trembler.

– Que se passe-t-il, Kiarinah ? s'alarma l'adolescent.

– Nous devons faire demi-tour.

Liam regarda loin devant et vit une habitation différente de celle où il vivait avec sa protectrice. Au lieu d'être carrée, elle avait la forme d'une cloche immaculée et on ne pouvait y accéder que par une ouverture ronde tout en haut.

– Nous n'allons jamais de ce côté, chuchota Kiarinah, effrayée.

– Pourquoi ?

– C'est la maison de Talchante, une meurtrière d'enfants.

L'araignée revint aussitôt sur ses pas, se hâtant de retourner sur la partie de l'île qui lui était plus familière.

– Je demanderai à mon père comment il t'a acquis. Ce sera plus sûr pour nous deux.

Ébranlée, Kiarinah se hâta de rentrer chez elle. Elle remit l'adolescent dans sa cage et disparut pour le reste de la journée. Liam en profita pour dormir un peu dans son nid de copeaux, jusqu'à ce que la Tégénaire revienne avec des légumes qu'elle avait hachés pour les introduire entre les barreaux. Liam s'approcha en tentant de deviner les émotions de l'araignée. Il s'assit au milieu de sa nourriture et commença à manger.

– Mon père n'était pas content que je lui pose cette question, avoua la Tégénaire en s'accroupissant près de la cage. Il m'a dit qu'on ne devrait jamais enquêter sur la provenance d'un cadeau, mais il m'a quand même répondu. C'est malheureusement Talchante qui t'a acheté à ceux que tu appelles les Pardusses. Il a ajouté que j'étais assez grande maintenant pour connaître la vérité. Talchante n'est pas une

Tégénaire. Personne ne sait comment elle est arrivée ici. Apparemment, son corps est transparent et on peut même voir ses organes !

– Ce phénomène s'appelle l'absence de pigmentation, et c'est plutôt rare, expliqua Liam.

– Il y a aussi des peau pâles transparentes ?

– Non, pas complètement, mais elles sont blanches comme neige de la tête aux pieds.

– Mangent-elles des enfants ?

– Personne n'en mange, dans mon monde, Kiarinah. Dis-moi plutôt comment cette Talchante fait le commerce des humains comme moi.

– Elle descend des paniers de piécettes d'or par un fil qu'elle produit elle-même, puis elle remonte la peau pâle qu'elle vient d'acheter et l'offre aux Tégénaires, qui sont prêtes à en payer un prix fou, car ce sont des animaux très précieux.

– Vous possédez de l'or ?

Pourtant, Liam n'avait jamais vu de ce métal précieux où que ce soit depuis son arrivée sur l'île des araignées.

– Tous les parents en ont sous le plancher de leur maison. Nous ne savons pas qui l'a mis là et nous ne nous en servons jamais. Mais Talchante ne vit que pour cet or. C'est la seule chose qui l'intéresse et elle n'en a jamais assez. Elle n'a pas de parents, pas de mari et pas d'enfants. Elle vit toute seule sur sa montagne d'or depuis la nuit des temps.

– Parce qu'elle a mangé toute sa famille pour en avoir plus, j'imagine.

– Personne ne le sait. Selon mon père, elle exige également des œufs en échange de sa bonne conduite. Elle attend qu'ils éclosent et...

Kiarinah se cacha les yeux et se mit à trembler. « Ses futurs frères et sœurs sont donc morts à cause de moi », comprit Liam, dégoûté.

– Je t'en prie, ne pleure pas, susurra l'adolescent en passant la tête entre les barreaux. Je te promets de vous débarrasser de cette horrible canaille avant ma mort.

– Elle est gigantesque et son poison est mortel. Je te défends de t'approcher de son nid !

La Tégénaire caressa doucement le visage de Liam du bout d'une patte, maintenant bien consciente de la chance qu'elle avait de posséder une peau pâle aussi intelligente.

– Je n'ai pas peur d'elle, répliqua l'Écuyer.

– Arrête de dire des sottises.

Mais Liam avait déjà commencé à échafauder des plans de destruction qui libéreraient les Tégénaires de la domination de Talchante et qui mettraient fin à la chasse aux humains dans les Territoires inconnus.

Au même moment, au Royaume d'Émeraude, les habitants du château et tous les réfugiés avaient commencé à sortir des tunnels souterrains où ils s'étaient abrités à l'approche des larves. Constatant que les imagos se rendaient plutôt à la Montagne de Cristal, Jahonne et Amayelle avaient vite jugé inutile de cacher tout le monde. Debout sur la passerelle, les deux femmes scrutaient attentivement les alentours. Elles apercevaient le combat qui faisait rage au loin, sur la plaine, tandis que les armées alliées tentaient de stopper définitivement l'envahisseur. « J'espère que les humains élimineront bientôt ces créatures », pria silencieusement Jahonne.

– Lady Amayelle ! cria quelqu'un, au pied de l'escalier.

La Princesse des Elfes fit volte-face et vit qu'il s'agissait d'Armène.

– Nartrach s'est enfui ! s'énerva la gouvernante.

– Pas encore ! soupira Amayelle.

– Avez-vous fouillé toutes les grottes ? voulut savoir Jahonne.

– Nous avons regardé partout !

L'hybride laissa son esprit s'élancer à la recherche du gamin indiscipliné. Elle leva la tête vers le ciel et ouvrit les yeux.

– Il est là-haut, annonça-t-elle.

– Pas sur son dragon, j'espère ! s'écria Armène. Nous lui avons dit de ne pas s'approcher de cette bête avant le retour des Chevaliers !

– Le dragon n'a pas survolé le château depuis bien longtemps, la renseigna Jahonne.

– Dans ce cas, Nartrach a dû encore une fois trouver la façon de quitter la forteresse, déduisit Amayelle. Espérons qu'il ne l'a pas aussi enseignée à Cameron et aux fils d'Onyx.

– Ils sont tous avec moi, certifia Armène.

– Nous nous occupons de Nartrach. Ne perdez pas les autres de vue.

La gouvernante hocha la tête avec soulagement. Elle prit Maximilien dans ses bras et rassembla le reste de ses poussins pour les emmener dans sa tour.

– On veut voir le dragon ! protesta Fabian.

– Pas moi, grommela Atlance.

– Peut-être qu'il nous laissera monter sur son cou, se réjouit Cameron.

– Quand vous aurez vingt ans et que je n'aurai plus besoin de m'occuper de vous, vous commettrez toutes les imprudences que vous voudrez et vous en subirez les conséquences, condéda Armène. Pour l'instant, vous êtes sous ma surveillance.

Dès que la servante se fut éloignée avec les enfants, la Princesse des Elfes se tourna vers son amie mauve.

– Comment allons-nous contraindre cet enfant turbulent à revenir au château sans alerter ses parents ? soupira-t-elle.

Loin au-dessus d'elles, Nartrach profitait de ce merveilleux moment de liberté. Il ne s'échappait pas de la forteresse pour contrarier les adultes, mais parce qu'il était persuadé que seul un contact fréquent avec Stellan lui permettrait de mieux le maîtriser. Il s'était donc faufilé dans la même faille que la première fois, mais il n'avait pas eu à parcourir autant de distance qu'à son escapade précédente. Le dragon noir volait au-dessus de la forêt de Jade. Nartrach s'était concentré en faisant bien attention de ne pas utiliser des mots, que ses parents auraient pu entendre. Il s'était servi de la langue sifflée des Tanieths qu'il connaissait d'instinct depuis sa naissance.

À sa grande joie, Stellan avait instantanément répondu à son appel, piquant vers la plaine qui séparait le Royaume d'Émeraude de celui de Jade. Les juments-dragons, dont c'était le pâturage préféré, avaient prestement galopé vers la forêt pour y abriter leurs poulains, mais l'immense animal ne s'intéressait pas à eux. La terre avait tremblé lorsqu'il s'était finalement posé sur le sol. En poussant des cris stridents, il avait penché son long cou jusqu'à ce que sa tête triangulaire soit à la hauteur du visage de l'enfant.

Le petit maître l'avait caressé un long moment avant de tenter l'escalade sur son dos. Il n'avait pas fait un pas que le dragon saisissait le dos de sa tunique entre ses dents et l'installait lui-même à la naissance de ses ailes. Le garçon n'eut qu'à bien se cramponner. Stellan se donna un formidable élan sur ses pattes postérieures et grimpa vers le ciel en battant des ailes.

Nartrach n'était pas spécialement fier de désobéir à ses parents. Toutefois, il considérait que le dressage d'un monstre aussi dangereux l'emportait sur ses devoirs filiaux. Stellan grossissait de jour en jour et, sans dompteur, il risquait d'attaquer le bétail des fermiers en plus de décimer les troupeaux de chevaux, de daims ou de cerfs. Il devait lui apprendre à bien se comporter et à trouver quelque chose qu'il pourrait manger sans nuire aux humains.

Il plana au-dessus du château, le plus haut possible pour ne pas alarmer ses habitants, qui étaient bien nerveux depuis l'arrivée des imagos. De son poste d'observation, l'enfant voyait les soldats qui poursuivaient impitoyablement les larves pour les empêcher d'atteindre le pied de la Montagne de Cristal. Ils arrivaient à les retarder, mais les coléoptères gagnaient du terrain de jour en jour. Bientôt, ils atteindraient leur but.

Puis, las de tourner en rond, Nartrach aiguilla son dragon vers les volcans. « Si c'est trop dangereux, nous rebrousserons chemin », songea-t-il. Il survola le Royaume de Jade et une partie du Royaume de Rubis et aperçut la très longue rivière Sérida qui coulait vers le sud. Devant lui s'élevaient des montagnes encore plus hautes que la Montagne de Cristal.

– Wow..., s'émerveilla-t-il.

Leurs flancs étaient noircis par la lave qui s'y était refroidie. L'une d'elles laissait échapper une épaisse fumée grise. Nartrach jugea plus prudent de ne pas s'en approcher. Il fit tourner son dragon vers le nord et suivit le cours d'eau, arrivant rapidement au-dessus du Royaume d'Opale. Sans se rendre compte qu'il était en vol depuis des heures et que l'animal commençait à se fatiguer, l'enfant poussa l'audace jusqu'à explorer le pays où le légendaire Sage d'Émeraude était né. Il distingua au loin l'immense trou dans la glace, mais le reste était tout blanc.

Stellan survolait à présent la mer du nord. Nartrach commençait à avoir froid. Il allait faire demi-tour lorsqu'il

perçut un bien étrange message. *Si quelqu'un m'entend,
aidez-moi*, implorait une voix masculine. *Qui appelle à l'aide ?*
fit aussitôt le gamin, très inquiet. *C'est Liam.*

Nartrach se redressa si brusquement sur les épaules
de sa monture ailée qu'il faillit basculer dans le vide. Liam,
le fils de Jasson, était disparu depuis si longtemps ! Certains
le croyaient même mort ! *Où es-tu ?* s'empressa de demander le garçon. *Je suis sur une île si haute que sa tête touche
les nuages.* Nartrach n'avait jamais entendu parler d'un tel
endroit. *Plus haute que les volcans ?* demanda-t-il. *Trois ou
quatre fois plus haute*, assura Liam, dont la voix s'affermissait.
Qui es-tu ?

Je suis Nartrach, fils de Falcon et de Wanda d'Émeraude. Il y
eut un court silence, Liam étant sans doute découragé d'être
entré en contact avec un si petit garçon. *Je suis incapable de
parler à mon père avec mon esprit. Je t'en prie, dis-lui où je suis.*
Nartrach n'était peut-être pas très vieux, mais il était très
intelligent. Si cet Écuyer était au bord du désespoir, il n'allait
certainement pas lui révéler que son père s'était volatilisé.
De plus, aucune communication télépathique ne pouvait
franchir la barrière volcanique. *Tiens bon, Liam, nous serons
bientôt là*, lui dit-il plutôt.

Le jeune dompteur imprima dans la tête de son dragon
l'image d'une immense montagne dont le sommet se perdait
dans la brume.

– Sais-tu où se trouve cet endroit, Stellan ?

Le dragon obliqua instantanément vers l'est, malgré sa
fatigue.

– On dirait que oui.

Le soleil avait commencé à descendre du c
d'Émeraude et le temps se rafraîchissait de plus en plus. ‹
prochaine fois, je m'habillerai plus chaudement », gr
mela intérieurement l'enfant. C'est alors qu'il vit au
l'endroit dont parlait Liam. Le dragon se mit à perdr
l'altitude.

– C'est en haut, Stellan, pas en bas !

L'animal fit un effort titanesque et battit des ailes
force pour grimper vers les nuages. Il les traversa en que
minutes à peine et arriva devant un bien curieux spec
Des milliers de petites maisons carrées, toutes blar
étaient empilées les unes sur les autres, comme un j
blocs. Stellan repéra la piazza et s'y posa sans même d
der l'avis de son maître. Il était à bout de forces.

En voyant arriver la dangereuse bête dans le c
Tégénaires s'étaient sauvées en désordre pour fuir le ‹
Nartrach eut donc l'impression d'arriver dans ur
fantôme !

– Il y a quelqu'un ? cria-t-il en se laissant glis
le sol.

Derrière lui, le dragon s'écroula sur le ventre, l
ailes ouvertes.

– Stellan, est-ce que tu es souffrant ? s'alarma so

La bête émit de petites plaintes stridentes signif
ne bougerait pas de cet endroit avant d'être comp
reposé.

– Moi aussi, je suis fatigué, avoua Nartrach.
j'ai soif et j'ai froid.

Le dragon ne l'écoutait plus. Il avait fermé ses yeux rouges et dormait déjà. Grelottant, le garçon pivota lentement sur lui-même. La place centrale de cette étrange ville était entourée de maisons cubiques qui semblaient n'avoir que des fenêtres et pas de portes. « Liam doit être prisonnier quelque part là-dedans », raisonna-t-il.

Dans l'un des habitacles les plus élevés, Kiarinah avait mis son petit animal favori en sûreté lorsqu'elle avait aperçu l'ombre du prédateur. Peu de dragons s'étaient aventurés sur l'île depuis que les araignées l'avaient colonisée, mais chacune de leurs visites avait été dévastatrice pour les Tégénaires.

– Non ! protesta Liam en écartant les bras pour éviter d'entrer dans sa cage.

– C'est pour ton bien, s'entêta Kiarinah. Le monstre ne pourra pas te dévorer derrière ces barreaux.

– Je veux le voir !

Il se débattit si férocement que la jeune araignée céda. Liam remonta le long de sa patte comme s'il grimpait dans un arbre et reprit place sur son cou.

– C'est trop dangereux, Liam.

Nartrach, où es-tu ? s'enquit l'adolescent, qui souhaitait ardemment que le dragon ait un quelconque rapport avec celui dont l'enfant ne cessait de leur casser les oreilles depuis qu'il était petit. *Je suis sur l'île, je pense, mais il n'y a personne.*

Liam adressa une courte prière de remerciement à Dressad, le dieu que sa mère priait jadis. *Es-tu en compagnie d'un dragon ?* osa-t-il demander ensuite. *Oui, mais c'est le mien.*

– Kiarinah, as-tu confiance en moi ? voulut savoir Liam.

– Tu sais bien que oui.

– Je sais que tu as peur du monstre, mais si je te disais qu'il ne te fera pas de mal, accepterais-tu de me conduire sur la piazza ?

L'araignée referma toutes ses pattes d'un seul coup, s'écrasant sur le plancher de tuiles, et son cavalier faillit bien culbuter par-dessus sa tête.

– Kiarinah, écoute-moi. Il s'agit d'un dragon, une bête que les peaux pâles domestiquent.

– Il mange les Tégénaires.

– Il n'est pas sauvage. Il obéit aux ordres et son maître est avec lui.

– Comment le sais-tu ?

– C'est une peau pâle, comme moi. Nous communiquons par la pensée.

– Est-ce qu'il est venu te chercher ?

Craignant de lui faire du chagrin, Liam ne répondit pas.

– Je sais bien que tu es malheureux, ici, poursuivit-elle.

– C'est sûr que j'aimerais revoir ma famille...

Kiarinah se releva lentement et grimpa sur le mur. Liam espéra qu'elle ne déciderait pas d'aller se cacher ailleurs au lieu de l'emmener sur la grande place. Mais sa protectrice était une brave petite araignée. Elle sortit par la fenêtre et commença par se rendre sur le toit de la maison pour vérifier si l'adolescent disait vrai.

— Retourne tout de suite à l'intérieur, ordonna une voix en provenance d'un cube plus élevé.

Pour la première fois depuis qu'il habitait l'île, Liam vit le père de sa propriétaire par l'ouverture de sa demeure. Il était trois fois plus gros que Stellan !

— Je ne fais rien de mal, protesta Kiarinah.

— Combien de fois t'ai-je raconté l'histoire de la terrible bête qui a tué la moitié de la population en une seule nuit ?

— Ce n'est pas la même.

Elle voyait bien que le dragon était couché au milieu de la piazza, immobile. Près de lui se tenait une toute petite peau pâle. Par amour pour Liam, elle rassembla son courage et se mit à descendre vers le sol. Ses parents s'époumonèrent. Rien n'y fit. Kiarinah se faufila entre les habitations où se cachaient ses voisins et s'aventura en terrain découvert.

Malgré l'obscurité envahissante, Nartrach n'eut aucun mal à reconnaître l'insecte qui s'avançait vers lui. C'était un arachnide et il était énorme ! *Ne réveille pas le dragon*, l'implora Liam. *Tu veux que je me fasse tuer ?* s'énerva son jeune compatriote. *Je suis assis sur l'araignée*, tenta de le rassurer l'Écuyer. *Pour de vrai ?*

Nartrach fit ce que sa mère lui avait enseigné : il dirigea ses sens magiques vers la créature noire et capta en effet la présence de l'adolescent. *Moi j'ai un dragon et toi, tu as une araignée ?* s'égaya Nartrach. *C'est plus compliqué que cela.* Liam descendit du dos de sa protectrice bien avant d'atteindre l'endroit où dormait Stellan. Téméraire, Nartrach s'avançait déjà vers lui, les yeux écarquillés.

— Qu'est-ce que tu fais ici et pourquoi cette araignée est-elle de cette taille ?

— C'est une longue histoire, soupira Liam. Kiarinah n'est encore qu'une enfant. Ses parents sont bien plus gros qu'elle.

— Elle a un nom ?

— Tout comme ton dragon. Est-ce qu'il pourra me ramener avec toi ?

— Pas en ce moment, en tout cas, affirma Nartrach. Il a volé toute la journée et il a vraiment besoin de souffler.

— Dans combien de temps pourra-t-il repartir ?

— Je n'en sais rien, quelques heures, sans doute. Y a-t-il quelque chose à manger, ici ? Je meurs de faim.

— Je vais aller vous chercher de la nourriture, annonça Kiarinah. D'ailleurs, Liam n'a presque rien avalé aujourd'hui.

Elle fit demi-tour et s'empressa de retourner chez elle.

— Elle parle ! s'exclama Nartrach, sidéré.

— Elle est aussi très intelligente.

Il commençait à faire très sombre, alors Liam alluma un feu magique à quelques pas du dragon, pour les réchauffer et les éclairer. Il prit place sur le sol, près des flammes, observant son jeune sauveteur avec appréhension. Nartrach le fit sursauter quand il avança les doigts pour caresser le tissu brillant de son étrange tunique.

– Elle brille à la lumière du feu, nota-t-il.

– C'est de la soie.

– Ce ne doit pas être très chaud.

– C'est confortable, le jour. Habituellement, la nuit, nous ne sortons pas.

Quelques minutes plus tard, Kiarinah revint, les deux pattes de devant chargées de grandes poches de soie remplies de légumes tranchés. Elle les déposa près de Liam et recula, effrayée par les flammes.

– Tu peux rester, si tu veux, lui dit gentiment l'adolescent.

Nartrach fouilla parmi les végétaux et sembla les trouver appétissants, en fin de compte. Les deux garçons mangèrent en silence pendant un moment. Une fois rassasié, Nartrach se montra curieux, comme à son habitude.

– Dis-moi comment tu t'es retrouvé sur une montagne qui touche presque le soleil.

– Quand j'ai voulu échapper à Amecareth, j'ai dégringolé du volcan pour finalement atterrir dans les Territoires inconnus. J'ai tout de suite été capturé par les Pardusses.

— Les Pardusses, ce sont les araignées ?

— Non, s'empressa de rectifier Liam, pour ne pas offenser celle qui avait pris soin de lui. Les Pardusses sont des créatures à moitié humaines et à moitié félines. Ce sont aussi de formidables chasseurs. J'ai tenté de m'enfuir, mais ils m'ont aussitôt rattrapé et ils m'ont transporté jusqu'au pied de cette île élevée. Une araignée qui n'est pas de la même race que les autres achète les humains et les revend aux Tégénaires, comme Kiarinah.

— Pour en faire quoi ?

— Des animaux de compagnie. Donc, ce n'est pas moi qui possède une araignée, mais le contraire.

— Es-tu en train de me dire qu'elle ne te laissera pas nécessairement partir ? demanda Nartrach en oubliant que Kiarinah le comprenait fort bien.

— J'aimerais bien le garder pour toujours, lui répondit la Tégénaire, mais il est trop malheureux, ici. Je veux qu'il revoie ses parents.

— C'est très noble, la félicita l'enfant, en répétant cette parole qu'il avait entendu son père prononcer quelques fois.

— Puis-je te poser une question personnelle ?

— Évidemment, assura Nartrach en haussant les épaules.

— Pourquoi n'as-tu que trois pattes, alors que Liam en a quatre ?

— Une larve d'homme-insecte m'a arraché un bras quand j'étais tout petit.

– Est-ce qu'il repoussera ?

– Je crois que oui, un jour.

Liam admira le courage du fils de Falcon. Il était aussi optimiste que les Chevaliers d'Émeraude.

– Ton dragon aura-t-il besoin de manger, lui aussi ? s'inquiéta soudain Kiarinah.

– Il le faudrait bien, mais c'est difficile de lui faire manger autre chose que des animaux vivants.

Liam redressa aussitôt le torse. Un large sourire venait d'apparaître sur son visage.

– J'ai une idée, annonça-t-il.

Il se tourna ensuite vers sa protectrice et lui demanda de rentrer chez elle, car il faisait bien trop froid pour qu'une enfant de son âge passe la nuit à l'extérieur.

– Je ne t'oublierai jamais, Liam.

– Moi non plus, Kiarinah.

L'araignée le souleva dans ses pattes et le serra avec tendresse sous le regard alarmé de Nartrach, qui craignit un instant qu'elle ne le dévore par dépit. À son grand soulagement, elle le reposa par terre et disparut dans la nuit.

– Est-ce qu'elle t'a bien traité, au moins ? s'enquit Nartrach une fois qu'elle fut partie.

– Elle m'a fait changer d'avis sur les araignées.

Les garçons se glissèrent dans les énormes poches de soie maintenant vides et se couchèrent entre les pattes de Stellan. Ils dormirent jusqu'aux premiers rayons du soleil. Ce fut le dragon qui réveilla son maître. Étonné de trouver deux petits humains à ses pieds, il flaira Liam de près, puis secoua l'enveloppe soyeuse de Nartrach.

– Bonjour, Stellan ! le salua joyeusement l'enfant. Regarde qui j'ai trouvé !

Le dragon releva son long cou de façon menaçante. Nartrach s'empressa de sortir du grand sac.

– Non ! cria-t-il de façon autoritaire en imitant sa mère, cette fois. Liam est un ami !

Les cris du garçon mirent fin au sommeil de l'Écuyer.

– Y a-t-il un problème ? bâilla Liam.

– Il a faim et c'est toi qu'il examine, en ce moment.

– Dis-lui que j'ai une bien meilleure idée. Est-ce que tu vois ce gros bâtiment en forme de cloche, tout au fond, là-bas ?

Nartrach hocha la tête.

– C'est là que vit l'araignée qui m'a acheté et qui exerce un odieux chantage sur les habitants de cette île. Ton dragon leur rendrait un fier service en les débarrassant de cette crapule.

– Tu as raison. C'est une excellente idée. Attends-moi ici, d'accord ?

Liam n'eut pas le temps de rétorquer qu'il n'avait nulle part où aller : son jeune compatriote grimpait déjà sur le cou du monstre. La bête déploya ses ailes et s'éleva doucement dans les airs en créant un tourbillon de vent. L'Écuyer courut derrière eux pour ne rien manquer du massacre.

Quant à elles, les Tégénaires risquèrent un œil par leurs fenêtres pour déterminer si la menace avait disparu. Elles furent stupéfaites de voir l'énorme prédateur s'en prendre à la demeure de Talchante. Stellan en matraquait les murs arrondis avec sa queue, les faisant voler en éclats. Une pluie de piécettes d'or s'abattit alors sur la piazza et Liam dut se protéger la tête pour ne pas en recevoir dans les yeux.

Furieuse qu'on s'en prenne à sa fortune, l'énorme araignée sortit de son antre, en position d'attaque. Kiarinah avait dit vrai : cet insecte d'une espèce différente avait la peau transparente ! Stellan joua avec sa victime comme un chat avec une souris, l'effleurant au passage dans toutes les directions. Puis il s'éleva très haut dans les airs et piqua sur Talchante comme un aigle, relevant ses puissantes pattes arrière à la dernière seconde. Il écrasa brutalement l'arachnide dans les débris de sa maison et lui arracha la tête.

Liam entendit alors un étrange bourdonnement en provenance de toutes les habitations qui s'élevaient autour de la grande place. Les Tégénaires manifestaient ainsi leur joie de voir disparaître l'usurpatrice.

Dégoûté, Nartrach laissa son dragon se délecter du corps de l'araignée, puis lui ordonna de revenir au milieu de la piazza.

— Écoute-moi bien, Stellan, lui dit l'enfant, une fois qu'il se fut posé devant l'Écuyer. Liam est dans le même camp que nous et nous devons le ramener au château pour qu'il puisse rejoindre l'armée des Chevaliers.

C'était une bien longue explication pour le dragon, mais il en saisit toutefois l'essence. Il tendit le cou, agrippa l'adolescent par sa tunique et l'assit sans façon derrière son petit maître.

– Demande-lui plutôt de me mener directement au combat, chuchota Liam dans l'oreille de Nartrach.

– C'est comme tu veux. Stellan, à l'assaut !

Le Lotakieth poussa un cri strident et fonça vers le ciel.

12

La chute

En creusant le roc de la falaise de Zénor, Kira ne pouvait s'empêcher de sourire, car elle avait emprunté ce sentier des centaines de fois sans jamais se douter que c'était elle qui l'avait façonné. Elle prenait des pauses fréquentes, car même si ses pouvoirs semblaient décuplés dans le passé, ses mains, elles, ne pouvaient supporter la douleur du feu que quelques heures à la fois. Lazuli lui avait offert son aide et elle le laissait poursuivre son travail pendant qu'elle se reposait. Il était si impatient de tout apprendre. Les lèvres serrées, le front plissé, il dirigeait ses faisceaux maladroits sur la section de l'étroit couloir où Kira avait arrêtée d'excaver la pierre.

Une journée entière passa avant que cet ouvrage de taille soit enfin achevé. Les aventuriers s'assirent sur le sol, éreintés. Appuyés l'un contre l'autre, sur le bord de la falaise, ils contemplèrent le coucher du soleil sur l'océan. Ils avaient épuisé leur réserve d'eau, que Lazuli transportait dans des gourdes de peau, et ils commençaient à avoir faim.

– Je ne sais pas si j'aurai le courage d'aller chasser, soupira-t-il avec découragement.

– Dès que j'aurai repris des forces, je tenterai de subtiliser quelque chose à ces villages.

Elle faisait évidemment référence aux petites huttes rassemblées en divers hameaux le long de la côte. En bas, sur la plaine, elle distingua un groupe de villageois qui venaient vers eux.

– Ils se demandent probablement pourquoi ils ont vu des rayons ardents déchiqueter leur falaise toute la journée, devina Kira.

– J'imagine un peu leur expression quand ils apprendront que c'est le fait d'une déesse.

– Ils pourront sans doute nous héberger pour la nuit.

– Toutefois, à moins de prétendre que nous sommes mariés, ils ne nous laisseront pas coucher dans la même paillote.

– Tu me sembles bien pressé de prendre épouse, toi, le taquina la guerrière.

– Nous vivons déjà comme un couple, Kira. As-tu à te plaindre de moi ?

– Pas du tout. Tu es l'homme le plus attentionné que j'ai connu.

– Plus que ton premier époux ?

– Tu me fais penser à lui, parfois, mais vous êtes tout de même différents. Sage était prévenant envers moi et d'une tendresse exquise, mais il avait son petit caractère. Il lui arrivait de piquer des colères pour des bagatelles.

– Comme quoi ?

– Une fois, lors des fêtes de Parandar, il avait trouvé sur l'étal d'un marchand un bijou qui avait jadis appartenu à sa mère. Doux de nature, je pensais qu'il allait questionner calmement le commerçant sur la provenance de l'objet. À ma grande surprise, il s'est attaqué à lui !

– Alors, je suis différent de Sage, car je n'aurais pas fait de scène.

– Une autre fois, il s'est fâché contre moi parce que je cherchais à le protéger lors d'un combat, ajouta Kira.

– N'est-ce pas ce qu'une déesse est censée faire ?

La stupéfaction sur le visage du Gariséor fit rire Kira de bon cœur.

– Oui, tu as raison, avoua-t-elle. Il n'aurait pas dû se mettre en colère pour si peu.

– Jamais je ne m'emporterai contre toi.

– Je sais...

Lazuli se pencha sur la femme Chevalier et ils échangèrent de langoureux baisers.

– Ils refuseront de croire que je suis une divinité s'ils te voient m'embrasser ainsi, chuchota Kira.

– Il leur faudra s'habituer à mes privilèges, murmura-t-il en frottant son nez sur le sien.

« Encore un commentaire digne d'Onyx », songea-t-elle, amusée.

Lazuli s'aperçut alors, du coin de l'œil, que les villageois agitaient frénétiquement les bras en courant de toutes leurs forces vers la falaise.

– On dirait que quelque chose les menace, indiqua-t-il en les pointant à Kira.

La guerrière sentit tout de suite le danger. Instinctivement, elle écrasa Lazuli sur le dos. Le bout d'une queue hérissée d'épines vola au-dessus d'eux.

– Un dragon ! hurla le jeune homme en se retournant sur le ventre.

Kira avait fait le même mouvement.

– Combien y en a-t-il ? bafouilla Lazuli.

Sa compagne sonda rapidement les alentours.

– C'est le seul. Reste au sol.

« Comment cette bête a-t-elle réussi à échapper aux flammes ? » s'étonna-t-elle. Elle avait pourtant vérifié plusieurs fois par jour depuis son arrivée à Zénor qu'il n'y avait aucun dragon noir dans le coin. Il s'agissait d'une énorme femelle qui semblait vouloir se venger des humains beaucoup plus que de les dévorer. Kira avait déjà observé ce comportement lorsque les hommes-insectes utilisaient des dragons dans leurs assauts. Ce n'étaient pas des animaux sans cervelle, comme l'avaient d'abord cru les Chevaliers d'Émeraude. Ils avaient des sentiments et ils étaient très rancuniers.

La bête poussa un cri rauque qui acheva de paniquer le Gariséor. Il avait vu son père se faire tuer par un de ces prédateurs et il ne voulait pas finir comme lui.

– Lazuli, rampe très lentement en direction du sentier, le somma Kira.

– Je ne te laisserai pas seule.

– Tu as vu mes pouvoirs à l'œuvre, alors ne discute pas. Je veux te savoir en sûreté avant de passer à l'attaque.

Terrorisé, Lazuli fit ce qu'elle demandait. Il recula jusqu'à l'entrée du couloir de pierre tandis que Kira se relevait prudemment sur les genoux. Au lieu de s'intéresser à la femme mauve qui se dressait de façon menaçante devant elle, la bête fonça sur son compagnon encore au sol. La terre trembla sous ses pattes tandis qu'elle ramenait son long cou sur son dos, avec l'intention de le projeter sur sa proie. Lazuli prit peur. Au lieu de continuer à ramper au ras du sol pour s'abriter dans le sentier, il se leva pour le dévaler plus rapidement.

– Reste à terre ! hurla Kira.

Le dragon s'arrêta net et tendit le cou à la façon d'un serpent. Kira laissa aussitôt partir deux rayons incandescents de ses mains encore douloureuses. Ils frappèrent le flanc du monstre et lui causèrent certainement de la douleur, mais le mal était déjà fait. Au lieu de happer Lazuli au milieu du corps, la tête triangulaire de la bête avait agi à la façon d'un marteau pour frapper violemment le jeune homme dans le dos. Kira vit basculer son compagnon dans le vide !

Sans la moindre hésitation, la femme Chevalier pivota sur ses genoux et utilisa ses pouvoirs de lévitation. Une main invisible s'empara du Gariséor juste avant qu'il ne s'écrase dans les débris qu'ils avaient eux-mêmes fait tomber au pied de l'escarpement. Avec adresse, Kira déposa Lazuli indemne sur le sol. Elle roula alors rapidement sur elle-même plusieurs fois et évita, grâce à ce geste inconscient, d'être piétinée par le dragon qui voulait lui régler son compte.

Sachant son compagnon maintenant hors de danger, Kira bondit sur ses pieds et bombarda le poitrail du monstre. Plusieurs de ses faisceaux trouvèrent un interstice entre deux écailles et brûlèrent grièvement la femelle. Encore plus enragée, elle chargea. La Sholienne fit aussitôt appel à ses pouvoirs de répulsion, qui agirent comme un puissant bouclier invisible. Le dragon galopa sur place, creusant la terre de ses puissantes griffes, incapable d'avancer. Kira n'avait jamais vu un animal aussi déterminé. Malgré ses plaies d'où coulait du sang noir, il ne lâchait pas prise.

La guerrière jeta un coup d'œil en bas pour repérer Lazuli, car si elle voulait balancer l'animal au bas de la falaise, elle devait s'assurer de ne pas le faire atterrir sur le Gariséor ni sur les villageois qui s'approchaient de plus en plus rapidement.

Au moment où elle allait déplacer la barrière magique vers le bord de la falaise, Kira ressentit une terrible douleur au milieu du corps. Elle baissa les yeux pour voir si elle avait été blessée sans s'en rendre compte. Une autre crampe la fit tomber à genoux.

— Mais qu'est-ce qui m'arrive ? paniqua la Sholienne.

Ses forces faiblissaient. Il lui fallait tuer cet animal avant de ne plus pouvoir le contenir. Incapable de faire apparaître son épée double dans ce monde où elle n'avait pas encore été forgée, elle tenta d'imaginer une autre arme. Son regard parcourut le plateau et elle distingua un cercle de menhirs caché derrière les arbres. Si seulement elle avait appris les incantations qui faisaient circuler une terrible énergie entre les pierres ! À défaut de cette science, elle utilisa une magie qu'elle connaissait davantage. N'utilisant qu'une main pour maintenir son bouclier, elle se servit de l'autre pour appeler à elle un des menhirs qui formaient le cromlech. La pierre géante vola dans les airs comme un projectile, frappa de plein fouet la tête du dragon et l'arracha. Juste à temps, d'ailleurs. Exténuée, Kira vacilla.

Même décapité, le monstre ne renonça pas à sa vengeance. Le mur invisible ayant été retiré d'un seul coup, il poursuivit son élan et fonça sur la Sholienne. Kira n'eut pas le temps de l'éviter. Elle sentit le choc du dragon contre son corps, puis le temps sembla s'arrêter. Au ralenti, elle se vit tomber dans le vide avec la bête qui avait finalement eu sa vengeance. Paniquée, elle voulut utiliser ses facultés de déplacement magique, même si elle risquait de se retrouver dans la mer. Rien ne se produisit. Elle s'écrasa brutalement sur le sol et ce fut le noir.

Lazuli s'élança pour secourir l'amour de sa vie. Il contourna le cadavre du monstre et trouva Kira juste derrière, immobile sur un lit de pierres pointues. La position de ses jambes et de ses bras indiquait qu'elle avait subi d'innombrables fractures.

– Kira..., gémit-il en s'agenouillant près d'elle.

Ses yeux violets étaient ouverts, mais sans vie. Lazuli la souleva en tremblant et sentit le sang chaud couler entre ses doigts. Il avait soigné beaucoup de malades avec sa mère, mais aucun n'avait subi autant de blessures. Il marcha sur la plaine, sans savoir où aller, comme un homme ayant perdu la raison. Les villageois le rattrapèrent alors qu'il mettait le pied sur la plage de galets.

– Laissez-nous vous aider, offrit l'un des Bordiers.

– Elle est morte..., hoqueta Lazuli.

Ils l'emmenèrent au village, où ils firent la même constatation que le jeune Gariséor. Il resta assis près de sa bien-aimée tandis que la guérisseuse la plus expérimentée tentait de la ranimer, en vain. Elle planta deux torches de chaque côté du lit de la défunte, et chassa tout le monde de la hutte, sauf Lazuli. Il pleura toutes les larmes de son corps en maudissant les dieux de lui avoir repris celle pour qui battait son cœur.

Un peu après minuit, un vieillard vint s'asseoir près de l'étranger et posa une main chaleureuse sur son épaule.

– Je suis Ahor, l'un des douze anciens de la tribu des Bordiers, se présenta-t-il. D'où venez-vous ?

– Je suis Lazuli, de la tribu des Gariséors qui habitent au pied des volcans, réussit à articuler le jeune homme avec beaucoup de difficulté. Et voici Kira, fille de Parandar, tombée du ciel pour nous aider à vaincre les dragons.

Il éclata une fois de plus en sanglots amers. Ahor attendit patiemment qu'il se calme en examinant les traits inhabituels de sa compagne.

– J'avais peur que Parandar la reprenne, une fois son travail effectué, poursuivit finalement Lazuli en pleurant. Elle a perdu la vie en sauvant la mienne, et je n'ai rien pu faire pour la secourir.

– Tu dis qu'elle a vaincu les dragons, mais c'est l'une de ces bêtes qui l'a tuée.

– J'ai vu de mes yeux la destruction de tous les troupeaux qui nous empêchaient de sortir de nos villages. Tous les dragons ont péri. Cette bête n'était pas de ce monde.

– C'est donc la Kira dont parlaient les prophéties.

Lazuli hocha la tête, incapable de prononcer un mot de plus.

– Nous lui rendrons le dernier hommage que l'on réserve aux héros.

Ahor frictionna le dos du jeune homme en lui transmettant une énergie qui ressemblait beaucoup aux vagues d'apaisement des Chevaliers, puis quitta la hutte pour voir aux préparatifs de la cérémonie. Lazuli se rapprocha de la couche funéraire et posa sa tête sur la poitrine de Kira. C'est ainsi qu'il s'endormit, le cœur brisé.

Lorsqu'il ouvrit finalement les yeux, il vit que des femmes attendaient son réveil pour préparer Kira à son dernier voyage. Lazuli recula jusqu'au mur pour leur céder la place auprès de sa belle. Les prêtresses lavèrent le corps et les cheveux imprégnés de sang de la Sholienne, puis la vêtirent d'une longue tunique blanche. Elles se recueillirent un instant devant la dépouille et quittèrent la hutte. Au bout d'un moment, Ahor y entra.

– Nous sommes prêts, Lazuli des Gariséors.

Le jeune homme rassembla le peu de courage qui lui restait. Il souleva doucement Kira et la porta dehors. Tous les habitants du village et même ceux des villages voisins étaient rassemblés autour d'un tombereau tiré par deux chevaux. En temps normal, Lazuli aurait dû déposer la déesse sur le lit de fleurs qu'on avait préparé pour elle, mais il était si rompu de fatigue que les anciens décidèrent de l'y faire monter avec elle.

Lazuli s'assit au milieu de la voiture et garda sa bien-aimée dans ses bras, pleurant sur ses cheveux mauves. Le cortège silencieux longea la mer, puis s'arrêta devant une langue de terre qui s'avançait dans l'eau. Un mastaba y avait été élevé par les premiers Enkievs à être descendus des cieux. Il contenait les restes des quelques héros qui avaient marqué leur histoire. Lazuli se mit à trembler à l'idée que ce serait lui qui déposerait son amour sur son lit de pierre. Ils avaient échafaudé tant de plans ensemble dans leur abri, pendant la saison des pluies...

– Sois brave, mon garçon, l'encouragea Ahor en voyant qu'il restait sur le tombereau.

Lazuli avait tellement mal intérieurement qu'il ne sentait plus ses propres membres. Il glissa sur le sol en gardant Kira dans ses bras et la porta en chancelant jusqu'au pied des marches qui menaient à l'entrée du tombeau. La grande prêtresse des Bordiers l'y attendait.

– Peuple des Enkievs, réjouissez-vous, car une déesse vous a tant aimés qu'elle s'est fait chair pour empêcher les dragons de nous anéantir. Regardez-la une dernière fois avant que nous la couchions auprès de nos héros.

Ahor fit signe au jeune éploré de se tourner vers les milliers de Bordiers qui l'avaient accompagné jusqu'au futur emplacement du Château de Zénor. Lazuli lui obéit docile-ment. C'est alors que se produisit un miracle dont les Enkievs se souviendraient longtemps. Le corps de Kira, qu'il tenait toujours contre lui, disparut. Un vent de panique parcourut l'assemblée et plusieurs se sauvèrent en hurlant d'effroi. Les anciens s'empressèrent de calmer les esprits pour éviter que des innocents soient piétinés dans la cohue.

Lazuli baissa ses yeux rougis sur ses bras vides, incrédule devant ce qui venait de se passer.

13

Le portail

Lorsque Kira ouvrit finalement les yeux, elle flottait dans un espace vide et noir comme de l'encre. Elle demeura immobile un long moment, à tenter de comprendre pourquoi elle ne tombait pas. Il n'y avait pourtant rien sous ses pieds. Il ne faisait ni chaud, ni froid. « Où suis-je ? » se demanda-t-elle. Elle essaya de se rappeler les derniers événements dont elle avait eu conscience. L'image soudaine d'un dragon sans tête fonçant sur elle la fit sursauter. Elle voulut courir, mais ses efforts demeurèrent vains.

– Lazuli ! appela-t-elle.

Sa voix lui parut assourdie, comme si elle avait été emprisonnée dans une boîte en bois. Elle allait utiliser sa magie pour se sortir de ce mauvais pas lorsqu'une force invisible l'attira vers l'arrière. Elle frissonna d'horreur à la pensée que son grand-père déchu aurait décidé de la reprendre au moment où elle avait enfin retrouvé le bonheur. Elle se débattit contre le courant, puis cessa de lutter. Une main invisible la retourna doucement.

– Lâchez-moi, implora-t-elle, vaincue.

Elle vit alors ce qui ressemblait à une large fenêtre éclairée, au milieu de nulle part. « Je suis tombée de la falaise et mes blessures m'ont paralysée », conclut-elle. C'était pour cette raison qu'elle ne parvenait pas à bouger. On l'emmenait au village en vitesse pour la soigner.

– Lazuli..., murmura-t-elle, espérant qu'il prenne sa main pour la rassurer.

Elle ne sentait cependant pas sa présence à ses côtés. Elle l'avait pourtant sauvé des terribles mâchoires du dragon.

La lumière se rapprocha à grande vitesse et, lorsque la guerrière y arriva enfin, au lieu de ralentir, la force invisible la poussa dedans. Kira se crispa, car elle ne connaissait pas la composition de la membrane tendue dans l'embrasure de la fenêtre et elle craignait de s'y écraser, face première. À son grand étonnement, elle traversa une substance visqueuse et froide et se retrouva debout sur le palier supérieur d'un escalier. Elle adopta aussitôt une position d'attaque, persuadée qu'elle trouverait le dieu alligator sur sa route. Elle fut plutôt accueillie par un terrifiant silence.

Son premier moment de surprise passé, elle se détendit et jeta un coup d'œil à l'ouverture qu'elle venait d'emprunter. Il s'agissait en fait d'une porte en forme d'arche qui ressemblait curieusement à un bassin rempli d'eau, en position verticale. Kira approcha la main de la pellicule miroitante, mais ne put la pénétrer. Elle semblait liquide, mais elle était bel et bien solide.

– Mais quel est donc cet endroit ?

Elle avait, comme tout le monde, entendu l'histoire de la captivité du Magicien de Cristal dans le royaume souterrain d'Akuretari. Y avait-elle été emmenée à son tour ? C'est alors qu'elle remarqua que sa main avait changé. Elle la rapprocha de ses yeux pour l'examiner plus attentivement. Une douce lueur entourait ses quatre doigts griffus.

– Je n'utilise pourtant pas mes pouvoirs, en ce moment...

Jamais ses paumes ne s'étaient allumées d'elles-mêmes. Elles lui firent penser à celles de Wellan, qui réagissaient ainsi en présence du dieu détrôné.

Kira fit volte-face vers le pied de l'escalier, de plus en plus certaine qu'elle venait de tomber dans un piège maléfique. Elle sentit l'ondulation de sa cape dans son dos et baissa la tête sur sa poitrine. Elle portait sa cuirasse mauve de l'Ordre !

– Comment est-ce possible ? s'alarma-t-elle.

Un instant plus tôt, sur la falaise, elle ne portait que sa tunique. Elle avait d'ailleurs abandonné son uniforme militaire au fond d'une petite grotte dans la Montagne de Cristal. « Ce doit être un cauchemar, décida-t-elle. Je me suis endormie après avoir creusé le sentier et je suis en train de rêver. » Encouragée par cette conviction, la femme Chevalier descendit l'escalier, une marche à la fois, en tendant l'oreille. Cet endroit était affreusement tranquille. Elle mit le pied sur le sentier de petites roches blanches sans rencontrer d'agresseur. Son cœur battant la chamade, elle suivit prudemment ce curieux chemin sinueux, bordé d'arbres de cristal. Ils ressemblaient à ceux du pays des Fées, mais il n'y avait pas de feuilles sur leurs branches.

Au dernier tournant, Kira vit de grandes portes dorées qui semblaient tenir debout toutes seules, car il n'y avait pas de murs de chaque côté, seulement le néant. Elle capta alors un mouvement dans la forêt cristalline, à sa gauche, et tenta de faire apparaître son épée double, persuadée que le dieu déchu la traquait. L'arme ne se matérialisa pas. Kira chargea alors ses mains d'une énergie éclatante, prête à se défendre. La lumière éclaira une trouée entre les arbres. Au milieu de cette clairière se trouvait une petite étendue d'eau et, assise sur une grosse pierre, une silhouette un peu trop familière...

Kira s'avança lentement, cherchant à reconnaître le visage penché au-dessus de l'eau. C'était un homme, qui portait l'uniforme des Chevaliers ! En s'approchant davantage, elle le reconnut.

– Wellan ?

Il tourna à peine la tête, comme si ce geste exigeait de lui un terrible effort. Kira éteignit ses paumes et se hâta de le rejoindre.

– Kira ? Pas toi aussi...

– Moi aussi quoi ? Que fais-tu ici ? Où sommes-nous ?

– J'ai été tué sur le champ de bataille, et si tu es ici, c'est que tu as trouvé la mort.

Kira prit place sur un des rochers, songeuse.

– Tu ne t'en rappelles pas ? la pressa Wellan.

– Je venais d'atteindre la falaise de Zénor et un dragon nous a attaqués. J'ai réussi à sauver Lazuli, mais le monstre m'a projetée dans le vide. J'ai dû mourir en m'écrasant au sol.

– Qui est Lazuli ?

– Tu vas peut-être trouver cela difficile à croire, mais c'est l'ancêtre d'Onyx. Akuretari m'a emprisonnée dans un passé si lointain qu'aucun château n'existait encore. Lazuli vivait avec sa tribu, au pied des volcans, qui n'étaient pas aussi gros que maintenant.

– Tu as donc traversé tout le continent pour te rendre à Zénor.

– Je ne savais pas comment revenir dans le présent. C'est une magie que je ne possède pas. D'ailleurs, si je me souviens bien de mes leçons auprès de maître Abnar, personne n'aurait pu défaire le sortilège lancé par un dieu déchu.

– Mais lorsqu'un sorcier est vaincu, tous ses sorts s'éteignent avec lui, lui rappela Wellan.

– Es-tu en train de me dire que le dieu déchu est mort ?

– C'est la véritable raison de mon décès. Theandras m'a fait tomber au combat pour que je vienne affronter Akuretari dans le domaine de Parandar.

– Tu as réussi à détruire un dieu ? s'étonna la guerrière.

– Ce sont mes spirales qui ont fait tout le travail. On peut presque dire que c'est finalement Danalieth qui aura eu raison de lui.

Kira demeura silencieuse un long moment.

– Donc, si le dragon ne m'avait pas tuée, à la disparition d'Akuretari, je serais revenue auprès de mes compagnons d'armes.

– C'est ce que je crois, oui.

« Je n'aurais pas partagé la vie de Lazuli, d'une façon ou d'une autre », songea la Sholienne.

– Ce jeune homme ressemblait-il à son illustre descendant ? la questionna Wellan en lisant dans ses pensées.

– Parfois, pas toujours. Il y avait aussi un peu de Sage et de Farrell en lui. Il va beaucoup me manquer.

En observant attentivement Wellan, Kira eut l'impression qu'elle pouvait voir à travers son corps.

– Es-tu mort depuis longtemps ? s'enquit-elle.

– C'est difficile à dire, car il n'y a ni jour, ni nuit ici. Je surveille ce qui se passe dans le monde des humains et je ne peux mesurer le temps que par les progrès de mon armée.

– Je croyais que les grandes plaines de lumière se trouvaient de l'autre côté de ces portes, là-bas.

– C'est exact.

– Alors, pourquoi es-tu ici ?

– Je n'ai pas réussi à conduire mes hommes à la victoire, alors je ne mérite pas le repos éternel.

– Tu crois vraiment que tous ceux qui ont passé ce portail avaient terminé ce qu'ils voulaient accomplir ? Moi, je voulais débarquer chez les Tanieths avant la naissance de mon ignoble grand-père et tuer son ancêtre pour que les invasions ne se produisent jamais. Je n'ai même pas réussi à descendre sur la plage de galets.

– Tu ne t'en rends peut-être pas compte encore, mais la mort sera une expérience différente pour toi, Kira. Tu es un maître magicien. Tu n'es pas destinée aux plaines de lumière.

– Je n'y pensais plus.

– Tu auras l'occasion d'aider tes frères et tes sœurs d'armes à se débarrasser des hommes-insectes et, de surcroît, tu seras encore plus puissante qu'eux.

La Sholienne se pencha sur l'étang pour voir ce que l'ancien chef trouvait si intéressant. À sa surface, les Chevaliers se préparaient à affronter des scarabées argentés.

– Où en sont-ils ? voulut-elle savoir.

– Ils ont réussi à éliminer les hommes-insectes sur la plage de Zénor, et ils s'apprêtent à combattre ceux qui ont réussi à s'infiltrer sur le continent.

– Qui les commande ?

– C'est le Roi Hadrian. Il fait du bon travail.

Wellan aurait dû s'en réjouir, mais son visage était empreint de tristesse.

– La déesse de Rubis est ta protectrice, voulut le consoler Kira. Pourquoi ne lui demandes-tu pas de te redonner la vie ?

– Je l'ai fait et elle m'aurait certainement accordé cette faveur si Jenifael n'avait pas brûlé mon corps.

Kira soupira avec découragement.

— Nous n'avons pas toujours été du même avis tous les deux, et je t'ai souvent trouvé trop exigeant envers moi, mais au fond, je t'aime bien et je ne veux que ton bonheur. À mon avis, tu mérites de retrouver Cameron, Buchanan et tous tes autres êtres chers qui sont décédés, et de trouver la paix.

— Si c'était aussi simple que cela...

La déesse Fan se matérialisa près des deux Chevaliers.

— Kira ? s'étonna-t-elle. Lorsque j'ai senti ton énergie, je croyais que mes sens me jouaient un mauvais tour.

— C'est bien moi, mais vous êtes différente, mama.

— Elle fait désormais partie du panthéon, expliqua Wellan d'un ton acerbe.

— Ma mère, une déesse ? Pourtant, maître Abnar m'a dit que les Immortels sont des créatures à demi divines qui ne peuvent pas s'élever plus haut.

— Ton grand-père était un dieu, pas un Immortel, précisa le grand Chevalier.

— Alors, là, je n'y comprends plus rien, avoua Kira.

— Viens avec moi, ordonna Fan en tendant la main à sa fille.

La Sholienne descendit de la roche et s'en saisit.

— Et Wellan ?

— Il ne peut pas aller là où je t'emmène.

Les deux femmes se dématérialisèrent sans émouvoir l'ancien soldat, car son cœur ne pouvait pas être plus affligé.

Kira découvrit que la rotonde céleste de sa mère ressemblait beaucoup aux souvenirs qu'elle avait conservés de leur ancien palais de Shola. La structure était entièrement faite de marbre blanc, du plafond jusqu'au plancher. Ce dernier était recouvert d'une multitude de tapis colorés. Entre les colonnes, de longs voiles, qui semblaient faits de glace bleutée, frémissaient sous la brise.

Fan entraîna sa fille au centre de la pièce, où était creusée une large cavité circulaire. Un bon feu brûlait tout au fond, entouré d'une multitude de coussins. Kira s'y installa en fronçant les sourcils. Ils étaient bien plus confortables que le petit rocher où elle venait de passer un moment avec Wellan.

— Je croyais que dans l'au-delà, on ne ressentait aucune sensation physique, fit-elle remarquer.

— Ce sont les émotions néfastes que les dieux effacent de la mémoire des hommes, pas les délicieuses impressions que nous procurent les sens.

— Pourquoi Wellan est-il si malheureux, dans ce cas ?

— Il n'éprouverait aucun regret s'il acceptait de m'accompagner jusqu'aux grandes plaines de lumière. Pour une raison que je ne comprends pas, il préfère souffrir.

— Vous avez acquis beaucoup de puissance, alors pourquoi ne lui venez-vous pas en aide ?

– Aucune divinité ne peut forcer un mortel à jouir du bonheur éternel, mon enfant. Je suis contrainte d'accepter sa volonté.

– C'est injuste...

Fan ne tint pas compte de ce dernier commentaire. Sa fille avait déjà trop tardé à embrasser son destin.

– Ton passage dans le portail t'a automatiquement octroyé le statut d'Immortelle, l'informa-t-elle.

– Curieusement, je ne me sens pas tellement mieux.

– J'espère que tu te rends compte que si tu avais plus vite accepté tes responsabilités divines, Wellan serait encore à la tête de ses troupes.

– Êtes-vous en train de me dire que je suis responsable de sa mort ? se hérissa la guerrière.

– Tu as repoussé ton destin par pur égoïsme, Kira. Certains d'entre nous ne sont pas nés pour se faire uniquement plaisir. Nous avons été choisis pour venir en aide aux autres.

La Sholienne se leva brusquement, irritée par les accusations de sa mère.

– J'ai fait tout ce que j'ai pu pour Enkidiev ! cria-t-elle.

– Tu aurais pu en faire davantage.

Kira voulut quitter la nouvelle demeure de la déesse des bienfaits, mais une force invisible la cloua sur place.

— Je n'ai pas fini de parler, l'avertit Fan.

La même énergie obligea la princesse à s'asseoir de nouveau dans les coussins. Kira bouillait intérieurement. « Les Immortels ne sont donc pas à l'abri de la colère », comprit-elle.

— Le temps est venu pour toi d'occuper ta véritable place dans le monde, lui dit sa mère, sans manifester le moindre remords de la traiter aussi durement. Si le maître magicien devient obligatoirement Immortel à son décès, il ne connaît pas forcément les contraintes de son nouveau poste.

— Encore d'autres exigences ?

— Très peu, en fait, mais leur déroger est punissable de mort par le dieu suprême.

— Je ne suis efficace que lorsque je suis libre.

— Il te faudra donc changer.

Toute sa vie, Kira avait rêvé d'être élevée par sa propre mère. Maintenant qu'elle la connaissait mieux, elle remerciait le ciel d'avoir mis Armène sur sa route. « Nous nous serions arraché mutuellement les cheveux », grommela-t-elle intérieurement.

— Le bijou que tu portes au cou servira désormais à t'indiquer le temps que tu peux passer dans le monde des humains. Lorsqu'il émettra de la lumière, tu devras revenir ici pour recharger tes forces. Je te montrerai comment t'y prendre tout à l'heure.

Renfrognée, Kira se croisa les bras sur sa cuirasse sans répliquer.

— Tu peux circuler où bon te semble dans notre univers, mais tu ne peux pas te présenter devant Parandar sans lui demander d'abord une audience.

Kira était bien curieuse de voir à quoi ressemblait le chef du panthéon, mais pas du tout pressée de commettre des maladresses chez les dieux.

— Lorsque tu séjournes chez les mortels, tu dois respecter les limites du mandat qui t'est confié.

— Par qui ?

— Par Parandar, évidemment. Il veut que les humains l'emportent de façon honorable sur les hommes-insectes. Ce sera à toi de t'en assurer, sans intervenir directement.

— De façon honorable ? répéta Kira avec incrédulité. Cela peut vouloir dire bien des choses.

— Tu ne dois pas leur accorder un avantage marquant, ni t'impliquer personnellement dans cette guerre.

— Je dois aider les Chevaliers en ayant les mains attachées dans le dos ? C'est bien cela ?

— Si tu continues de faire la mauvaise tête, c'est le dieu suprême lui-même qui se chargera de t'expliquer ton nouveau rôle.

— Vos paroles n'ont aucun sens !

— Parce que tu te bouches les oreilles. Tu es pourtant une femme intelligente. Encore mieux, tu connais les stratégies de guerre et les points faibles de votre ennemi. Ce sera à toi de les utiliser pour que s'accomplisse la prophétie.

– En n'étant qu'une simple conseillère ?

– C'est ce que te demande Parandar.

– Vous ne pouvez pas m'interdire de participer activement à ce conflit ! Cela va à l'encontre de ma nature !

– Il y a beaucoup trop de colère en toi, Kira.

– Vous oubliez le désespoir et le mécontentement. Maintenant que vous êtes une déesse, vous n'ignorez pas les
épreuves que je viens de traverser !

– On m'a appris que mon père t'avait emprisonnée
dans le passé.

– Avez-vous seulement idée de la terreur que l'on ressent
lorsqu'on se retrouve seule dans un monde primitif peuplé
de dragons meurtriers ?

Fan demeura silencieuse, mais ne devint pas plus com-
préhensive pour autant.

– J'ai cru que je ne reverrais plus jamais les miens, poursuivit Kira.

– Tu t'es pourtant échappée de cette douloureuse
prison.

– Uniquement parce que Wellan a détruit celui qui m'a
jeté ce sort. Si j'avais été tuée avant, je ne sais pas où je me
serais retrouvée.

– Nous allons devoir éradiquer cette colère qui te mine
avant de poursuivre ton éducation divine.

Sans même ciller, la déesse emmena magiquement sa fille dans une autre partie du domaine des dieux, soit un luxuriant jardin dominé par une fontaine de cristal.

– Qu'allez-vous me faire ? s'inquiéta la guerrière.

– Je vais alléger tes souffrances, bien sûr. Bois un peu de cette eau.

Têtue, Kira secoua négativement la tête. Fan fit donc apparaître un gobelet doré dans sa main et le plongea dans l'eau fraîche. Elle l'approcha des lèvres violettes de sa fille, qui n'arrivait pas à bouger un seul muscle.

– Ce sera désormais ta seule nourriture. Lorsque l'étoile que tu portes au cou s'illuminera, tu reviendras ici et tu boiras autant de cette boisson divine que tu le pourras.

Kira avala le liquide bien malgré elle. Elle ressentit aussitôt un grand réconfort. Le sort de Wellan cessa de l'attrister et le souvenir de Lazuli arrêta de la tourmenter.

– Il t'incombera de choisir la façon d'aider les mortels sous ta charge dans leur guerre contre l'Empereur Noir, lui répéta la déesse. Cependant, sous aucun prétexte tu ne devras guider leur armée à leur place. Est-ce que tu comprends mes paroles ?

– Oui, mère.

– C'est beaucoup mieux ainsi. Marchons ensemble, si tu le veux bien.

L'étau invisible qui paralysait la jeune Immortelle se dissipa d'un seul coup et elle réussit à mettre un pied devant l'autre sur ce sol opalin, aussi duveteux que les riches tapis du palais d'Émeraude.

— Vous prétendez être passée du statut d'Immortelle à celui de déesse parce que votre père était un dieu, se rappela Kira. La mère de Danalieth n'était-elle pas aussi une déesse ? Cela ne fait-il pas de lui un candidat pour un poste plus élevé au ciel ?

— Il aurait pu s'en réclamer, s'il n'avait pas été banni par Parandar.

— De qui Abnar est-il le fils ?

— Sa mère est la déesse Cinn et son père est le Roi Kogal.

— Il n'a donc aucune raison d'être aussi complexé...

Fan arqua un sourcil avec surprise.

— Tu as encore beaucoup de choses à apprendre sur tes nouvelles facultés avant que je te laisse à toi-même, indiqua-t-elle plutôt.

Elles poursuivirent leur route en direction de l'horizon, qui semblait reculer sans cesse. C'est alors que Kira ressentit au creux de la poitrine la même crampe qui l'avait empêchée de se défendre du dragon. La douleur aiguë la fit se plier en deux.

— Relève-toi, ordonna Fan.

Kira lui obéit en haletant.

— C'est la deuxième fois que cela se produit, gémit-elle.

La déesse posa la main sur le ventre de sa fille.

— Au début, il arrive que nous ressentions un certain inconfort, tenta de la rassurer Fan.

– Au début de quoi ?

– De la grossesse, évidemment.

– Moi ? Enceinte ? Mais c'est impossible, voyons !

– Toutes les femmes peuvent avoir des enfants, Kira.

« C'était Sage qui était stérile », se souvint-elle. Elle s'était donnée à Lazuli sans se méfier des conséquences...

– Mais je suis morte, protesta-t-elle finalement. Je ne peux pas avoir transporté cette vie jusque dans l'au-delà.

– Combien de fois devrai-je te dire que tu n'es pas comme les autres ? soupira Fan. Dans tes veines coule le sang d'un dieu.

– Et d'un empereur insecte...

Elle avait entendu dire que les enfants avaient plus souvent les traits de leurs grands-parents que ceux de leurs parents. L'idée d'accoucher d'un scarabée, peu importe sa couleur, l'horrifia.

– Je ne peux pas le porter, mama. Utilisez votre magie pour le faire disparaître.

– Cela ne m'est pas permis, Kira.

– Est-ce Parandar qui détient cette prérogative ?

– Aucun d'entre nous n'a le droit d'empêcher la vie de s'épanouir. Cette interdiction nous vient des dieux fondateurs.

– J'ai peur de mettre au monde un Tanieth...

Les yeux violets de Kira se remplirent de larmes.

– Attendons d'abord de pouvoir déterminer la race de l'enfant. Pour l'instant, il est tout juste plus gros qu'un grain de sable. Sèche tes pleurs et cesse de te tourmenter inutilement. Nous avons fort à faire.

Fan incita sa fille à marcher encore.

– Si, par chance, il était humain comme son père, qu'adviendra-t-il de mon enfant, après sa naissance ? s'inquiéta la Sholienne.

– Puisqu'il naîtra dans ce monde, ce sera un Immortel que tu mettras au service de Parandar, tout comme je l'ai fait avec ton frère Dylan.

– Et si je voulais lui éviter une vie de tristesse ?

– Chaque chose en son temps.

Kira suivit sa mère, la tête basse, imaginant l'avenir qui attendait ce petit pourtant conçu dans l'amour.

14

LE RETOUR AU BERCAIL

Les six troupes de soldats magiques étaient postées devant la rivière Mardall, attendant le signal d'Hadrian pour attaquer l'ennemi qui allait bientôt tenter de traverser le cours d'eau. Même si les Chevaliers avaient affronté les scarabées argentés à quelques reprises, ils ne savaient pas grand-chose à leur sujet. Attentif, Onyx se tenait près du cheval blanc de son ancien commandant. Il avait chassé de ses pensées l'approche de la nouvelle flotte sur la côte et la percée d'un autre groupe de coléoptères plus au nord, pour se concentrer uniquement sur la bataille qu'il était sur le point de livrer.

Des projectiles tombaient du ciel dans la forêt des Fées, lancés par ces créatures aériennes qui détestaient pourtant la guerre. Bientôt, les Chevaliers perçurent les sifflements stridents des ennemis, furieux de ne pas pouvoir se défendre contre leurs assaillants invisibles. Les premières carapaces apparurent entre les arbres quelques minutes plus tard.

Ne bougez pas, ordonna Hadrian par télépathie à son armée. En fait, ce commandement s'adressait surtout à Onyx. L'ancien Roi d'Argent connaissait l'impétuosité de son lieutenant d'autrefois. Aveuglé par son devoir de protecteur du continent, Onyx avait souvent fait preuve d'impatience au combat. Il avait mûri, bien sûr, mais au fond de lui brûlait un puissant désir de vengeance.

Les scarabées argentés se massèrent progressivement sur la berge. Ils semblaient surpris de voir des Chevaliers leur barrer la route. Ils échangèrent entre eux des sons aigus. Assis sur Virgith, dont les yeux remplaçaient sa vision diurne, Kevin prêtait l'oreille à cette cacophonie. Pour bénéficier de son rôle important d'interprète, Hadrian le gardait toujours près de lui.

– Que disent-ils, mon ami ? s'enquit le commandant.

– Ils se demandent s'ils doivent attendre leurs copains pour nous coincer entre deux feux, traduisit Kevin.

– Comme c'est intéressant, murmura Onyx pour lui-même.

– Continue de les écouter, recommanda Hadrian au Chevalier privé de la vue.

– Les renforts sont à plus de deux jours de marche, lui fit remarquer Falcon. Ils ne s'imaginent pas que nous allons rester tranquilles jusqu'à leur arrivée, tout de même.

– Ils ont des cerveaux d'insectes, lança Dempsey. Ils ne pensent pas comme nous.

– S'ils ne se décident pas à traverser la rivière, je vais aller leur donner un coup de main, lança Onyx.

– Peux-tu le faire sans te mettre en danger ? voulut savoir Hadrian.

Un large sourire fendit le visage du Roi d'Émeraude, juste avant qu'il s'évapore sous leurs yeux.

— Il ne devait pas être de tout repos lors de la première invasion, laissa tomber Ellie.

— Je n'ai jamais connu de guerrier plus téméraire, acquiesça Hadrian.

Ils virent alors un mur de flammes s'élever de la forêt. Les Chevaliers comprirent tout de suite qu'il s'agissait d'un feu magique, mais les coléoptères ne virent pas la différence et cherchèrent un moyen de traverser la rivière.

— Tiens, tiens ! se réjouit Nogait. On dirait que ceux-là ne savent pas nager comme les larves.

— Et ils ont peur du feu, contrairement à leurs congénères tout noirs, ajouta Swan.

— Ce serait bien qu'ils coulent à pic, sans notre aide.

— Tu peux toujours rêver.

Les guerriers impériaux eurent alors une réaction à laquelle nul ne s'attendait. Ceux de la première rangée s'accroupirent et sautèrent par-dessus le cours d'eau !

Staya se mit à piaffer nerveusement, sentant le danger pour son maître, tandis que les coléoptères atterrissaient devant eux. *Attaquez !* ordonna aussitôt Hadrian, avant que les autres scarabées n'imitent les premiers. Bridgess, Santo, Dempsey, Chloé, Bergeau, Ariane et Falcon lancèrent leurs troupes à l'assaut. *Abattez-les avant qu'il n'en vienne d'autres !* commanda de nouveau Hadrian.

Les Chevaliers utilisèrent d'abord les pouvoirs de leurs mains pour frapper les yeux des hommes-insectes. Cependant, ils ménagèrent leurs forces, car il y avait encore des centaines de carapaces argentées sur la rive opposée. Les soldats d'Enkidiev vinrent si facilement à bout de leurs premiers adversaires que plusieurs délaissèrent ces escarmouches pour ouvrir le feu sur la deuxième volée d'insectes qui franchissaient la rivière. Rien ne découragea l'ennemi. Bientôt, tout le détachement impérial s'abattit sur les soldats humains avec des lances aux pointes bien acérées.

Hadrian avait mis pied à terre en chargeant Staya de se placer derrière les combats et de ne pas laisser s'échapper de scarabées. Satisfaite de pouvoir enfin participer à l'affrontement, la jument était partie au galop pour prendre son poste. Hawke avait lui aussi laissé son cheval-dragon à l'écart, pour ne pas faire abîmer ses ailes, mais il était prêt à sauter sur son dos si son chef l'exigeait. Hadrian avait placé l'Elfe magicien sous le commandement de Bridgess, sachant que cette dernière l'utiliserait à son plein potentiel.

Les épées magiques se heurtèrent finalement aux javelots d'acier des coléoptères. Les Chevaliers avaient dû recourir aux combats singuliers, car leurs adversaires étaient trop près d'eux et les rayons incandescents risquaient de blesser l'un des leurs. Hadrian chercha son ancien lieutenant sur le champ de bataille et l'aperçut de l'autre côté de la rivière, où il fauchait les retardataires avec son épée double. « Seul, comme toujours », soupira intérieurement le grand commandant. Les nouveaux Chevaliers se défendaient fort bien, malgré leur jeune âge. Ce fut toutefois Sora qui subit la première blessure de la bataille, lorsque la pointe de fer de son opposant lui traversa le bras. À quelques pas d'elle, Jenifael n'hésita pas une seule seconde à lui venir en aide. Elle fonça sur le scarabée qui tentait de reprendre son arme, lui assena un grand coup d'épée au visage et posa sur la carapace de son torse une main enflammée.

Sora est blessée ! s'exclama-t-elle avec son esprit. Santo se mit aussitôt à sa recherche, se faufilant entre les combattants. Il la traîna aussitôt en lieu sûr, retira le javelot de son membre ensanglanté et répara aussi rapidement que possible ses muscles, ses artères et ses nerfs. Penché sur la jeune femme, le guérisseur ne vit pas un guerrier argenté se détacher de la mêlée pour foncer sur lui. Il arriva en courant, sa lance tendue, mais n'atteignit jamais les deux humains sans défense. Les puissants sabots d'un cheval lui matraquèrent durement la tête, puis le piétinèrent jusqu'à ce qu'il arrête de bouger. Staya poussa un sifflement aigu pour signaler son premier triomphe.

Pour éviter une blessure mortelle à Virgith, Kevin l'utilisait surtout pour refouler les coléoptères vers ses frères d'armes. Lorsque le cheval-dragon entendit le cri de victoire de son amie blanche, il voulut contribuer davantage à l'action. Kevin n'y voyait rien dans la clarté éclatante du soleil. Il était forcé de faire confiance à son compagnon à quatre pattes. Les juments-dragons, plus musclées et plus grosses que les chevaux ordinaires, étaient débarquées plusieurs années auparavant sur la côte d'Enkidiev avec des cavaliers insectes qui ressemblaient à des sauterelles. Avec l'aide de son étalon-dragon, Kira avait réussi à les conduire loin de leurs maîtres décontenancés avant qu'ils puissent les utiliser. Les Chevaliers ne les avaient donc jamais vues à l'œuvre.

Dressés depuis des siècles pour repousser les attaques ennemies sur leur île natale, les chevaux-dragons savaient instinctivement comment se comporter dans un affrontement, même les poulains nés au Royaume d'Émeraude comme Virgith et Staya. L'étalon noir ne se contenta plus d'intimider les scarabées. Il commença à les mettre en bouillie, un par un.

– Virgith, qu'est-ce que tu fais ? s'alarma Kevin qui s'accrochait de son mieux à la selle.

L'animal décocha une violente ruade à un coléoptère qui arrivait derrière lui et arracha la lance de celui qui tentait de l'attaquer par-devant, en la saisissant entre ses dents. Planté sur la rive opposée de la rivière, où il avait tué tous ses opposants, Onyx observait avec intérêt le travail du destrier. Les Chevaliers n'auraient pas subi de pertes s'ils avaient tous monté des chevaux-dragons.

Le Roi d'Émeraude allait se joindre aux siens lorsqu'une ombre noire l'enveloppa. Il leva la tête et vit le dragon de l'empereur effectuant un grand cercle au-dessus du terrain où se livrait la bataille.

– Cette fois, tu ne m'échapperas pas, gronda Onyx entre ses dents.

Au lieu de se transporter au milieu des combats, le roi soldat réapparut derrière Staya, là où s'étendait la vaste plaine du Royaume de Diamant. S'il avait déjà réussi une fois à attirer le monstre, il arriverait certainement à le refaire.

Nartrach demanda à Stellan de ralentir afin qu'il puisse trouver son père ou sa mère dans la cohue. Quant à Liam, assis derrière lui, tout ce qui l'intéressait, c'était d'aider les Chevaliers à écraser l'armée d'Amecareth.

– Demande-lui de se poser ! exigea Liam.

– Tu ne peux pas te battre habillé ainsi, protesta Nartrach.

– Je ne peux pas non plus rester dans le ciel à regarder mes amis se faire malmener.

Le garçon commença par hésiter, puis décida de faire ce que Liam lui demandait. L'Écuyer étant le plus vieux, il savait probablement mieux que lui ce qu'il devait faire. Le dragon saisit instantanément le commandement télépathique de son jeune maître. Il se mit à perdre de l'altitude, sans se douter que le plus puissant des Chevaliers d'Émeraude l'attendait au sol, prêt à l'exterminer.

Hadrian avait, lui aussi, aperçu le dragon ailé. Il se retira de la mêlée en faisant attention de ne pas commettre d'erreur d'inattention et se faufila entre ses soldats en revenant vers Staya. La jument blanche s'immobilisa en le voyant surgir d'entre les combattants. Le commandant sauta sur son dos et la poussa vers la plaine, malgré la réticence évidente de l'animal.

— Je sais qu'il n'y a pas d'insectes de ce côté, mais nous reviendrons, tenta de la rassurer son maître.

Tout comme il s'y attendait, Hadrian trouva son ancien lieutenant prêt à régler ses comptes avec le Lotakieth.

— Onyx, attends ! hurla Hadrian.

Il sauta de sa monture et se planta devant son ami.

— Tu veux l'abattre toi-même ? le défia Onyx.

— Surtout pas ! Il y a deux enfants sur le dos de cet animal !

Le renégat porta son regard sur le monstre qui venait de se poser non loin. Ses sens invisibles l'informèrent que le commandant avait raison. Il vit les deux cavaliers glisser sur le sol et courir vers eux.

— Cette bête a tenté de me tuer, maugréa Onyx. On ne peut pas lui faire confiance.

— Attendons de voir qui sont ces garçons et ce qu'ils ont à nous dire.

Le Roi d'Émeraude reconnut d'abord Liam, à qui il avait jadis enseigné la magie. Il était suivi de près par le fils de Falcon et le dragon, qui semblait ne pas vouloir lâcher ce dernier d'une semelle. La jument-dragon du nouveau chef des Chevaliers d'Émeraude se cabra en poussant d'insupportables plaintes.

– Staya, retourne à ton poste, lui ordonna Hadrian.

Le destrier secoua furieusement la tête, refusant de laisser son maître en présence d'un prédateur aussi puissant.

– Staya, obéis-moi.

Elle mordit dans la cape de l'ancien Roi d'Argent et le força à reculer.

– Ton autorité m'émerveille ! se moqua Onyx.

Hadrian détacha les crochets de sa cape et fit volte-face. La jument s'était immobilisée, le vêtement pendant de sa bouche.

– Retourne là-bas tout de suite ou il y aura des conséquences.

Staya laissa tomber la cape sur le sol et fit quelques pas vers l'arrière en gémissant.

– Le dragon n'a pas l'intention de s'en prendre à nous. Fais ce que je te demande.

Elle se soumit finalement à sa volonté et s'éloigna au galop en exprimant son désaccord à grand renfort de sifflements aigus et de rugissements dignes d'un chat sauvage.

— C'est à toi qu'elle me fait penser, lança Hadrian à son ancien lieutenant.

Onyx éclata de rire, amusé par cette comparaison. Liam arriva enfin devant les adultes. Heureux de le revoir en vie, Onyx aurait aimé le serrer dans ses bras, mais la proximité du dragon noir le rendait prudent.

— Mais où étais-tu passé ? lui demanda-t-il plutôt.

— Vous ne me croirez pas, répondit l'adolescent en reprenant son souffle.

— Et quel est ce curieux vêtement que tu portes ?

— C'est un cadeau de son araignée, les informa Nartrach en rejoignant l'Écuyer.

Les deux hommes jetèrent un regard incrédule aux garçons.

— Je vous raconterai cela plus tard, promit Liam. Pour l'instant, je veux me battre avec mes compagnons.

— Nous pourrions certainement utiliser un soldat de plus, affirma Hadrian.

— Mon père est-il ici ?

— Pas pour l'instant.

— Il a déserté, lui apprit plus crûment Onyx.

— Je ne vous crois pas.

— Dans ce cas, va t'informer auprès de sa troupe.

– J'y vais tout de suite.

Un peu plus loin, Stellan continuait d'avancer vers la rivière sans se préoccuper des humains. Il humait l'air comme un prédateur flairant sa proie. Hadrian rejoignit tout de suite le fils de Falcon, afin d'éviter la catastrophe.

– Maîtrises-tu cet animal ? voulut tout de suite savoir le commandant.

– C'est mon dragon, annonça fièrement Nartrach, et je lui fais faire tout ce que je veux.

– Alors, éloigne-le de mes hommes.

– À vos ordres, sire !

Le gamin s'élança à la poursuite de Stellan, qui avançait de plus en plus rapidement. Quant à lui, Onyx se dématérialisa afin de retourner le plus promptement possible sur le champ de bataille.

Stellan passa près de Staya, qui balaya l'air de ses sabots pour l'avertir de ne pas s'approcher. Curieusement, le dragon ne s'intéressa pas à elle. Il atteignit plutôt le lieu des combats et releva son long cou.

– Non ! hurla Nartrach, horrifié.

Stellan frappa à la vitesse d'un serpent et happa au milieu du corps le scarabée qui allait planter sa lance dans la cuirasse de Nogait. Il referma sèchement sa mâchoire et fit craquer sa carapace comme une noix, puis laissa retomber sa proie et fouilla à l'intérieur pour lui arracher le cœur.

– On dirait bien que tu fais cela depuis longtemps ! s'exclama Nogait, saisi.

Le dragon ne fit pas plus attention à cet humain qu'à la jument du Roi Hadrian. Il s'attaqua tout de suite à un autre scarabée. Il avala ainsi une trentaine de cœurs avant d'être repu. Nartrach n'avait pas osé le suivre dans la mêlée. Cloué sur place, il avait d'abord tenté de rappeler Stellan, mais en voyant avec quelle efficacité il débarrassait les Chevaliers de leurs adversaires, il s'était tu.

Une heure plus tard, les combats prirent fin. Santo, Mann et Hettrick s'affairaient déjà à refermer les plaies de leurs frères et sœurs d'armes. Au grand bonheur d'Hadrian, personne n'avait été tué, cette fois. Il pria ceux qui avaient encore un peu de force d'empiler les carcasses argentées sur le bord de la rivière afin de les incinérer. Liam, qui n'avait pas pu participer à la bataille, se porta au moins volontaire pour cette tâche. Un à un, ses anciens camarades de classe le reconnurent et lui exprimèrent leur joie de le revoir vivant, surtout Jenifael. Elle lui sauta dans les bras et le serra à lui rompre les os.

— Nous pensions que tu avais été tué par l'empereur ! s'exclama-t-elle en le relâchant.

— Moi ? Jamais ! Je suis un survivant, comme mon maître, tu le sais bien !

— Pourquoi as-tu mis autant de temps à revenir vers nous ?

— C'est une longue histoire. Je te la raconterai plus tard, ce soir. Pour l'instant, j'ai besoin de réfléchir.

Onyx ne participa pas au nettoyage de la rive. Il s'était immobilisé, à quelques pas du dragon noir qui s'était roulé en boule pour dormir, sans plus se préoccuper de personne.

— C'est bien la première fois que nous en voyons un de si près qui soit encore vivant, lui fit remarquer Hadrian en se joignant à lui.

— Devrions-nous le tuer tout de suite ?

— Il n'a attaqué personne, aujourd'hui.

— Quand il ne trouvera plus d'insectes à manger, en quoi consistera sa nouvelle diète, selon toi ?

— Parlons-en d'abord à Nartrach.

— Tu es prêt à remettre notre sort entre les mains d'un enfant ?

— Il semble faire obéir le dragon, alors utilisons-le à notre avantage.

Le jeune maître se faufilait justement entre les Chevaliers pour rejoindre son nouvel ami, lorsque sa mère l'intercepta en saisissant son seul bras.

— Nartrach d'Émeraude ! rugit Wanda, très fâchée. Qu'est-ce que tu fais ici ?

— C'est compliqué à expliquer, maman...

Falcon laissa à ses compagnons la tâche d'allumer les premiers bûchers et alla prêter main-forte à son épouse.

— Tu n'es pas à court de mots, habituellement, fit-il remarquer à son fils.

— C'est bon. Pour faire une histoire courte, j'ai domestiqué Stellan et, en allant lui faire prendre l'air, j'ai entendu l'appel de détresse de Liam. Nous nous sommes portés à son secours, comme un Chevalier se doit de le faire.

— Tu n'as que neuf ans, lui rappela Wanda.

— Mais je serai un soldat.

— Continue, le pressa Falcon.

— Je vous jure que je voulais ramener Liam au château, mais il a insisté pour rejoindre l'armée. Alors, nous voilà.

Le sourire radieux de l'enfant montrait bien à ses parents qu'il n'avait pas trop souffert de son escapade, mais les Chevaliers d'Émeraude considéraient comme essentielles la discipline et l'obéissance, surtout de la part d'un futur soldat.

— Vous ne trouvez pas qu'il est beau, mon dragon ? s'exclama Nartrach avant que son père n'ouvre la bouche pour lui faire un sermon.

— Cet animal appartient à l'empereur, rétorqua Wanda.

— Plus maintenant. Est-ce que je peux le garder ?

— En tout cas, il ne vous en coûtera rien pour le nourrir pendant un moment, commenta Nogait en passant près de la petite famille.

— Ne te mêle pas de cela, Nogait, lança la mère, furibonde.

— Moi, je vous suggérerais de l'affamer davantage avant le prochain affrontement, ajouta Milos, qui transportait plusieurs corps par lévitation vers les bûchers.

– Stellan vous a aidés aujourd'hui, non ? tenta de les amadouer Nartrach.

– Il aurait tout aussi bien pu massacrer des humains, grommela Falcon.

– Il est évident qu'il préfère les cœurs de scarabées.

– Tu n'auras pas le dernier mot avec lui, Falcon, l'avertit Swan, qui revenait de la rivière, où elle avait jeté des scarabées dans le feu. Il est aussi têtu que Fabian.

– On nous a enseigné à nous battre pour nos convictions, répliqua Nartrach.

– Qui vous a montré une chose pareille ? s'étonna Wanda. Ce n'est certainement pas ton père et moi, car ce ne sont pas des choses qu'on dit à un garçon de ton âge.

– C'est le Roi Onyx qui passe son temps à le répéter à Atlance et à Fabian.

– Ah bon ! explosa Swan. Tout ce temps, j'ai cru qu'il leur racontait des histoires pour les endormir !

À quelques pas à peine du petit rassemblement, Onyx avait suivi la conversation. Un sourire malicieux s'étira sur ses lèvres, car il savait que sa femme s'en prendrait à lui dans les minutes suivantes. Il adorait ces discussions enflammées avec la mère de ses garçons. Autrefois, les femmes n'auraient jamais eu le courage d'exprimer leur opinion. Leur version moderne représentait un défi de taille pour les hommes.

– J'ai deux mots à te dire, Onyx d'Émeraude, gronda Swan en marchant vers lui.

Il l'agrippa par la taille et l'emprisonna dans ses bras en cherchant à l'embrasser. Elle se débattit comme une forcenée, mais n'arriva pas à se libérer. Hadrian observa la curieuse scène avec découragement. À son époque, aucun homme n'aurait osé traiter sa femme de cette façon. Il préféra s'éloigner avant qu'on lui demande son avis dans cette affaire domestique.

Les Chevaliers venaient de remporter une autre victoire sur Amecareth, mais une deuxième armée ennemie descendait du nord. Hadrian s'écarta de ses troupes et porta son attention sur le Royaume des Elfes. Il y sentit la présence d'un grand nombre de guerriers-insectes qui se dirigeaient vers la rivière. Ils la franchiraient certainement de la même manière que leurs congénères qui avaient perdu la vie en ce jour. Hadrian évalua ensuite l'état de ses effectifs. La plupart des soldats étaient exténués, surtout les jeunes. Il était impensable de les relancer tout de suite dans l'action. De toute façon, les scarabées n'atteindraient pas le Royaume d'Émeraude avant au moins deux jours. Les Chevaliers leur barreraient donc la route au matin.

Kevin ne pouvait pas être utile à ses camarades, puisqu'il faisait encore jour. Il avait mis pied à terre, mais restait appuyé contre Virgith, le laissant le diriger sur le terrain encombré. L'étalon émit alors de petits sifflements enjoués.

– Liam ? s'étonna Kevin. Tu dis qu'il est ici ?

Le cheval-dragon s'empressa de l'emmener jusqu'à l'adolescent qui donnait un coup de main aux Chevaliers.

– Liam !

L'Écuyer pivota sur lui-même et vit Kevin qui s'approchait de lui, les yeux bandés, guidé par Virgith. Il laissa tomber le cadavre qu'il destinait au bûcher et se jeta dans les bras de son maître.

– Je savais que tu trouverais une façon de t'en sortir.

– Cela n'a pas été facile et j'ai parfois frôlé le désespoir, mais je me suis répété vos paroles tous les jours pour me donner du courage.

– Je suis fier de toi, mon garçon.

– On dirait que tous mes amis sont devenus Chevaliers en mon absence.

– Ce fut une journée bien triste pour moi.

– Croyez-vous que le roi referait l'adoubement juste pour moi ?

– S'il refuse, nous l'y obligerons.

Une fois que tous les cadavres eurent été jetés dans les flammes, Kardey alla rejoindre Hadrian sur la plaine, afin de lui faire une offre qu'il ne pourrait pas refuser.

– Je vous ai observé à plusieurs reprises, lui dit le commandant en le voyant approcher. Vous vous êtes bien battu pour un homme qui a quitté l'armée il y a des années.

– N'allez surtout pas croire que ma nouvelle constitution de Fée a fait disparaître mon instinct guerrier, sire. En fait, je ne suis pas venu vers vous pour recevoir des compliments. J'ai une proposition à vous faire.

– Je suis un homme très ouvert. Parlez, Kardey.

— Que diriez-vous de dormir dans votre lit, ce soir, au lieu de camper une fois de plus dans les hautes herbes des prés ? Surtout que le ciel se couvre et qu'il va très certainement pleuvoir. Ce serait bon pour le moral de vos soldats.

Hadrian arqua un sourcil, intrigué.

— Je pourrais demander aux Fées de surveiller les bûchers tandis que nous retournons à Émeraude pour nous reposer, termina le fier guerrier, vêtu comme le reste des Chevaliers.

— Ce que vous proposez me plaît, capitaine Kardey. Il y a seulement un petit détail qui m'embête.

Hadrian jeta un coup d'œil au dragon endormi.

— Pendant que vous le réglez, je vais aller m'entretenir avec la nouvelle armée du Roi Tilly, annonça l'ancien soldat d'Opale.

Il se courba respectueusement devant Hadrian, comme il le faisait jadis devant le Roi Nathan, et s'éloigna, la tête haute. Le commandant demeura songeur un moment, calculant le pour et le contre d'un retour à Émeraude. Un bon repas et une nuit au chaud ne nuiraient sûrement pas à ses troupes.

Écoutez-moi tous ! lança Hadrian grâce à ses facultés télépathiques. Les Chevaliers le cherchèrent d'abord du regard, puis se tournèrent vers lui en l'apercevant en retrait du champ de bataille. Plusieurs d'entre eux se mirent même à marcher à sa rencontre. Hadrian attendit donc que toutes les divisions se soient massées devant lui.

— Selon toute probabilité, notre prochain combat aura lieu sur les terres des Elfes, à la frontière du Royaume d'Opale, où les forces d'Amecareth mettront le pied au matin, résuma-t-il, d'une voix forte.

Hadrian capta un certain découragement sur les visages fatigués de ses soldats.

— Le capitaine Kardey demandera aux Fées de s'assurer que les flammes des bûchers ne se propagent pas à la plaine, ce qui nous permettra de rentrer à la maison pour le repas du soir.

Des cris de joie s'élevèrent parmi les Chevaliers et Hadrian ne reprit la parole que lorsqu'ils se furent calmés.

— Je vous préviens, cependant, de ne faire aucun excès ce soir, car nous repartons en guerre à l'aube, ajouta-t-il.

— Est-ce à moi que s'adresse cet avertissement ? demanda Onyx en sortant des rangs pour lui faire face.

— Évidemment ! s'exclama Swan.

— Je t'aurai à l'œil, le menaça amicalement son vieil ami. Ramassez vos affaires et suivez vos commandants dans leur vortex.

— Et mon dragon ? bredouilla Nartrach.

— Est-ce qu'il a déjà voyagé dans un couloir magique ? s'enquit Nogait.

— Il a des ailes, alors que Nartrach le fasse voler jusqu'à Émeraude, lâcha Bergeau en haussant les épaules.

— C'est justement ce qui nous inquiète, lui dit Falcon.

— Il est venu jusqu'ici sur son dos, leur rappela l'homme du Désert, alors il est certainement capable de le ramener chez nous de la même façon.

– Et nous le mettrons où, ensuite ? se troubla Wanda.

– J'ai une idée, commença Nogait.

– Non ! s'exclamèrent en chœur ses frères et ses sœurs d'armes.

– Vous ne voulez même pas l'entendre ?

– Non !

Sans attendre que les adultes prennent position sur la façon de ramener son nouvel animal de compagnie au Château d'Émeraude, Nartrach échappa à la surveillance de ses parents et courut vers le dragon. Stellan ouvrit les yeux et approcha sa tête triangulaire du visage de l'enfant.

– On rentre à la maison, paresseux !

Stellan saisit le dos de la tunique du garçon et le souleva dans les airs.

– Falcon, fais quelque chose ! hurla Wanda.

Le pauvre père n'allait certainement pas risquer de faire fâcher le monstre tandis qu'il tenait son fils dans sa gueule. À leur grand étonnement, le dragon déposa son petit maître sur son dos.

– Fais-le descendre tout de suite de là ! exigea Wanda.
Nartrach n'avait jamais été le plus obéissant des enfants d'Émeraude, mais Falcon jugea qu'il était temps qu'il fasse montre de son autorité parentale. Il n'eut toutefois pas le temps d'ouvrir la bouche : le dragon ouvrit ses larges ailes de chauve-souris, poussa sur ses pattes et prit son envol.

– J'aurais volontiers mangé du dragon grillé, ce soir, murmura Onyx en suivant le vol de l'animal dans le ciel.

– Ce n'est pas le moment, répliqua Hadrian en lui tapotant affectueusement le dos. Allez, rentrons.

Onyx se volatilisa le premier.

15

UNE NUIT DE RÉVÉLATIONS

Les vortex commencèrent à apparaître dans la cour du Château d'Émeraude. Onyx s'y était rendu le premier et l'avait fait évacuer pour que personne ne soit blessé lors de la formation des tourbillons de lumière. Les troupes de Chevaliers en émergèrent, les unes après les autres. Sous le porche et sur les passerelles, les habitants de la forteresse les applaudirent chaleureusement. Ils ignoraient évidemment que leurs défenseurs devraient repartir le lendemain pour affronter une fois de plus l'envahisseur. Toutefois, la présence des soldats magiques leur apportait un peu de réconfort.

Les Chevaliers se séparèrent pour aller se dévêtir dans leur chambre et laisser les serviteurs nettoyer leur armure et leur épée. Enroulées dans des draps de laine cardée, les femmes furent les premières à profiter de l'eau chaude des bains. Quand elle vit que Bridgess s'était réfugiée dans un coin du bassin et qu'elle ne participait pas à la conversation, Ariane nagea jusqu'à elle.

– Dis-moi ce que je peux faire pour soulager ta peine, chuchota la Fée pour ne pas l'embarrasser devant toutes leurs sœurs d'armes.

— Je ne m'habituerai jamais à son absence, souffla l'aînée.

Ressentant la peine de Bridgess, Chloé s'empressa de les rejoindre.

— Aimez vos maris tandis qu'ils sont encore vivants, leur dit Bridgess, la gorge serrée. La douleur que cause leur soudaine disparition est insupportable.

Ariane en savait quelque chose. Chloé transmit aussitôt à Bridgess une vague d'apaisement, ne sachant quoi lui dire pour la réconforter. Cette dernière remercia ses deux amies et sortit de l'eau. Elle déclina l'offre des masseurs, enfila une tunique toute simple et se rendit à la chapelle du palais, là où elle avait si souvent trouvé Wellan. Le visage baigné de larmes, la guerrière s'agenouilla devant la statue de la déesse de Rubis.

— Vénérable Theandras, je n'ai certes pas le droit de vous faire cette requête, mais si vous avez vraiment aimé mon époux, je vous en conjure, rendez-le-moi comme vous avez rendu Kardey à Ariane. Je me croyais assez forte pour continuer sans lui, mais je ne le suis pas. Sous mon armure bat un cœur qui refuse de finir sa vie dans la solitude.

Deux bras la serrèrent par-derrière et Bridgess reconnut tout de suite l'énergie de Jenifael. Cette dernière l'étreignit en lui transmettant tout l'amour qu'elle éprouvait pour elle. La mère et la fille pleurèrent ensemble l'homme qui les avait chéries, sans se soucier qu'on les surprenne. Lorsqu'elles séchèrent enfin leurs pleurs, Jenifael voulut emmener sa mère dans le hall des Chevaliers, où on leur avait préparé un festin. Bridgess secoua la tête et lui demanda de respecter son besoin d'être seule. Elle embrassa la jeune déesse sur le front et la poussa à rejoindre ses camarades.

Jenifael s'installa à l'une des grandes tables du hall en espérant voir arriver Liam avec les hommes. Cependant, Kevin avait d'autres plans pour son Écuyer. Au lieu de suivre les autres, le Chevalier ensorcelé avait conduit Liam à l'étage des chambres royales. Les serviteurs avaient rempli le bain des appartements privés de Kira, où les deux soldats pourraient bavarder en paix. Liam avait commencé par laver ses cheveux bouclés qui lui descendaient maintenant au milieu du dos, puis il s'était appuyé contre l'une des encoignures arrondies du bassin.

– On dirait que ce genre de confort t'a manqué, remarqua Kevin, assis en tailleur sur une chaise de velours.

La faible luminosité de la pièce, uniquement éclairée par des bougies, lui avait permis d'enlever son bandeau. Cependant, en raison de sa contamination par du sang d'insecte, il n'avait passé que quelques secondes dans l'eau, le temps de se nettoyer. Il ne pressa pas Liam pour autant.

– Je pouvais me purifier dans mon abreuvoir, mais il n'y avait aucun autre réservoir sur l'île des araignées, expliqua Liam. Elles craignent l'eau, tout autant que les Tanieths. Vous ne savez pas à quel point je rêvais à la chaleur des bains.

– Alors, après avoir échappé à l'Empereur Noir, au sommet des volcans, tu t'es retrouvé sur cette île ?

– Pas tout à fait. J'ai déboulé de la montagne et je me suis frappé contre un arbre, dans une forêt qui ne ressemble pas aux nôtres. J'étais en bien piètre état. À ma grande surprise, c'est un dragon qui m'a trouvé.

– Comme ceux d'Irianeth ?

– Oui. C'était une femelle, mais encore très jeune. C'est le seul que j'ai vu, alors il s'agissait probablement d'un œuf égaré. Sa maîtresse, une femme Pardusse, s'en servait comme chien de chasse.

– Qui sont les Pardusses ?

– Ce sont des hommes-félins qui vivent de l'autre côté des volcans. Le monde est bien plus vaste que je l'avais cru, maître, bien plus vaste. Je les ai entendus parler d'autres races, dont j'ai oublié les noms. Les Pardusses ont capturé plusieurs humains avant moi. J'ignore si c'étaient des habitants d'Enkidiev ayant tenté d'escalader les volcans ou des humains comme nous qui vivent sur les Territoires inconnus.

– Ce sont eux qui t'ont emmené chez les araignées ?

– Ils m'ont vendu à une affreuse araignée transparente en échange de piécettes d'or. Il est impossible de s'échapper de cette île juchée dans les nuages. Je suis vraiment chanceux que Nartrach ait entendu mes pensées.

– Comment étais-tu traité, là-bas ?

– Mieux que chez les Pardusses, c'est certain. Un couple d'araignées m'a offert à leur fille. Au début, j'étais mort de peur. Les Tégénaires sont grosses comme une maison ! Mais Kiarinah était très gentille avec moi. Petit à petit, j'ai appris à lui faire confiance. Cependant, malgré toutes ses attentions, je n'arrivais pas à être heureux loin de vous et de ma famille. Lorsque la guerre sera terminée, j'écrirai mon étrange aventure.

– Beaucoup d'entre nous aimeraient en connaître tous les détails, en effet.

– Maître, pourquoi mon père vous a-t-il quittés ?

Kevin baissa la tête, cherchant la meilleure façon de dire la vérité à ce jeune homme dont il avait la charge depuis de longues années.

– Il y a beaucoup de choses que tu ignores, soupira-t-il. Lors d'un combat sur les plages de Zénor, Wellan a été tué.

Liam se redressa comme si la foudre était tombée dans son bain.

– Quoi ? Sire Wellan... mais comment ?

– Un instant d'inattention, je crois. La lance d'un Tanieth lui a transpercé le cœur.

– Je n'arrive pas à le croire.

– Connaissais-tu l'attachement de ton père pour notre grand chef ?

– Évidemment. Mon père le tenait en haute estime. Il était, avec sire Bergeau, l'un des Chevaliers qui venaient le plus souvent nous visiter à la ferme. Je pense même qu'ils se confiaient l'un à l'autre. Pourquoi me posez-vous cette question ?

– Lorsque Wellan a perdu la vie, Jasson s'est révolté et il est parti.

– C'est pour cela qu'il ne répond pas à mes appels télépathiques ? Savez-vous où il est parti ?

– Non, nous l'ignorons.

Liam apprenait tous ces malheurs avec douleur.

— Êtes-vous en train de me dire qu'il a déserté ? s'alarma-t-il.

— C'est ce qu'il semble, répondit honnêtement Kevin.

— Mon père n'est pas un déserteur ! se fâcha Liam. Il n'aimait pas la guerre, mais jamais il n'a hésité à faire son devoir !

— Ce sera à lui de nous donner des explications, à son retour.

— Suis-je dans le déshonneur, maître ?

— Pas tant que nous ne saurons pas exactement ce qui est arrivé à ton père.

— Il a peut-être été enlevé par l'empereur, comme vous, jadis.

— Ce n'est pas impossible.

Liam sortit du bain et s'enroula dans une serviette.

— Si Wellan est mort, qu'est-il advenu de Lassa ? voulut-il savoir, très inquiet.

— Abnar l'a mis en sûreté.

Kevin lui raconta aussi la destruction de la tour de Hawke et la mort de ses jeunes élèves. Ému, Liam écouta son récit sans rien dire. Puis son maître le laissa seul dans la petite pièce et alla l'attendre dans l'ancienne chambre de la Sholienne.

Liam revêtit son nouvel uniforme sans se presser. Il était impétueux, mais intelligent. Pourtant, il avait besoin d'un peu plus de temps que les autres pour digérer les mauvaises nouvelles. Au bout de quelques minutes, il parut devant le Chevalier. La sérénité du jeune homme prit Kevin de court. Il avait éduqué un gamin bien plus colérique que celui qui se tenait maintenant devant lui. Son séjour chez les araignées l'avait-il changé à ce point ? L'Écuyer enfila la tunique verte, le pantalon noir et les bottes de cuir sans dire un mot. Il promena ensuite son regard sur toute la pièce.

– Où est ma ceinture ? s'enquit-il.

– Tu n'en auras plus besoin, l'informa son maître avec un large sourire.

Lorsqu'on retirait à un Écuyer sa ceinture sertie d'émeraudes, c'était pour lui en remettre une autre, en même temps que son armure de Chevalier ! La joie illumina le visage de Liam.

– Quand ?

– Maintenant, répondit Kevin.

Il entoura les épaules de l'adolescent d'un bras rassurant et l'entraîna dans le corridor des chambres. Déjà, on pouvait entendre l'allégresse qui régnait dans le palais. Ils dévalèrent le grand escalier et obliquèrent vers le hall du roi. Liam sentait son cœur battre à tout rompre. Cette importante cérémonie, il l'avait attendue toute sa vie. Il aurait certes préféré être adoubé en même temps que ses camarades, mais qu'importe, il voulait seulement devenir Chevalier.

Lorsqu'il franchit la porte, il vit que la vaste salle était bondée. Les Chevaliers, entourés de leurs époux et épouses et des dignitaires de la cour, se divisèrent en deux groupes pour former une allée au centre de la pièce. Le silence tomba sur l'assemblée. Liam reconnut le Roi Onyx à l'autre extrémité de l'allée, debout devant son trône. Il portait ses vêtements de cuir noir, mais pas sa légendaire cotte de mailles.

Voyant que son Écuyer était paralysé devant tous ces regards inquisiteurs, Kevin l'incita à avancer. Liam marcha lentement, en jetant des coups d'œil de chaque côté. Il se réjouit de reconnaître tous ceux qui lui souriaient, puis aperçut enfin Jenifael. Elle était rayonnante et si belle dans l'armure verte de l'Ordre !

– Qui m'emmènes-tu, ce soir ? fit alors Onyx d'une voix forte.

– C'est un jeune homme méritant qui aurait dû être adoubé avec ses frères et ses sœurs à Zénor, mais qui était malheureusement retenu ailleurs, ce jour-là, répondit Kevin.

Tout le monde se mit à rire, car l'aventure de Liam au pays des araignées avait déjà fait le tour du royaume. Onyx n'était pas particulièrement versé en manières de cour, et le protocole l'ennuyait beaucoup. Avant de réciter le reste du texte prévu pour les adoubements, il s'approcha résolument de l'adolescent et le serra de toutes ses forces.

– Je suis vraiment content que tu sois encore vivant, Liam, chuchota-t-il à son oreille.

– Pas autant que moi, sire.

Onyx recula de quelques pas et contempla l'Écuyer.

– Mets un genou en terre.

Liam s'exécuta sans la moindre hésitation, ses yeux verts rivés sur ceux de son souverain.

— Tu as désormais quitté le sentier du doute pour avancer sur celui de la lumière, commença Onyx, au grand soulagement d'Hadrian qui craignait un abrégement de la procédure. Jeune homme, tu es maintenant le Chevalier Liam d'Émeraude. Garde ton corps et ton esprit toujours purs. N'entretiens aucune pensée négative dans ton cœur et fais-y plutôt croître ton amour pour Enkidiev et tous ses habitants.

Onyx récita le discours sans y apporter de changements et fit répéter à Liam son serment. Par solidarité, tous les nouveaux Chevaliers le prononcèrent en même temps que lui. Une fois encore, Onyx ne put s'empêcher de modifier la finale qui parlait des dieux.

— Je m'engage à maîtriser ma colère, ma peur et ma hâte en toutes circonstances et à faire appel à mon jugement lorsque je dois prendre des décisions ou aider mon prochain.

Hadrian secoua la tête avec découragement.

— Chevalier Liam, relève-toi pour que nous puissions enfin manger, conclut Onyx.

Les soldats vinrent féliciter la recrue tandis que les serviteurs commençaient à servir la nourriture. Bergeau emprisonna l'adolescent dans ses bras et le souleva de terre, comme c'était son habitude.

— Ton père serait fier de toi ! lança innocemment l'homme du Désert.

Liam dut faire un effort surhumain pour ne pas céder à sa tristesse. Il força un sourire et fut bien content que son nouveau frère d'armes le redépose sur le plancher. Il accepta les accolades, les claques dans le dos et les compliments de tout le monde sans rougir, sauf lorsque Jenifael l'embrassa sur la joue. Il aurait bien aimé s'asseoir près d'elle pendant le festin, mais Kevin l'entraînait déjà à la table qu'il partageait avec Maïwen, Nogait, Amayelle, le petit Cameron, Ariane et le capitaine Kardey.

Lorsque tous furent enfin assis, Onyx exigea le silence. Entre Bridgess et Falcon, Hadrian releva un sourcil inquiet.

– Un seul homme a jadis bénéficié de la procédure d'exception, commença le souverain, qui venait d'avaler sa première coupe de vin. Je ne sais pas si celui qui a écrit le code voulait donner au mot « d'exception » le sens de « dérogation » ou le sens de « remarquable ». J'ai donc opté pour le second.

Swan décocha un regard inquisiteur à Hadrian, qui y répondit en haussant les épaules.

– Je voudrais honorer un soldat qui appuie notre cause depuis fort longtemps sans y avoir été contraint, poursuivit Onyx en marchant vers le centre de la salle. Il nous a prouvé plus d'une fois qu'il était l'un des vaillants défenseurs d'Enkidiev et qu'il méritait d'être traité avec le plus grand respect. Ce soir, j'aimerais élever le capitaine Kardey d'Opale au titre de Chevalier d'Émeraude.

L'assemblée manifesta son accord par des applaudissements et des cris de joie. Ariane étreignit son époux, puis le poussa vers le roi. Par respect, Kardey ne portait pas l'uniforme de l'Ordre que le monarque avait fait apparaître sur son dos, à son retour dans l'armée, mais plutôt celui de la garde du Roi Nathan récupéré par son épouse au palais du Roi Tilly.

– Que je ne revoie plus jamais cet aigle d'Opale dans mon hall ! railla Onyx.

Il serra Kardey dans ses bras et lui fit prononcer son serment. La seule fois où le capitaine avait été aussi nerveux, c'était le jour de son mariage. Il répéta les mots d'une voix tremblante et accepta finalement de retirer son tabar noir. Hadrian observait la scène en se promettant d'avoir une longue conversation avec son ancien lieutenant au sujet de l'étiquette et du code de chevalerie.

Ce soir-là, les Chevaliers mangèrent et bavardèrent en oubliant la guerre et l'empire. Toutefois, épuisés par les combats de la journée, ils ne firent pas durer la fête jusqu'au milieu de la nuit, comme ils avaient l'habitude de le faire. Par petits groupes, ils regagnèrent leurs chambres pour aller se reposer, sachant que le roi n'aurait aucune pitié au matin pour les retardataires.

Liam resta un peu plus longtemps avec ses amis, dans l'espoir de pouvoir bavarder avec Jenifael, mais il constata bientôt qu'elle était partie. Il la chercha avec ses sens magiques et la trouva enfin dans la bibliothèque. Le nouveau Chevalier quitta donc le hall en douce et grimpa l'escalier jusqu'à l'étage supérieur. Il s'arrêta dans l'entrée de la vaste salle et entendit des voix. Il s'approcha davantage et vit que Jenifael était debout devant Hadrian. Ce dernier tenait les mains de la jeune fille, comme s'il lui faisait une déclaration d'amour. Liam allait interrompre cette scène insolite lorsque Jenifael se leva sur le bout des pieds et embrassa le nouveau commandant des Chevaliers d'Émeraude sur les lèvres.

Le cœur brisé, Liam tourna les talons et prit la fuite. S'il était resté quelques secondes de plus, il aurait été témoin de la réaction d'Hadrian aux avances de la jeune déesse et il aurait compris qu'il n'avait rien à craindre du vieux roi.

– Jeni, cet amour est impossible, se déroba Hadrian.

– En raison de notre différence d'âge ? se désola la jeune femme.

– Entre autres, mais ce n'est pas la seule raison. Lors de mon premier passage dans ce monde, j'ai été marié avec une femme que mes parents avaient choisie pour moi. Nous avons appris à nous aimer au fil du temps. Je viens d'ailleurs de passer des centaines d'années avec elle sur les grandes plaines de lumière.

– Elle est morte et vous êtes vivant. Je suis certaine qu'elle voudrait vous savoir heureux.

– Je t'en prie, écoute-moi jusqu'au bout. Lorsque je me suis réveillé ici, sans elle, j'ai éprouvé un immense chagrin. Puis, au bout de quelque temps, j'ai comblé cette douloureuse solitude par un engagement sans retour dans la défense d'Enkidiev.

– Vous avez vraiment l'intention de passer les prochains cent ans sans amour ?

– Bien sûr que non. Jadis, avant de rencontrer Éléna, j'ai souvent rêvé d'une belle princesse elfique, d'une beauté divine. J'aimerais tenter de la retrouver.

– Je suis là, devant vous, vibrante d'adoration, et vous allez me laisser tomber pour une vision ? s'étrangla Jenifael.

– Je ne m'attends pas à ce que tu comprennes mes sentiments.

– Et moi, je m'attendais à ce que vous compreniez les miens. Je croyais que vous étiez un homme exceptionnel, capable de voir le cœur d'une femme plutôt que ses grandes jambes élancées et sa beauté divine. Malgré tout le respect que je vous dois, sire, je suis profondément déçue de constater que vous n'êtes pas différent des autres.

Elle lui retira brusquement ses mains et se dématérialisa.

– Jeni ! la rappela-t-il.

Même cinq cents ans plus tôt, Hadrian n'avait jamais été très habile dans ses relations avec les femmes, préférant leur écrire de merveilleux poèmes qui les faisaient vibrer d'amour plutôt que de les affronter en personne. Il alla donc s'asseoir dans un coin de la bibliothèque et plongea une plume dans un encrier. S'il ne pouvait exprimer verbalement ce qu'il ressentait, il tenterait de le faire autrement.

Liam poursuivit sa route en courant jusque dans la grande cour, déserte à cette heure de la nuit. On lui avait bien sûr attribué sa propre chambre dans l'aile des Chevaliers, mais il ne s'y rendit pas, de crainte de croiser un frère ou une sœur d'armes qui aurait tôt fait de lui demander pourquoi il pleurait à chaudes larmes. Il dirigea plutôt ses pas vers l'écurie, où, depuis sa jeunesse, il trouvait toujours du réconfort. Il erra dans l'allée centrale, incapable de comprendre pourquoi il se sentait si déchiré intérieurement. Il avait grandi avec Jenifael. Elle était comme une sœur pour lui. Pourquoi était-il torturé ainsi par la jalousie ? Le Roi Hadrian était un personnage bien plus important que lui. N'était-il pas normal qu'une femme, même aussi jeune que Jenifael, veuille partager sa vie ?

Un sifflement aigu le fit sursauter. Un cheval-dragon tout noir, dont une partie de la crinière était blanche, avait passé la tête au-dessus de la demi-porte de sa stalle et dressé les oreilles.

– Pietmah...

Ses gazouillis retentirent dans l'écurie. Liam ouvrit la porte du compartiment et jeta les bras autour de l'encolure de la jument.

– Toi, tu m'aimes encore, n'est-ce pas ?

Pietmah était folle de joie. Elle sautillait sur ses pattes avant et secouait rapidement la tête de haut en bas en hennissant. Elle renifla ensuite les cheveux bouclés de son maître et sa nouvelle armure de cuir.

– Je suis enfin devenu Chevalier, lui dit Liam en séchant ses larmes. Je devrais être aussi excité que toi, mais j'ai aussi vécu une amère déception, ce soir. Lassa avait raison : j'aimais Jenifael sans vraiment le savoir. Et maintenant que je suis enfin prêt à lui avouer mes sentiments, il est trop tard. La vie est tellement injuste, Pietmah, tellement injuste.

Il demeura longtemps blotti ainsi contre la robe soyeuse de son destrier.

16

UN COURT RÉPIT

Sommé de se rendre chez son beau-père, Hawke avait manqué la cérémonie d'adoubement de Liam et de Kardey. Il était important pour lui de prendre part désormais aux activités de l'Ordre, mais il tenait également à préserver son bonheur familial. Élizabelle était déjà suffisamment contrariée de le voir participer à la guerre contre les Tanieths alors qu'il ne possédait pas une seule fibre agressive en lui. Ne voulant surtout pas la faire fâcher davantage, il avait été forcé d'accepter cette invitation à dîner déguisée en commandement.

Après s'être purifié dans le bain de sa tour en partie reconstruite, Hawke avait sagement revêtu son ancienne tunique grise et accompagné son épouse jusqu'à la nouvelle maison du forgeron, d'où s'échappaient d'irrésistibles arômes. Élizabelle tenait fermement sa main pour qu'il ne tente pas de s'échapper sur son cheval ailé. Il était vrai que l'Elfe avait jeté un coup d'œil vers l'écurie en traversant la cour, mais il n'avait pourtant pas manifesté le désir d'y faire un détour.

Hawke entra chez Morrison en se demandant de quelle façon ce dernier le recevrait. Cet homme pouvait en effet avoir des réactions déconcertantes. Il trouva le colosse assis à la table, au milieu de la pièce principale. L'Elfe prit une profonde inspiration pour se donner du courage. Jahonne sortait justement de la cuisine, transportant deux écuelles fumantes.

– Vous arrivez juste à temps, se réjouit-elle. Je vous en prie, asseyez-vous.

Élizabelle poussa son époux vers le banc placé directement devant son père. Hawke y prit place tandis que Jahonne posait les plats devant les deux hommes. Lorsqu'elle retourna chercher le reste du repas, Élizabelle se fit un plaisir de lui donner un coup de main. Morrison fixait son gendre en silence.

– J'aime bien votre nouvelle demeure, le complimenta poliment Hawke.

– Je ne déteste pas avoir plus d'espace. On me dit que vous vous êtes enfin engagé dans les combats.

– J'aurais voulu le faire bien avant, répliqua Hawke, mais j'avais des enfants magiques à former.

– Ils auraient pu attendre.

Les femmes arrivèrent avec les dernières assiettes, ainsi qu'une cruche de vin et quatre coupes de bois.

– Je suis contente que vous ayez accepté notre invitation, leur dit Jahonne en versant le vin. Nous avons une merveilleuse nouvelle à vous annoncer.

Élizabelle regarda son mari avec l'air de dire qu'il s'était énervé pour rien.

– Nous voulions attendre la fin de la guerre avant d'officialiser notre relation, poursuivit l'hybride, mais finalement, nous avons décidé de le faire plus tôt.

– Jahonne est toujours chez moi, de toute façon, grommela Morrison.

– Vous allez vous marier ? s'égaya Élizabelle. Quand ?

– Ce soir.

La réponse de son père prit Élizabelle de court.

– Le roi est le seul à pouvoir authentifier votre union, leur rappela-t-elle.

– C'est pour cette raison qu'il viendra ici plus tard, tenta de la rassurer Jahonne.

– Mais il est en plein festin au palais...

– Il se libérera, affirma Morrison, qui se mit à manger avec appétit.

Hawke baissa discrètement les yeux sur son écuelle et constata avec soulagement qu'elle contenait surtout des légumes coupés en cubes rehaussés d'une sauce brune. Même s'il avait grandi parmi les humains, le magicien d'Émeraude ne s'était jamais habitué à consommer de la viande. Les Elfes respectaient les animaux et ils ne les chassaient pas pour leur chair. Ils se nourrissaient plutôt des fruits de la terre.

– Retournerez-vous vous battre, demain ? demanda le forgeron, une fois qu'il fut repu.

– Un deuxième régiment d'insectes descend du nord, répondit Hawke. Nous devons l'arrêter avant qu'il n'atteigne Émeraude.

– Il y a encore beaucoup de larves qui tentent de se rendre à la montagne, et aucune des armées alliées n'arrive à les exterminer.

– Nous leur prêterons main-forte dès que nous aurons éliminé les scarabées qui, je vous assure, sont plus dangereux que les imagos.

– Je trouve étrange qu'ils n'aient pas tenté d'attaquer le château, mais je ne m'en plains pas.

Morrison alluma sa pipe, sans se rendre compte que la fumée incommodait son gendre.

– Quand aurez-vous des enfants ? demanda le forgeron, entre deux bouffées.

« Ils en auront probablement avant nous », songea Hawke, mais il jugea plus prudent de se taire.

– Dès qu'il sera de retour à la maison pour de bon, annonça Élizabelle.

– Êtes-vous sûr que les Elfes et les humains peuvent concevoir des enfants ensemble ?

– La Princesse Amayelle a eu un garçon avec le Chevalier Nogait, lui rappela sa fille. Cessez d'exercer ce genre de pression sur nous, je vous en prie. Plus mon mari s'énerve, moins nous y arrivons.

– Ah..., se contenta de répliquer Morrison.

La lune commençait à monter dans le ciel lorsque le Roi Onyx entra dans la demeure du forgeron. Même s'il avait absorbé une grande quantité de vin lors du festin d'adoubement dont il s'était éclipsé sans attirer l'attention, le souverain accepta volontiers la coupe que lui tendit le colosse.

– Nous ne voulons pas de cérémonie ni de banquet, l'avertit ce dernier.

– Restons sobres, alors ! lança Onyx, qui trouva son choix d'adjectif très drôle.

Après avoir ri un bon coup, il avala le vin, déposa la coupe sur la table et se racla la gorge.

– Prenez donc la main de votre belle, indiqua-t-il au futur époux.

Jahonne s'approcha de Morrison, qui ressemblait à un géant à côté d'elle, et glissa ses doigts entre les siens.

– Par les pouvoirs que m'accorde mon titre, je déclare, ici-même, que vous êtes désormais mari et femme et que seule la mort dénouera cette union. Vous pouvez vous embrasser.

L'hybride déposa un baiser timide sur les lèvres de Morrison, car elle n'était pas le genre de femme à exprimer publiquement son affection.

– Longue vie aux nouveaux époux ! leur souhaita Onyx.

Il se volatilisa comme un mirage. Hawke choisit ce moment pour se lever et souhaiter lui aussi beaucoup de bonheur à son beau-père et à sa nouvelle belle-mère. Il s'empara de la main d'Élizabelle et l'entraîna dans la cour, heureux de pouvoir respirer l'air frais du soir.

– Qui aurait pensé qu'un jour, mon père épouserait une femme d'une autre couleur, lui fit remarquer Élizabelle, tandis qu'ils se dirigeaient vers le palais.

– Certainement pas moi.

La fête n'était pas terminée dans le hall, mais les amoureux décidèrent de ne pas se joindre à leurs camarades. Les Chevaliers avaient une autre bataille à livrer dans quelques heures et l'Elfe décida d'aller dormir un peu.

Onyx n'était pas le seul à s'être esquivé du festin d'adoubement. Bailey et Volpel, qui aimaient bien le petit Nartrach, profitèrent du fait que ses parents s'amusaient avec leurs compagnons d'armes pour aller chercher l'enfant et lui proposer un abri décent pour son dragon. La pauvre bête était couchée sur la route qui menait à la forteresse et se lamentait depuis plusieurs heures devant le pont-levis que les sentinelles avaient relevé, semant la panique parmi les chevaux dans l'enclos et dans l'écurie.

– Viens avec nous, petit, chuchota Bailey sur le seuil de la porte de la chambre de Falcon et Wanda. Nous avons pensé à quelque chose.

Nartrach, qui n'arrivait pas à trouver le sommeil, sauta hors de son lit.

– Si nous voulons tous dormir ce soir, il faudrait reloger ton dragon dans un lieu où il se sentira en sécurité, expliqua Volpel.

– Et vous connaissez un tel endroit ?

– Nous devons le réaménager un brin, mais je crois qu'il l'appréciera, affirma Bailey avec un clin d'œil.

Ils quittèrent l'aile des Chevaliers en catimini et grimpèrent sur la passerelle sans se faire voir des soldats de la garde royale qui faisaient le guet. Bailey prit Nartrach par la main et le hissa entre deux merlons. Utilisant leurs pouvoirs de lévitation, ils flottèrent vers le sol, au-delà des douves. Stellan parut heureux de voir son petit maître arriver en courant sur la route, mais se mit à gronder lorsque les deux adultes sortirent de l'obscurité derrière lui.

– Ce sont mes amis, Stellan. Tu ne dois pas les manger.

Constatant que les hommes ne cherchaient pas à s'emparer de l'enfant, le monstre baissa la tête et frotta le bout de son museau dans ses cheveux.

– Peux-tu lui demander de nous suivre ? s'enquit Bailey en demeurant à une distance sûre de la bête.

– Sans se servir de ses ailes, si possible, ajouta Volpel.

Nartrach posa la main sur le front de Stellan, qui se releva instantanément sur ses pattes. La curieuse procession s'enfonça dans le noir, contournant les murailles de la forteresse. Une fois hors de vue des sentinelles, les Chevaliers allumèrent leurs paumes pour s'éclairer, tandis qu'ils entraient dans la forêt, à moins d'un kilomètre du château.

Ils arrivèrent bientôt devant un large cromlech, que les paysans ne visitaient jamais. De toute façon, personne ne se souvenait de l'utilité que ces constructions avaient pu avoir un jour. Bailey se servit aussitôt de ses facultés magiques pour entrelacer les branches des arbres qui avaient grandi à l'extérieur du cercle de pierre et en fit une voûte arrondie au-dessus des mégalithes. Pendant ce temps, Volpel débarrassait l'enceinte de son autel de pierre et empruntait aux fermiers des alentours des dizaines de meules de foin, qu'il fit voler dans les airs jusqu'au centre des menhirs. Stellan comprit alors ce que les deux Chevaliers étaient en train de faire. Il entra dans le cromlech et se mit à tourner en rond dans le foin jusqu'à ce qu'il se soit fait un nid douillet.

— Mais comment avez-vous su que cela lui plairait ? s'exclama Nartrach.

— Il a des ailes comme un oiseau, commença Bailey.

— Alors, nous avons pensé qu'il avait sûrement les mêmes habitudes, termina Volpel.

— Vous êtes très ingénieux. Merci.

Nartrach fit ses adieux au dragon presque endormi et rentra au palais avec les deux soldats, qui empruntèrent le chemin inverse. Heureusement, les parents du gamin n'étaient pas encore revenus du festin. Le garçon se glissa sous les couvertures et s'endormit, le sourire aux lèvres.

En quittant Morrison et sa famille, Onyx ne retourna pas tout de suite à la fête qu'il donnait dans son hall. Il n'était peut-être pas le roi magnifique qu'avait été Hadrian d'Argent, mais il se souciait tout de même de ce qui se passait dans son royaume. Il réapparut plutôt dans le campement des armées alliées, qui tentaient désespérément d'abattre les larves sur la plaine, à l'est du Château d'Émeraude. Onyx trouva le Roi Kraus, le Roi Lang, le Roi Giller et le commandant des armées d'Opale assis ensemble devant un feu. En voyant arriver le dirigeant d'Émeraude, les quatre hommes firent un mouvement pour se lever.

– Je vous en prie, restez assis, s'exclama-t-il.

Onyx s'accroupit près d'eux, comme un homme qui n'avait pas l'intention de rester longtemps.

– Quels sont vos progrès ? s'enquit-il.

– Cette chasse aux lapins est vraiment désespérante, avoua Kraus. Plus on élimine de ces sales créatures, plus il en arrive d'autres.

– Mais nous ignorons d'où elles sortent, souligna Giller.

– La seule explication possible, c'est qu'un seul détachement de ces larves tente de s'approcher de la montagne chaque jour, ajouta Lang.

– Les Chevaliers vont-ils bientôt se joindre à nous ? voulut savoir Giller.

– Des versions adultes des imagos que vous pourchassez sont débarqués sur la côte, relata Onyx. Ils ont des carapaces dures comme l'acier et on ne peut les tuer qu'en leur crevant les yeux, qu'ils protègent d'ailleurs assez bien. Nous en avons anéanti une troupe à Zénor et une autre au Royaume des Fées, mais il en reste une troisième plus au nord. Elle a réussi à déjouer les Elfes et descend vers la Montagne de Cristal.

— Elle se dirige vers Opale, donc ? s'alarma le capitaine de ce royaume.

— Je crois qu'elle passera plutôt sur les terres de Diamant et qu'elle y sera encore lorsque nous irons à sa rencontre. Dès que cette bataille sera terminée, j'emmènerai les Chevaliers ici pour en finir avec cette lassante invasion.

— Ce sera apprécié, le remercia Lang.

— Avez-vous suffisamment de vivres pour tous vos hommes ?

— J'en ai fait transporter de mon pays qui n'est pas très loin, assura le Roi de Jade.

— S'il vous manque quoi que ce soit, faites-le-moi savoir, offrit Onyx. Nous serons bientôt à vos côtés.

Il salua les quatre commandants d'un signe de tête et disparut. Quelques secondes plus tard, il redevenait corporel derrière son banc, dans le hall du palais. Plusieurs Chevaliers étaient partis se coucher, mais il en restait encore qui continuaient de boire et de bavarder en riant. Ce répit leur remonterait certainement le moral, car il n'était pas facile de vivre sur un continent sans cesse convoité par un empereur insatiable. Onyx se versa une dernière coupe de vin, puis se dirigea vers la sortie. Avant d'aller se reposer, il se rendit à la tour d'Armène, où dormaient ses garçons. Il traversa la cour en regardant les nuages qui arrivaient du sud. Était-ce déjà la saison des pluies ?

En silence, il grimpa le premier escalier de la tour et trouva évidemment la grande pièce circulaire déserte, à cette heure. Il s'engagea dans le second escalier et arriva dans la chambre, où une bougie achevait de brûler. Sans réveiller Armène, le Roi d'Émeraude marcha jusqu'au grand lit. Ses trois gamins sommeillaient ensemble paisiblement, serrés comme de petits chats. Onyx s'assit sur le bord du matelas et contempla un long moment leurs visages.

Les petits princes étaient très différents les uns des autres. Même s'ils avaient les mêmes parents, les deux plus vieux étaient comme le jour et la nuit. Atlance avaient les cheveux sombres de son père et il ressemblait beaucoup à Nemeroff, qui avait péri aux mains d'Amecareth. Quant à Fabian, il était mystérieusement blond comme les blés. Maximilien, ayant été adopté, semblait provenir d'une couvée différente, avec ses cheveux bruns et ses yeux noisette. Cela n'empêchait toutefois pas Onyx de l'aimer autant que ses aînés. Le père se pencha pour les embrasser sur le front et remonta le drap sous leur menton. Bientôt, il pourrait les reprendre avec lui au palais.

Onyx utilisa sa magie pour réintégrer ses appartements, afin de ménager ses jambes dont il aurait à se servir intensément le lendemain. Ses serviteurs s'étaient retirés pour la nuit. Il se défit donc seul de son long manteau de cuir et de sa chemise noire et s'assit pour enlever ses bottes. Il capta alors une présence à l'entrée de sa chambre et se redressa brusquement.

— Ce n'est que moi, froussard, le piqua Swan.

— Tu t'es égarée ?

Depuis que son mari avait élu domicile à l'étage royal du palais, Swan avait refusé de l'y suivre, préférant dormir dans la tour de Farrell. Lorsque le Roi d'Émeraude avait envie de partager la couche de son épouse, il était contraint d'aller la rejoindre dans leur ancienne chambre.

– Je suis venue voir comment tu vas.

Onyx reprit place sur le lit et ôta ses bottes, sans répondre.

Swan, qui ne s'avouait pas facilement vaincue, entra dans la pièce et s'agenouilla devant lui, le forçant à s'occuper d'elle.

– Je sais que ta blessure n'est pas complètement guérie, poursuivit-elle, tenace.

– La douleur est tolérable.

– Allonge-toi.

Il soupira avec agacement.

– Tu peux continuer de songer à tes tracas pendant que je jette un coup d'œil à ta poitrine, tu sais.

Il se laissa tomber sur le dos, sachant très bien qu'elle ne le laisserait pas tranquille avant d'avoir obtenu ce qu'elle voulait. Elle glissa le bout des doigts sur la cicatrice au rebord bleui.

– Je ne suis pas à l'article de la mort, marmonna Onyx.

– Mais il y a une curieuse énergie glacée dans ton corps...

– Si tu as envie de me réchauffer, tu es la bienvenue.

– Onyx, je suis sérieuse.

Elle comprit, en regardant dans les yeux pâles de son mari, qu'il était parfaitement conscient de la gravité de sa blessure.

– C'est du poison, n'est-ce pas ? osa-t-elle demander.

– Oui, mais il ne m'aura pas. Je suis immunisé depuis longtemps contre le venin d'Asbeth.

– Toutes les lances des scarabées sont-elles enduites de cette substance ?

Si tel était le cas, Swan devait tout de suite en informer Hadrian, afin que les Chevaliers ayant subi des blessures soient examinés de plus près.

– J'en doute, lui dit son époux. Le scarabée qui m'a attaqué me cherchait sur le champ de bataille.

– C'est maintenant que tu me le dis ?

– J'avais autre chose à penser à Zénor, tu ne crois pas ?

– Je veux savoir ce qui s'est passé.

– Je combattais comme n'importe quel soldat quand j'ai vu cet insecte se faufiler entre les échauffourées. J'ai vite compris qu'il visait quelqu'un. En plus, il portait un javelot différent des autres. J'ai cru qu'il ciblait Hadrian, alors je me suis précipité sur ce scarabée pour qu'il ne se rende pas jusqu'à lui.

– Toi et ton grand cœur...

Swan alluma sa paume et la laissa un long moment au-dessus de la blessure, dans l'espoir d'atténuer l'effet du poison.

– On a donc imprimé dans leur esprit l'image des dirigeants d'Enkidiev, murmura-t-elle, surtout pour elle-même.

– Seulement des plus beaux.

Elle arrêta le traitement avec l'intention de le frapper,
mais le sourire moqueur d'Onyx eut raison d'elle. Elle grimpa
plutôt sur lui et l'embrassa.

– Seras-tu capable de suivre l'armée demain si je te fais
passer la moitié de la nuit éveillé ? le tenta-t-elle.

Il l'emprisonna dans ses bras et alla chercher un autre
baiser sur ses lèvres.

Les derniers soldats quittèrent le hall, conscients que s'ils
ne dormaient pas au moins quelques heures, ils risquaient
des blessures graves lors des affrontements du lendemain.
Ils se séparèrent dans le couloir de l'aile des Chevaliers.
Santo, qui n'habitait plus la forteresse depuis son mariage
avec Yanné, chercha une pièce non occupée où il pourrait se
reposer. Il passa devant la chambre qu'avait occupée jadis
Wellan et entendit des sanglots. Ému, il s'arrêta et frappa
quelques coups à la porte. Bridgess ne vint pas lui ouvrir,
alors il décida d'entrer. Il la trouva assise sur le lit, à pleurer
toutes les larmes de son corps.

Santo s'empressa de la prendre dans ses bras et de
l'étreindre en lui transmettant une vague d'apaisement.

– Il me manque à moi aussi, chuchota-t-il dans son
oreille.

– Chaque fois que je me sens assez forte pour continuer sans lui, mon cœur se brise, hoqueta-t-elle.

– Ce que tu éprouves est tout à fait normal, Bridgess. Il n'y a que le temps qui finit par atténuer ce genre de douleur.

– Il m'avait demandé de prendre sa place à la tête des Chevaliers s'il devait lui arriver quelque chose. Il serait bien déçu de me voir ainsi anéantie.

– Moi aussi, il m'a fait faire une promesse.

Bridgess se décolla de lui et essuya ses yeux, visiblement embarrassée par ce comportement qu'elle jugeait infantile.

– En revenant de notre mission sur l'île des Lézards, Wellan m'a fait jurer de m'occuper de toi et de Jenifael s'il venait à disparaître.

– Quoi ? s'étonna la femme Chevalier. Savait-il qu'il allait mourir avant moi ?

– Peut-être bien. N'oublions pas qu'il avait un lien privilégié avec la déesse de Rubis. En fait, ce que j'essaie de te dire, c'est qu'à la fin de la guerre, j'aimerais que tu viennes vivre chez moi avec ta fille. Le domaine de Sutton est immense et je crois que vous vous y plairiez. Il y a des villages tout le long de la rivière qui ont besoin de guérisseurs. Nous ne serions pas assez de trois pour soigner les paysans.

– C'est gentil de l'offrir, Santo. Je l'apprécie beaucoup.

– Maintenant, essaie de dormir un peu, sinon, tu seras dans un état épouvantable demain matin.

– Oui, tu as raison. Merci de t'être arrêté pour me redonner du courage.

– Comment aurais-je pu passer mon chemin ?

Le sourire du meilleur ami de son défunt mari rassura Bridgess. Santo l'embrassa sur le front, en profitant pour lui transmettre une petite dose d'énergie anesthésiante. Dès qu'il eut quitté la pièce, la guerrière ressentit un irrésistible besoin de dormir. Elle sombra dans le sommeil en posant la tête sur l'oreiller.

Santo poursuivit sa route dans le corridor sans pouvoir s'empêcher de penser à sa propre épouse. Yanné ne possédait aucune faculté magique, alors il ne pouvait pas lui laisser savoir qu'il était toujours en vie et qu'elle lui manquait terriblement. Leur enfant grandissait en elle en son absence...

Il n'avait pas été capable d'avouer à Bridgess qu'ils étaient des âmes sœurs, car il ne pouvait plus l'épouser. Il avait uni sa vie à celle de la sœur de Sage et il lui avait juré fidélité. Peut-être un jour, lorsque le continent serait redevenu une terre tranquille, pourrait-il enfin avouer ses sentiments à Bridgess, juste pour avoir enfin la conscience en paix.

Bientôt, tous les habitants du château dormirent à poings fermés. Le seul d'entre eux à ne pas pouvoir fermer l'œil s'était installé sur un créneau et observait le ciel. Depuis qu'il s'était lentement transformé en une créature à mi-chemin entre l'humain et l'insecte, Kevin avait beaucoup de mal à suivre le même rythme de vie que ses compagnons. Il se sentait revivre la nuit, lorsque la clarté du soleil ne lui écorchait plus les yeux.

Il avait bien sûr participé au banquet, comme tous les autres, mais sans toucher à la nourriture cuite ou bouillie. Une fois l'obscurité tombée sur la forteresse, il était allé chercher un morceau de viande crue à la cuisine et l'avait mangé loin des regards consternés.

Les premières gouttes de pluie le firent sursauter. Il craignait l'eau, désormais. Pourtant, les moments les plus heureux de son enfance, il les avait passés dans la rivière avec ses frères, à Zénor. C'étaient de beaux souvenirs auxquels il s'accrochait de toutes ses forces en attendant de pouvoir tuer le sorcier qui l'avait plongé dans un monde de solitude et de terreur.

Il se laissa glisser sur la passerelle, pressé de rentrer avant que le ciel n'ouvre ses écluses. Il arriva alors face à face avec Liam. Son ancien Écuyer portait toujours sa nouvelle cuirasse verte de Chevalier.

— Je savais que je vous trouverais ici, fit l'adolescent, soulagé.

— Abritons-nous, si tu le veux bien.

La pluie s'abattit durement sur le château. Connaissant l'aversion de Kevin pour l'eau, Liam utilisa sa cape pour l'en protéger. Ils entrèrent au palais en courant et se dirigèrent instinctivement dans le hall des Chevaliers, où brûlait encore un bon feu. Les deux soldats prirent place à proximité de l'âtre pour se faire sécher.

— Tu dois arrêter maintenant de me vouvoyer, signala Kevin.

– Après toutes ces années ? Cela ne sera pas facile.

– Je ne suis plus ton maître, Liam. Je suis ton frère d'armes. Pourquoi me cherchais-tu ?

– Je voulais vous... te parler de quelque chose qui m'obsède. Toute ma vie, j'ai rêvé de devenir Chevalier et de me battre contre l'ennemi, vêtu de cette façon.

– Mais ?

– Pas sans mon père. Je veux partir à sa recherche. Si Wellan était encore là, j'irais le supplier de me laisser y aller, mais je ne sais plus à qui m'adresser.

– En principe, c'est Hadrian d'Argent qui le remplace, mais la présence du Roi Onyx parmi nous brouille quelque peu la hiérarchie de commandement.

– C'est pour cette raison que je m'adresse à vous... à toi.

– Tu es un Chevalier, maintenant, Liam. Tu n'as plus besoin de ma permission pour faire tes choix.

– En fait, c'est ton approbation que j'aimerais obtenir. Je veux juste être certain que ma décision n'est pas stupide. Le continent est attaqué de tous côtés. Est-ce vraiment convenable que je parte à l'aventure au lieu d'aider les Chevaliers ?

– Nous nous sommes battus tout ce temps sans toi et, à ce que tu m'as dit, tu n'as pas vraiment eu l'occasion de garder la forme tandis que tu vivais chez les araignées. J'éprouverais beaucoup de chagrin si tu devais tomber au combat par faute d'entraînement.

– Merci, Kevin. Je retrouverai mon père et je le ramènerai auprès de vous.

– Va, Liam, et ne regarde pas derrière toi.

Le jeune homme se jeta dans les bras de son mentor et le serra avec amitié.

17

UN RÉVEIL BRUTAL

Peu avant le lever du soleil, les Chevaliers mangèrent, se vêtirent et firent un saut au Royaume de Zénor, où ils avaient laissé leurs chevaux. Ils les ramenèrent à Émeraude, puis s'apprêtèrent à partir pour la guerre. Onyx semblait particulièrement en forme, alors que son ami Hadrian affichait un air plutôt morose. Kevin venait de mentionner à ce dernier les raisons du départ précipité de Liam. Même si le grand commandant comprenait le désir du garçon de retrouver son père, il aurait de loin préféré qu'il respecte le protocole et qu'il lui demande cette permission au lieu de s'adresser à son ancien maître.

Les Chevaliers allaient former à nouveaux les vortex lorsque le dragon noir de Nartrach se posa sur les créneaux, au-dessus du pont-levis, semant la terreur parmi les sentinelles.

– Quelqu'un d'autre que le fils de Falcon sait-il maîtriser cet animal ? demanda Onyx en se tournant vers ses troupes.

Le silence des Chevaliers était éloquent.

— Je sais bien que nous ne devrions pas emmener un petit garçon sur le champ de bataille, osa finalement dire Nogait, mais n'oublions pas que ce dragon est un excellent casse-noisettes. Il pourrait faire pencher la balance en notre faveur.

— En vieillissant, tu as de plus en plus d'allure, toi, observa Swan.

Tous se tournèrent vers Wanda, qui ne voulait pas vraiment que son fils unique soit exposé au danger.

— Si nous ne l'emmenons pas maintenant, il trouvera un moyen de nous rejoindre là-bas, lui dit Falcon, pour l'aider à prendre une décision.

— On pourrait peut-être demander à Nartrach lui-même ce qu'il en pense ? suggéra Chloé.

— Évidemment que je veux vous accompagner ! s'exclama l'enfant, qui les épiait à partir du balcon de l'étage royal.

— Que ce soit clair tout de suite, jeune homme : cette bête ne nous accompagne que pour s'en prendre aux scarabées, pas aux Chevaliers, l'avertit Onyx d'une voix forte. Si elle devait infliger une blessure à l'un d'entre nous, je la mettrais à mort moi-même.

— C'est très clair, sire.

Nartrach siffla d'une curieuse manière. Stellan releva le cou, repéra son petit maître et s'envola. Il l'attrapa au vol, sur le balcon, et le déposa sur son dos.

— Falcon, dis-lui de ne pas faire ça ! s'énerva Wanda.

– On en reparlera avec lui quand ils seront au sol, d'accord ? trancha Falcon, résigné.

Hadrian ordonna au gamin, par télépathie, de les rejoindre sur la plaine des Elfes, puis demanda à ses lieutenants de créer les maelströms. En quelques minutes, tous les soldats disparurent de la cour du château. Ils sortirent des tourbillons de lumière éclatante, à l'est de la rivière Mardall, là où les Elfes n'avaient établi aucun village.

– Où sont-ils ? s'étonna Bergeau en constatant qu'il n'y avait personne sur la berge opposée.

– Hawke, c'est le moment de faire montre des talents de votre monture, indiqua Hadrian.

L'Elfe grimpa sur le dos de son cheval ailé et s'éleva dans le ciel. Il survola la rivière en descendant vers le Royaume des Fées, à la recherche du dernier contingent de scarabées impériaux.

Vous êtes trop au nord ! annonça-t-il, lorsqu'il aperçut finalement les créatures à la carapace reluisante qui tentaient de remonter vers Émeraude sous le couvert des arbres. *Ils sont dans la forêt, juste au-dessous de moi.* Le dragon de Nartrach le rejoignit quelques minutes plus tard et se mit à tourner en rond au-dessus de cette forêt limitrophe à celle des Fées.

– Quelqu'un est-il déjà allé à cet endroit ? voulut savoir Hadrian, afin qu'un seul vortex les emporte tous.

– Cette magie primitive est vraiment désespérante, soupira Onyx. Pendant qu'on se consulte, l'ennemi avance en direction de mes terres.

– Si j'étais un Immortel, fit Nogait, je choisirais ce moment pour apparaître.

– Ce n'est certainement pas moi qui les appellerai, les avertit le renégat.

– Suivez-moi ! les pressa Dempsey en croisant ses bracelets.

Chloé couva son époux d'un regard admiratif. On pouvait toujours compter sur sa formidable mémoire de pisteur. Dempsey n'oubliait jamais les endroits qu'il avait visités. Le tourbillon se forma devant lui et Bergeau fut le premier à y faire entrer ses troupes à la course. Santo le suivit avec ses soldats. Ce fut ensuite au tour des groupes de Bridgess et d'Ariane de s'enfoncer dans la lumière. Hadrian se tourna vers Onyx pour le prévenir qu'il était le prochain, mais son vieil ami avait déjà utilisé sa propre magie pour se déplacer. Le commandant fit signe aux hommes de Falcon de foncer, puis ceux de Dempsey fermèrent la marche. Tout comme Chloé s'y attendait, l'armée se retrouva directement au-dessous du dragon et du cheval volant.

Onyx, où es-tu ? s'inquiéta Hadrian. *Devine !* répondit le renégat. La veille, ce dernier avait repoussé l'ennemi du bon côté de la rivière grâce à l'illusion très réussie d'un feu de forêt. Cependant, ces insectes communiquaient constamment entre eux par la pensée. Donc, il y avait fort à parier que ces coléoptères étaient déjà au courant du subterfuge. *Essaie de faire preuve d'imagination !* lui recommanda Hadrian. Swan se contenta de relever un sourcil.

Ils entendirent alors un grondement lointain, qui semblait provenir du Royaume des Fées. Sans se consulter, les Chevaliers sondèrent la forêt. Une énergie magique était à l'œuvre.

– Regardez ! s'écria Ariane en pointant le ciel.

Une énorme vague d'eau s'élevait progressivement au-dessus de la cime des arbres. *Préparez-vous à recevoir l'ennemi !* les avertit Onyx en riant.

– C'est lui qui produit ce phénomène ? lança Wimme.

– Oui, et en plus, il trouve cela amusant, se découragea Swan.

L'artifice eut le résultat escompté. Le bruit de plus en plus assourdissant du raz-de-marée et l'impressionnant mur liquide qui approchait eurent raison des scarabées. Ils quittèrent la sécurité de la forêt et foncèrent vers la rivière, préférant affronter les humains que les forces de la nature. Les Chevaliers allumèrent leurs paumes et adoptèrent une position défensive. À la manière de leurs congénères, ces guerriers bondirent comme des lapins au-dessus du cours d'eau. Les commandants donnèrent aussitôt l'ordre à leurs soldats d'ouvrir le feu.

Les scarabées qui réussirent à atterrir avec leurs yeux intacts foncèrent sur les Chevaliers verts en pointant leurs javelots en direction de leur poitrine. Les combats s'engagèrent, aussi féroces que la veille, jusqu'à ce qu'une mystérieuse explosion fasse trembler tout le continent.

Onyx, es-tu responsable de cette détonation ? hasarda Hadrian, qui ne voulait pas le voir détruire tout un royaume ami uniquement pour effrayer les hommes-insectes. *Je ne peux malheureusement pas me réclamer d'une telle puissance,* répondit le Roi d'Émeraude. Une autre terrible secousse ébranla les Chevaliers. Même leurs adversaires eurent du mal à conserver leur équilibre. Hadrian talonna sa jument blanche et se retira de la bataille afin de découvrir ce qui provoquait ces séismes. C'est alors qu'il aperçut, au loin, une curieuse nuée violette au sommet de la Montagne de Cristal. *Onyx, reviens tout de suite ici !* ordonna-t-il, hanté par de vieux souvenirs.

Lassa dormait en boule dans le grand lit de la caverne d'Abnar. Attendris, les deux petits dragons le surveillaient, assis de chaque côté de lui. Ils n'avaient jamais eu à s'occuper de qui que ce soit depuis qu'ils habitaient la Montagne de Cristal. Leur maître immortel allait et venait sans jamais les importuner. Il exigeait uniquement de ces bêtes magiques qu'elles protègent sa source d'eau céleste contre les intrus. Ramalocé et Urulocé avaient d'abord été déconcertés par les lamentations de leur jeune invité, mais au bout de quelques jours, une belle amitié s'était nouée entre l'adolescent et les sentinelles. Ces dernières s'employaient toute la journée à divertir le porteur de lumière avec des jeux, des devinettes, des spectacles de lumière ou même des épreuves de natation. Elles ne se reposaient que lorsque Lassa finissait par tomber de sommeil.

– Il me manquera lorsque le maître viendra le reprendre, soupira le dragon bleu.

– Tu as raison, acquiesça le dragon rouge. Cet endroit sera effroyablement silencieux après son départ.

Un formidable tremblement de terre agita le lit, projetant les dragons sur le sol et réveillant brutalement l'adolescent.

– Ramalocé ! Urulocé ! s'écria nerveusement Lassa. Qu'êtes-vous en train de faire ?

– Ce n'est pas nous, assura le dragon bleu.

Une seconde secousse, encore plus violente que la première, projeta le lit et son occupant contre le mur de la grotte. Le jeune homme s'accrocha au matelas, en vain. Il heurta le roc, rebondit et se retrouva sur le sol, entre les deux sentinelles ahuries. Il secoua la tête pour reprendre ses sens, puis tenta d'utiliser ses facultés magiques pour évaluer la nature du danger. Malheureusement, les parois de cristal de son sanctuaire ne laissaient rien passer.

– Le livre de toutes les connaissances ! s'exclama Lassa.

– Ce n'est guère le moment de lire, lui reprocha Urulocé, le dragon rouge.

– Ma magie n'a aucun effet, ici, lui rappela l'Écuyer, mais le vieux sage pourrait nous dire ce qui se passe.

– C'est probable, raisonna Ramalocé.

– Mais acceptera-t-il de répondre à une telle question ?

– Il nous a déjà fait faux bond dans le passé.

– En effet, mais il s'agissait d'un tout autre sujet.

– Arrêtez de débattre la chose entre vous et faites apparaître le livre ! hurla le porteur de lumière.

Ramalocé allait lui obéir lorsqu'un troisième choc, encore plus puissant, fit craquer le quartz hyalin du plafond. De gros morceaux de cristal s'écrasèrent à un cheveu de l'adolescent dans un épouvantable fracas.

– C'est le volcan qui se réveille ! s'énerva Urulocé.

– Cela ne s'est jamais produit depuis que nous vivons ici, le contredit l'autre sentinelle.

Lassa les ramassa tous les deux dans ses bras et courut s'abriter sous l'autel de pierre blanche d'où s'écoulait la source divine.

– C'est gentil de vouloir nous protéger, maître Lassa, mais pourriez-vous nous serrer moins fort ? réclama Ramalocé.

– Cessez de vous plaindre.

Un autre solide coup porté à la montagne lui arracha une partie de sa cime. Un éclatant rayon de soleil pénétra l'antre de l'Immortel. Les sentinelles se mirent à couiner avec désespoir, tandis que l'adolescent tentait de protéger ses yeux.

Onyx apparut aux côtés de la jument-dragon, portant déjà son regard sur le pic lointain. Son amusement avait cédé la place à une visible angoisse, car tout comme Hadrian, il reconnaissait ce nuage zinzolin pour l'avoir observé un peu trop souvent cinq cents ans plus tôt. Le cheval de Hawke se posa près des deux commandants. Le magicien d'Émeraude paraissait tout aussi inquiet que les deux autres.

– C'est impossible, gronda Onyx. Amecareth ne peut pas avoir rassemblé autant de sorciers en si peu de temps.

– J'ai vu cette scène dans la pierre des Sholiens, se souvint l'Elfe en écarquillant les yeux.

– Il serait peut-être temps de nous décrire le reste de cette vision ?

– Serons-nous aux prises avec des sorciers ? demanda plus précisément Hadrian.

– La dame blanche a parlé de *luces*.

– Des quoi ? le questionna Onyx en se tournant vers lui.

– Avant que je puisse en apprendre davantage, vous m'avez obligé à lâcher le diamant ! protesta Hawke.

Le Roi d'Émeraude pivota vers le nouveau commandant de son armée.

– Tu es plus savant que moi, Hadrian. Qu'est-ce qu'une *luce* ?

– Je me creuse l'esprit. Donne-moi un moment.

Un troisième séisme projeta Onyx sur le flanc de Staya. Il s'accrocha à la jambe d'Hadrian pour ne pas se retrouver face contre terre. Le spectacle que contemplèrent alors les trois hommes les laissa pantois : une énorme partie du sommet enneigé de la Montagne de Cristal venait de s'en détacher et glissait le long de sa paroi rocheuse.

– Peu importe ce qu'elles sont, il faut les arrêter tout de suite ! ragea Onyx. C'est ma forteresse qui se trouve au pied de ce pic !

Staya lança une brusque ruade, enfonçant ses sabots dans la cage thoracique d'un des scarabées qui les attaquaient par-derrière. Onyx fit volte-face, arrivant nez à nez avec la pointe acérée d'un javelot. Il fonça sur son adversaire, au lieu de reculer et de risquer de finir comme Wellan. Agrippant la lance à deux mains, il frappa brutalement le coléoptère au milieu du corps avec le plat de sa botte, le déséquilibrant. L'insecte tomba sur le dos et ses griffes glissèrent sur le manche en métal en provoquant un horrible grincement. Onyx en profita pour la lui arracher, la retourner vivement et la lui planter dans un œil.

– Hawke ! cria-t-il. Vous avez des ailes, allez voir ces trucs de plus près !

L'Elfe poussa son cheval-dragon au galop et grimpa vers le ciel.

Une dizaine de scarabées avaient réussi à traverser la ligne de défense des Chevaliers et s'en prenaient maintenant aux survivants de la première invasion. Hadrian sauta sur le sol, laissant sa monture matraquer l'ennemi à volonté. Quant à Onyx, il se défendait à coups de rayons ardents qu'il dirigeait sur la tête des guerriers argentés. Les coléoptères étaient bien trop nombreux pour que les deux hommes en viennent à bout facilement. C'est alors qu'un long cou se tendit entre Onyx et Hadrian, happant un coléoptère au milieu du corps et le lançant plus loin.

– Vas-y, Stellan ! l'encouragea Nartrach.

Le dragon décima les assaillants, permettant aux deux soldats de vaincre plus facilement le reste. Puis, lorsque son jeune maître l'y autorisa, Stellan avala son premier repas de la journée.

– Manges-en tant que tu peux ! lança Nogait en voyant l'énorme animal avancer pas à pas vers l'ennemi, craquant les carapaces sans la moindre difficulté.

– Ce ne sont pas des chevaux-dragons que nous devrions monter, mais des dragons ! ajouta Robyn.

– Comment les nourririez-vous après la guerre ? s'enquit Kevin tandis que Virgith massacrait les coléoptères à grands coups de sabots.

– Je suis sûr qu'on trouverait quelqu'un, répondit Nogait.

Dempsey rappela son bouillant soldat à l'ordre avant qu'une inattention de sa part ne lui coûte la vie.

Hawke se hâta vers la Montagne de Cristal, afin de rapporter à son commandant ce qui s'y passait. Plus il approchait, plus le nuage violacé se définissait. En plus d'utiliser ses yeux, l'Elfe se servit de ses pouvoirs magiques. Avec horreur, il découvrit que l'empereur lui-même se trouvait au milieu de la nuée, sur le dos d'un dragon rouge comme un soleil couchant. Il était entouré d'insectes volants ! *Sires Onyx et Hadrian, vous ne me croirez jamais...*

Amecareth rassembla à nouveau dans son corps son incroyable force de destruction, puis la laissa partir en un immense halo sur le sommet de la montagne, qu'il s'efforçait de démolir. Une autre portion de l'ancien volcan se détacha, mais s'effondra à l'intérieur de la caverne plutôt que sur le versant extérieur.

Constatant qu'il allait être enseveli vivant s'il ne tentait pas de fuir, Lassa voulut se dématérialiser. Puisqu'il était mort de peur, sa magie ne lui fut d'aucun secours. « Il faut que je me calme », se répéta-t-il plusieurs fois, sans succès. Il n'arrivait pas à quitter le sanctuaire éventré du Magicien de Cristal.

Un autre bloc de quartz s'écrasa sur le plancher, frôlant l'autel.

— Je dois nous sortir d'ici, décida l'adolescent.

Paniqués à l'idée de se retrouver sans défense dans le monde extérieur, les petits dragons se débattirent furieusement et échappèrent à Lassa.

— Ramalocé, Urulocé, revenez !

Les sentinelles se faufilèrent dans un orifice trop petit pour que l'adolescent puisse les suivre. Wellan lui avait appris de ne jamais perdre son temps à sauver quelqu'un qui n'a pas envie d'être sauvé. Dans ces moments-là, il était préférable de préserver sa propre vie. Lassa se précipita donc vers l'ouverture béante qui donnait sur la corniche. Il s'arrêta net en apercevant, dans le ciel, un énorme dragon rouge qui battait des ailes avec force pour demeurer stationnaire. Autour de lui voltigeaient des centaines d'insectes violacés qui ressemblaient à des mantes religieuses.

— C'est sur un avorton que repose le sort des humains ? s'étonna l'empereur en le voyant émerger de son refuge.

Lassa ne comprenait évidemment pas la langue des Tanieths. Tout ce qu'il perçut fut un horrible grincement. Il en chercha la provenance et distingua finalement la silhouette assise sur le dos du dragon : c'était Amecareth !

— Asbeth, empare-toi de lui.

Le corbeau géant se posa à quelques pas du porteur de lumière. Il pencha doucement la tête en examinant l'Écuyer, dont l'énergie lui était familière.

– Si tu viens avec moi sans te débattre, aucun mal ne te sera fait, croassa le mage noir.

– Vous mentez !

Si Lassa ne pouvait pas comprendre ce que lui disait l'empereur, ce dernier avait par contre reçu le don de déchiffrer la langue des humains.

– Tu as vraiment une mauvaise réputation, Asbeth, railla le seigneur des insectes.

– Il apprendra à m'apprécier...

Des griffes émergèrent des plumes noires, au bout des deux ailes, signalant à Lassa que s'il ne réagissait pas rapidement, il serait fait prisonnier par ces créatures meurtrières. Il fit aussitôt appel à tout le courage que lui avait si patiemment inculqué Wellan et chargea ses paumes. Ses rayons incandescents ricochèrent sur le bouclier du sorcier.

– Si vous voulez mon avis, monseigneur, cet enfant ne représente aucun danger pour vous, indiqua Asbeth.

– Il ne serait qu'un leurre ?

– Je sens une autre énergie semblable à la sienne dans les forêts du sud.

– Emmène-moi celui-ci et va chercher l'autre.

Le mage s'avança vers Lassa, espérant qu'il ne prenne pas la fuite en courant dans les décombres de la grotte. Le jeune homme reculait justement dans le trou foré dans le roc par la puissante magie d'Amecareth. Asbeth fit disparaître son écran de protection afin de se saisir du porteur de lumière. Il fut alors bousculé par une créature volante, qui tomba du ciel et passa à la vitesse d'une flèche entre sa proie et lui. L'instant d'après, le garçon avait disparu. Croyant qu'il avait profité de cette diversion pour aller se cacher, le sorcier sonda la grotte. Il n'y était pas ! Il pivota vivement vers la plaine qui séparait le Château d'Émeraude de la Montagne de Cristal.

– C'est un magicien et il a pris l'enfant ! lâcha Amecareth en s'éloignant sur son dragon.

En voyant le sorcier sur le point de s'en prendre à Lassa, Hawke n'avait pas hésité une seconde à se porter à son secours. Il l'avait saisi par sa tunique et ramené brutalement sur la croupe d'Hardjan, poussant aussitôt l'animal vers le sol. Il n'ignorait pas que les dragons étaient des bêtes bien plus rapides que les chevaux ailés, mais il devait à tout prix essayer de regagner Émeraude. La plaine représentait un terrain de chasse un peu trop à découvert. L'Elfe opta donc pour la forêt, où sa monture, beaucoup plus petite que le monstre de l'Empereur Noir, pourrait galoper au sol, sous les branches des arbres.

Le dragon rouge d'Amecareth prit volontiers le cheval-dragon en chasse. Même si le cerveau du seigneur des insectes était plus lent que celui des humains, ce dernier devina facilement la stratégie du magicien. Il fit naître un halo violet au milieu de sa poitrine recouverte d'une dure carapace et le fit glisser le long de son bras pour finalement le lancer sur les fuyards. Ce n'était pas une énergie destinée à tuer l'Elfe et l'enfant, car il voulait capturer vivant ce porteur de lumière dont parlaient les étoiles. La boule lumineuse frappa Lassa dans le dos et se propagea à Hawke et à sa monture, qui allait toucher le sol. Les ailes d'Hardjan cessèrent de battre et la bête piqua dans la clairière. Le premier tonneau éjecta l'adolescent, qui heurta brutalement la terre à peine couverte d'herbage.

Le magicien d'Émeraude tenta désespérément d'aider son cheval à replier ses pattes pour éviter qu'il ne les casse toutes en percutant un obstacle. Hardjan heurta le sol et fit plusieurs roulades pour s'arrêter juste avant les arbres, dans un nuage de poussière.

– Hardjan ? appela l'Elfe, d'une voix faible.

La bête demeura inerte. Incapable de dégager sa jambe coincée sous le cheval assommé par cet atterrissage catastrophique, Hawke ne pouvait pas se relever suffisamment pour voir ce qui était advenu de Lassa. Il le chercha donc avec ses sens invisibles. L'Écuyer était étendu sur le ventre, à l'autre bout de la clairière. Il ne bougeait pas, mais il n'était pas mort.

Hawke ne redoutait plus le dragon de l'empereur, car il ne pouvait pas se poser dans cette trouée. Sa plus grande crainte se concrétisa quelques secondes plus tard, lorsque Asbeth descendit du ciel entre le porteur de lumière et lui. *Lassa, réveille-toi !* hurla mentalement le magicien.

– Le petit sauveur du monde a-t-il reçu un violent coup sur la tête ? ricana le mage noir en marchant vers son butin.

« Je dois faire quelque chose », s'énerva Hawke. Il fit un autre effort pour délivrer sa jambe, sans succès. Il ne pouvait pas non plus lancer des faisceaux d'énergie à l'aveuglette, par-dessus le flanc du cheval, car il risquait de tuer Lassa en même temps que le sorcier ! Il eut alors une idée. Même en sachant que son initiative allait lui causer autant de souffrance qu'à Asbeth, il posa sa paume à plat sur le sol et laissa partir la plus puissante décharge électrifiée qu'il ait jamais produite. Le choc lui arracha un cri de douleur et fit sursauter le corbeau qui le sentit sous ses pieds. Mais il réussit aussi à ranimer l'Écuyer.

– Lassa, sauve-toi ! explosa Hawke.

18

KIRA L'IMMORTELLE

Entourée de rosiers dorés et argentés, Kira était assise sur un banc de perles et écoutait d'une oreille distraite les recommandations de sa mère. Elle qui avait pensé que le Royaume des Fées était le lieu le plus étrange du monde était bien forcée d'admettre que l'univers des dieux l'était davantage. Les matériaux les plus incompatibles s'y côtoyaient ! Avant d'atteindre ce jardin enchanteur, la toute récente défunte avait marché sur la surface vitrée d'un grand lac, sous laquelle se pourchassaient des créatures de forme serpentine ne possédant que des pattes antérieures. « Mais comment peuvent-ils respirer sous la glace ? » s'étonna Kira.

Elle avait ensuite suivi sa mère sur la berge en sentant ses pieds s'enfoncer dans le sol moelleux comme de la ouate. Un sentier de petits diamants étincelants serpentait entre des sapins roses desquels pendaient des coquillages ! La rotonde de la déesse Fan s'élevait au bout du chemin, sise sur un monticule de pierres transparentes. Des rosiers métalliques en garnissaient le pourtour.

– Si tu veux continuer de mener l'existence des Immortels, il te faudra faire très attention à ne pas indisposer Parandar et Theandras, lui disait Fan, assise dans la valve inférieure d'un tridacne tout grand ouvert, tapissée de fourrure blanche.

— Onyx prétend que les dieux ne savent pas ce qui se passe dans le monde des mortels, répliqua la Sholienne.

— Ils ne surveillent pas constamment leurs faits et gestes, c'est vrai. Cependant, ils peuvent y jeter un coup d'œil par l'intermédiaire de leurs Immortels.

— Ils peuvent s'en servir quand bon leur semble ?

Fan hocha doucement la tête.

— Je n'aime déjà pas mon nouvel état, soupira Kira.

— Une fois que tu auras appris à traverser aisément de ce monde à celui des hommes, tu constateras rapidement que tu possèdes désormais d'immenses pouvoirs.

— Que je ne peux pas utiliser, en raison de tous vos règlements stupides de non-intervention.

— Rien ne t'empêche de faire preuve d'imagination en respectant nos lois.

— J'ai eu l'occasion d'observer Abnar et il était évident qu'il ne jouissait d'aucune liberté.

— Tu as un atout de plus que lui, Kira. Tu es née parmi les mortels, où on t'a enseigné à penser par toi-même. Abnar n'a pas eu cette chance. Il a grandi dans un monde où tout lui était dicté.

Les deux femmes entendirent alors un grand cri qui se répercuta jusqu'aux confins des terres célestes.

– Qu'est-ce que c'est ? s'inquiéta Kira.

– C'était Wellan.

Fan prit la main de sa fille dans la sienne, l'emmenant instantanément avec elle jusqu'à l'étang révélateur. Wellan était penché au-dessus de l'eau, tremblant sur ses bras de plus en plus faibles. Kira grimpa aussitôt sur un petit rocher pour voir ce qu'il regardait. Ce qu'elle aperçut fit monter la colère en elle. Manifestement blessé, Lassa rampait sur le sol, tentant d'échapper au sorcier Asbeth.

– Est-ce une image du futur ? voulut savoir Wellan, atterré.

Fan passa doucement la main au-dessus de la scène.

– Non, affirma-t-elle.

La déesse se tourna ensuite vers sa fille qui, horrifiée, voyait le sorcier s'approcher de plus en plus du Prince de Zénor, probablement dans l'intention de le tuer.

– Ton destin est de protéger ce garçon, lui rappela-t-elle.

– Je suis morte ! hurla Kira, furieuse.

– Seulement dans le sens où l'entendent les humains. Si j'étais toi, je me porterais sans délai au secours du porteur de lumière.

– Comment ?

– Tous les points d'eau de ce monde donnent accès à celui des mortels. Tu n'as qu'à te laisser tomber dans cet étang en songeant à Lassa.

Kira dirigea un regard angoissé sur la surface de la mare, puisqu'elle avait toujours craint l'eau, mais ce qu'elle y vit l'enflamma. Asbeth venait de planter les serres de ses pattes dans le dos de Lassa pour le clouer au sol. La Sholienne sauta dans l'étang avec la ferme intention de régler une fois pour toutes ses comptes avec l'oiseau de malheur. Elle fut emportée dans une spirale glacée et, quelques secondes plus tard, atterrit sur la terre ferme.

Elle examina rapidement les alentours afin de déterminer ce qui l'aiderait à combattre son ennemi. Elle vit Hawke, coincé sous son cheval ailé. La pauvre bête ne serait certainement pas en mesure de transporter Lassa en sûreté. *Hathir !* appela Kira avec ses pensées. Son cheval ne pouvait pas être bien loin, puisque cette forêt faisait partie de son domaine. À la droite du sorcier, elle distingua les restes d'un puits à travers l'herbe haute.

Le sorcier et l'adolescent se trouvaient de l'autre côté de la clairière. Sans perdre une seconde, Kira chargea ses mains et visa le mage noir en courant vers lui. Probablement alerté par le sixième sens des magiciens, le corbeau se retourna juste à temps pour parer son attaque. Les rayons violets de la Sholienne ricochèrent sur son écran protecteur. Asbeth décrocha aussitôt ses griffes de la peau de Lassa et le sang se répandit sur la tunique verte de l'Écuyer.

— Moi qui te pensais perdue pour toujours, croassa l'affreux oiseau.

Les paumes de l'Immortelle étincelaient d'une vive lumière mauve. Elle était en position d'attaque et surveillait le moindre geste de son adversaire. « Finalement, ma mère a raison de dire que mon séjour parmi les humains m'a bien servi, car, contrairement à Abnar, je sais me battre », comprit-elle.

— Regarde là-haut, continua Asbeth.

Kira n'en fit évidemment rien.

— C'est ton père qui te cherche. Il sera fou de joie lorsqu'il verra que je t'ai enfin retrouvée.

— Éloigne-toi tout de suite de cet enfant, Asbeth, ordonna la guerrière.

— J'étais là avant toi.

— Je t'ai dit de t'éloigner.

— Sinon quoi ?

L'être maléfique laissa tomber son bouclier invisible et bombarda la fille de l'empereur d'éclairs bleuâtres. Kira cessa de réfléchir et s'en remit entièrement à sa formation de soldat. L'épée double apparut dans ses mains. La Sholienne utilisa aussitôt ses lames pour dévier les filaments électrifiés. Elle les dirigea si habilement vers le lieu de leur provenance que le sorcier fut forcé de lutter contre ses propres décharges.

— L'empereur ne sera pas content d'apprendre que tu t'en es prise à moi ! l'avertit Asbeth.

— Quel dommage.

Kira ressentit l'approche de son cheval-dragon, ce qui eut pour effet de redoubler ses forces. *Lassa, es-tu capable de te relever ?* lui demanda-t-elle.

— T'imagines-tu que je ne peux pas entendre ces paroles que vous échangez à la manière des Tanieths ?

— Lassa ! cria-t-elle.

Il secoua la tête pour reprendre ses sens.

— Es-tu sérieusement blessé ?

— Kira ? Est-ce que je suis mort ?

— Pas encore. Mais si tu ne fais pas ce que je te dis, cela pourrait bien arriver.

Asbeth se retourna et fit un pas vers le porteur de lumière. Kira ne lui donna pas l'occasion de s'emparer de lui. Elle chargea comme un taureau et planta la pointe d'une de ses deux lames dans le dos du corbeau. Il gémit horriblement et leva une aile pour lancer un halo lumineux sur son assaillante. Kira n'eut pas le temps de se protéger. L'énergie la frappa de plein fouet, l'envoyant rouler sur le sol. Curieusement, elle ne ressentait aucune douleur.

Sans perdre une seconde, elle revint à la charge. Asbeth ne parvint pas à empoigner l'adolescent qu'il voulait remettre sans tarder à son maître. Kira lui fonça dessus, tête baissée, et le fit basculer par-dessus Lassa. Ils s'écrasèrent sur le sol en même temps. D'une agilité surprenante, le sorcier tenta de la saisir à la gorge. L'Immortelle roula plus loin, évitant les longues griffes du mage. Elle se mit à genoux et lui lança des rayons ardents.

Hathir arriva alors dans la clairière. Voyant sa maîtresse en danger, il se porta aussitôt à son secours. Asbeth se releva promptement.

— Non, Hathir ! l'arrêta Kira. Aide Lassa !

Voyant qu'il risquait de perdre sa proie, le sorcier tendit ses ailes vers l'enfant dans le but de le faire venir à lui par lévitation. L'Immortelle fut plus rapide que lui. Elle fit voler son épée double jusqu'à sa main et se précipita de nouveau sur le corbeau. Obligé de se défendre, Asbeth oublia ses plans d'enlèvement. Il matérialisa plutôt une lance argentée, en tous points semblables à celles qu'utilisaient les scarabées, et opposa à la Sholienne sa force physique plutôt que sa puissance magique. Les deux magiciens échangèrent de violents coups, tandis que l'énorme étalon noir flairait les cheveux de Lassa. Ce dernier trouva tout juste assez de force pour s'accrocher à sa longue crinière. Hathir releva la tête, remettant l'adolescent sur ses pieds. Constatant la précarité de l'équilibre de l'Écuyer, le cheval-dragon descendit sur ses genoux pour lui permettre de monter sur son dos.

Kira faisait peu à peu reculer Asbeth vers le vieux puits qu'elle avait aperçu plus tôt. Il se battait de son mieux, mais il était évident qu'il n'avait pas souvent eu recours aux armes. Lorsqu'il fut en ligne droite avec le trou creusé dans le sol, Kira fit deux pas vers l'arrière en faisant disparaître son épée double. Asbeth ne se doutait toujours de rien. Faisant appel à ses pouvoirs de lévitation, la Sholienne le repoussa brutalement.

Le sorcier hurla de colère et planta ses serres dans la terre. Malgré tous ses efforts pour résister à l'extraordinaire pression, il laboura le sol et fut refoulé vers le puits, où il finit par basculer. Kira voulut s'assurer que son adversaire mettrait un long moment à se tirer de ce mauvais pas. Elle fit donc tomber les anciennes pierres de la margelle sur Asbeth, mais ne resta pas pour voir comment il s'en échapperait.

Lassa avait réussi à grimper sur le dos du cheval-dragon. Justement, Hathir se relevait. Kira courut et sauta sur sa croupe.

— Au château, Hathir ! ordonna-t-elle.

L'urgence de son ton de voix fit comprendre à l'animal qu'il ne s'agissait pas d'un jeu. Il se mit à courir comme une flèche vers le sud, dans les sentiers qu'il connaissait par cœur. Kira ferma les bras sur Lassa, qui avait du mal à demeurer conscient. Elle risqua un œil vers le ciel et vit passer l'ombre du dragon. Il lui faudrait donc le combattre, une fois sortie de la forêt, car les alentours de la forteresse n'étaient pas boisés.

Une grosse branche tomba directement devant eux, forçant Hathir à sauter par-dessus. Son geste brusque faillit éjecter ses deux cavaliers. Kira empoigna sa crinière, de façon à emprisonner Lassa entre sa poitrine et l'encolure musclée de son étalon. Elle leva une fois de plus les yeux. L'insecte assis sur le dragon était en train de former un halo sur sa poitrine. « C'est Amecareth », le reconnut-elle. On disait qu'il était un bien plus formidable opposant que son sorcier à plumes. Il était cependant difficile de riposter à son attaque, au grand galop entre les arbres. Elle s'employa plutôt à deviner où tomberaient les prochains anneaux incandescents du seigneur noir.

— À droite, Hathir ! cria-t-elle.

L'étalon obliqua brusquement de ce côté tandis que l'énergie destructrice de l'empereur abattait un arbre sur leur gauche. Ils s'en tirèrent assez bien jusqu'à la plaine. Kira songea à utiliser ses pouvoirs de déplacement magique, mais ses mauvaises expériences en la matière, dans le passé, la firent hésiter. Une explosion juste devant eux fit faire une incartade à sa monture. La Sholienne n'avait plus le choix. Elle ferma les yeux et fit ce que lui avait enseigné Abnar. Avant qu'elle puisse cligner des yeux, le cheval et ses deux cavaliers se retrouvèrent sur la route de terre qui menait au château ! Dans le ciel, cependant, le dragon gagnait du terrain.

— Plus vite, Hathir !

En approchant de la forteresse, Kira constata que les grandes portes étaient refermées et que les sentinelles commençaient à hisser le pont-levis.

— Non ! cria-t-elle.

Hathir prit son envol pour sauter par-dessus les douves et le pont-levis à moitié remonté et gagner l'énorme planche de bois. Il allait foncer dans les portes ! Kira ferma les yeux et fit appel à toute sa puissance. Le trio se retrouva magiquement à l'intérieur, où il sema la panique parmi les serviteurs qui traversaient la cour. L'étalon s'arrêta en glissant sur ses pattes postérieures, levant un nuage de sable autour de lui. Il était couvert de sueur.

Morrison fut le premier à réagir. Il arriva à la course et aida Kira à faire descendre Lassa du destrier.

— Il a perdu beaucoup de sang, lui dit la Sholienne. Transportez-le aux cuisines. Nous n'avons pas le temps de l'emmener dans sa chambre.

Ils se trouvaient juste devant la porte menant aux quartiers des cuisinières. Le forgeron fit ce que lui demandait la femme Chevalier. À grands pas, il fonça à l'intérieur du palais et déposa l'Écuyer sur l'une des tables où l'on préparait habituellement la nourriture. Kira l'avait prestement suivi.

— Retournez-le sur le ventre.

Morrison s'exécuta prestement. Il déchira même la tunique de sa propre initiative. La Sholienne alluma ses paumes d'une douce lumière et referma les plaies sans perdre de temps. Une des femmes lui tendit alors un linge humide, qui lui permit de nettoyer le dos du porteur de lumière. Elle ne trouva aucune autre blessure hormis celles qui avaient été causées par les serres d'Asbeth.

– Mais où étiez-vous passée, Lady Kira ? s'enquit finalement le forgeron.

Ils entendirent alors les cris d'effroi des habitants du château. Morrison se planta dans la porte et vit passer le dragon rouge au-dessus des murailles.

– Ils possèdent combien de ces créatures ? s'exclama-t-il.

Sur la passerelle, Jahonne et Amayelle se défendaient de leur mieux, mais leurs tirs ne faisaient que titiller la bête. Maintenant que Lassa était hors d'atteinte d'Asbeth, Kira vint à la rescousse du château qui l'avait vue grandir. Elle passa sous le bras de Morrison, s'empressa de se rendre au centre de la cour et calla ses pieds dans le sable. La seule façon de préserver la forteresse, c'était de la rendre inaccessible à l'empereur. Elle avait déjà vu Onyx utiliser une magie fort intéressante dans des circonstances semblables. Même si elle n'avait pas réussi à créer le même genre de voûte d'énergie pour protéger les Chevaliers de la pluie, jadis, sa mère prétendait qu'elle était désormais plus puissante.

Une toile de lumière lilas se forma au-dessus du château, juste à temps. Amecareth venait de projeter un halo qui aurait probablement détruit une partie du palais. L'anneau brillant rebondit sur le bouclier géant et manqua l'empereur de peu. Plus intelligent que son sorcier, le seigneur des insectes ne lança plus d'énergie contre la barrière magique et se contenta de voler en rond au-dessus d'elle, cherchant une brèche. Kira ne bougeait pas un seul muscle, se demandant si, comme celle créée autrefois par le Roi Onyx, cette membrane lumineuse pourrait tenir en son absence.

Jahonne dévala l'escalier des passerelles pour se joindre à elle. Elle aurait bien aimé l'étreindre afin de lui exprimer sa joie de la revoir vivante, mais elle craignait de mettre fin au sortilège qui venait de leur sauver la vie.

L'étoile que Kira portait au cou se mit alors à briller de plus en plus intensément.

– Je perds des forces, constata l'Immortelle.

– Est-ce la faute de ce bijou ? interrogea l'hybride.

Kira baissa les yeux et se rappela les paroles de Fan.

– Je dois partir, sous peine de perdre la vie, Jahonne. Pouvez-vous maintenir cette énergie en mon absence ?

– Je n'en sais rien, mais je peux essayer.

– Hawke est dans la forêt et il est blessé. Je ne pourrai pas le secourir...

– Nous nous occupons de lui. Promettez-moi de revenir dès que vous le pourrez. Nous voulons savoir ce qui vous est arrivé.

La Sholienne ressentit une telle fatigue qu'elle ne fut plus capable de prononcer un seul mot. Elle s'évanouit sous les yeux de sa demi-sœur, comme un mirage fondant sous le soleil.

À l'entrée de la cuisine, Morrison continuait d'observer la magie de ces étranges femmes mauves. Il entendit alors les lamentations de l'adolescent et retourna à l'intérieur. Lassa tentait de se relever sur ses coudes, sous le regard impuissant des cuisinières.

— Doucement, mon garçon, lui recommanda le forgeron en l'empêchant de se redresser.

— Où est Kira ?

— Elle a disparu.

— Non, rattrapez-la...

— Je ne possède pas vos pouvoirs magiques. Je ne saurais pas comment faire.

— Laissez-moi me remettre debout, Morrison.

— Pas avec tout le sang que je vois là.

— Je suis faible, c'est vrai, mais mes blessures sont refermées. Je vous en conjure, je dois la retrouver.

S'il était un homme bourru, le forgeron n'était toutefois pas complètement insensible. Il aida donc l'adolescent à descendre de la table, que les femmes s'empressèrent de laver. Lassa marcha en s'appuyant sur Morrison. Ils sortirent du palais mais, tout comme il le craignait, le porteur de lumière ne vit sa bienfaitrice nulle part.

— Kira..., hoqueta-t-il.

— Je suis certain qu'elle reviendra, affirma Morrison.

Lassa perdit conscience dans ses bras.

— Transportez-le à l'étage royal, lui conseilla Jahonne, qui réussissait plutôt bien à protéger la forteresse contre Amecareth et son dragon. Amayelle la rejoignit un instant plus tard.

– Ai-je bien vu Kira, il y a un instant ?

– Oui, c'était elle, et je ne sais pas comment c'est possible. Elle m'a dit que Hawke était blessé.

Amayelle s'efforça de le trouver avec ses sens magiques. Il était au nord du château, sur les plaines occupées par les chevaux-dragons.

– Je vais aller le chercher, décida-t-elle.

– Pas toute seule, au moins ? s'alarma Jahonne. Je ne pourrai pas étendre cette protection magique jusqu'à la forêt. Prenez les sentinelles avec vous.

– Un petit groupe de cavaliers serait trop facilement repéré par une créature volante. Je sais exactement ce que je dois faire.

– Amayelle, je vous en prie...

– Ayez confiance en moi, Jahonne.

La Princesse des Elfes trottina jusqu'au gros cheval noir qui s'abreuvait depuis un moment dans l'auge près de la clôture des enclos.

– Hathir, je suis Amayelle. Je sais fort bien que tu n'as jamais laissé personne monter sur ton dos, sauf Kira et Lassa, mais mon frère Elfe est blessé et je dois le secourir. J'ai besoin de ton aide.

L'étalon examina la jeune femme aux longs cheveux blonds pendant un instant, puis descendit sur ses genoux. Fort heureusement, depuis les récentes attaques, Amayelle portait une tunique courte et un pantalon, qui lui permettaient d'être plus mobile dans les escaliers des passerelles. Elle grimpa donc facilement sur le cheval. Sans qu'elle ne lui en donne l'ordre, Hathir se dirigea vers les grandes portes.

– Je vous en prie, ouvrez ! cria la princesse aux sentinelles.

– Est-ce prudent, Lady Amayelle ?

– Le magicien d'Émeraude a reçu des blessures. Je dois lui porter secours.

Après un peu d'hésitation, les hommes actionnèrent la manivelle, descendant le pont-levis et ouvrant juste assez les portes pour laisser passer le cheval noir.

– Surveillez mon retour, exigea Amayelle. Il se peut que j'aie à échapper à l'ennemi.

– À vos ordres.

En choisissant des chemins détournés, Hathir mena la femme Elfe à l'endroit même où son compatriote était tombé. Hawke était allongé dans la clairière, toujours incapable de dégager sa jambe. Amayelle mit pied à terre et se hâta auprès de lui, croyant qu'il avait été tué.

– J'en ai assez de me faire assommer, soupira Hawke en ouvrant les yeux.

– Lorsqu'on n'est pas soldat et qu'on participe à la guerre, voilà ce qui arrive. Votre cheval est-il mort ?

– Non, j'entends battre son cœur.

– Avez-vous tenté de le déplacer par magie pour vous libérer ?

– Oui, mais il a poussé un tel gémissement que je n'ai plus osé bouger.

Craignant le pire, Amayelle alla examiner l'animal. Repérant facilement les fractures qu'il avait subies à l'épaule et à la patte qui avaient touché terre en premier, elle alluma ses paumes et ressouda patiemment les os. Les Elfes étaient les principaux protecteurs des animaux sur le continent. Jamais ils ne les laissaient souffrir. La princesse fit ensuite disparaître la douleur qui incitait le cheval-dragon à demeurer immobile. Hardjan exprima sa reconnaissance par un faible gémissement et se roula de façon à pouvoir se relever sur ses quatre pattes.

Une fois qu'il fut debout, Amayelle se pencha sur le mage. Il n'avait rien de cassé, mais sa jambe était enflée. Elle s'employa donc à rétablir sa circulation. Hathir surveillait attentivement le ciel et la forêt, redoutant le retour du dragon et de l'oiseau géant qui s'en était pris à sa maîtresse. Se souvenant que ce dernier était tombé dans un trou, non loin de cet endroit, l'étalon décida de s'assurer que les Elfes n'avaient rien à craindre de lui. Il s'approcha du vieux puits. L'herbe haute était parsemée de vieilles pierres qui avaient servi à son édification, et le cheval fit attention de ne pas trébucher. Lorsqu'il fut suffisamment près de la cavité, il étira l'encolure et la flaira. Le sorcier ne s'y trouvait plus.

Hathir recula avec une étonnante célérité afin de retourner monter la garde près des amis de Kira. Si le corbeau était de nouveau en liberté, il pouvait bien s'en prendre à eux aussi. Hardjan ressentit tout de suite la fébrilité de l'aîné. Il battit des ailes, comme pour les mettre à l'épreuve. Son maître l'observa tandis que la princesse achevait son traitement.

– Quelque chose ne va pas, annonça nerveusement Hawke.

Amayelle lui saisit le bras pour le remettre sur pied. Le magicien clopina jusqu'à sa monture, plaça la main sur son front et sursauta !

– Es-tu capable de voler ? s'alarma-t-il.

Hardjan secoua la tête, encore chancelant. Il ne serait certainement pas en mesure de porter un adulte sur son dos, encore moins deux.

– Fuis ! lui ordonna son maître.

– Que se passe-t-il, Hawke ? s'agita Amayelle.

– Asbeth est toujours ici.

D'ailleurs, Hathir avait commencé à frapper durement le sol avec ses sabots, lançant un défi à leur ennemi. Le plus jeune des deux chevaux-dragons filait déjà vers le château, volant juste un peu au-dessus du sol en zigzags, pour éviter d'être labouré par les griffes du dragon qui risquait de fondre sur lui.

– Ne restons pas ici, commanda la princesse.

Elle tira Hawke par la main et marcha résolument jusqu'à Hathir. Une sombre silhouette apparut alors entre les arbres. Meurtri par sa blessure au dos, par sa chute et par les pierres que Kira avait fait tomber sur lui, Asbeth leur parut moins terrible, tout à coup. Mais le magicien d'Émeraude savait trop bien qu'il ne fallait jamais faire confiance au serviteur d'un vorace conquérant.

— Rentrez au château, Amayelle.

— Votre cheval est parti sans vous, Hawke. Il n'est pas question que j'utilise toute seule notre unique façon de retourner en lieu sûr.

— Faites ce que je vous dis.

Fou de colère, l'homme-oiseau ne pensait qu'à se venger. Il en oublia presque les règles élémentaires de la prudence. Il laissa brusquement partir des éclairs bleus sur les deux Elfes, sans se protéger lui-même. Pour un homme qui n'était pas soldat, Hawke eut l'heureux réflexe de former d'une main un écran de protection devant Amayelle et le cheval noir, et de contre-attaquer de l'autre. Le rayon immaculé frappa Asbeth en pleine poitrine et l'envoya choir dans les arbustes. Hawke ne perdit pas une seconde. Il se hissa sur le dos de l'étalon, puis tendit la main à Amayelle et la grimpa derrière lui. Hathir n'eut pas besoin qu'on lui dise quoi faire. Il fonça dans la forêt avant que le sorcier ne reprenne ses esprits.

19

UN EMPEREUR TENACE

Abnar refaisait ses forces sous une cascade d'eau cristalline du domaine de la déesse Cinn lorsqu'il ressentit la terreur des sentinelles. Ces petits dragons ne faisaient pas partie des plus braves bêtes de l'univers, mais ils savaient bien évaluer le danger. S'ils lançaient maintenant ce cri d'alarme, c'est qu'il était arrivé quelque chose de terrible au porteur de lumière. Le Magicien de Cristal ferma les yeux et se laissa tomber dans le bassin. Il traversa la membrane glaciale qui séparait le monde des dieux de celui des mortels, et fila vers sa montagne. En se matérialisant sur la corniche, il fut frappé de stupeur. La paroi rocheuse, protégée par sa propre magie, avait été défoncée !

Il s'empressa d'entrer dans la grotte et contourna les débris jusqu'à l'autel. Miraculeusement, la source continuait d'y couler. Il sonda ensuite le sommet du pic, sans trouver Lassa.

— Où est le garçon ? demanda-t-il en fronçant les sourcils.

— Il a été enlevé, fit une voix à sa droite.

— Racontez-moi.

La tête basse, les deux petits dragons sortirent de leur cachette.

– Maître Lassa dormait lorsque la terre s'est mise à trembler, commença Ramalocé.

– Des morceaux du plafond se sont détachés et ils ont bien failli nous réduire en bouillie, continua Urulocé.

– Nous nous sommes réfugiés sous l'autel.

– C'est à ce moment que ce mur, là-bas, s'est effondré.

– La lumière est entrée dans votre caverne et nous l'avons d'abord fuie.

Abnar les écoutait en silence, essayant de s'imaginer les événements.

– Au lieu de venir avec nous, poursuivit Ramalocé, maître Lassa est sorti de la grotte.

– Nous tremblions de peur, mais nous ne pouvions pas l'abandonner.

– Nous sommes donc sortis de notre cachette avec l'intention de nous saisir de ses vêtements et de le ramener à l'intérieur, mais...

– Une horrible créature noire était plantée devant lui.

– En fait, il y avait des centaines de créatures dans le ciel. J'ai même vu un dragon de Parandar.

– Le sorcier s'est-il emparé de Lassa ? s'enquit Abnar.

– Non, ce n'est pas lui, affirma Urulocé.

– Ni l'autre qui chevauchait le dragon, ajouta Ramalocé.

– Alors, qui ? s'impatienta l'Immortel.

– Un humain sur un cheval ailé. Il a emporté maître Lassa et le dragon lui a donné la chasse.

– Nous nous sommes approchés de l'ouverture pour voir où ils allaient, mais ils étaient déjà trop loin.

– Je vois...

– Est-il arrivé malheur à maître Lassa ? s'affligea Ramalocé.

– Je le sens toujours vivant.

Les petits dragons redressèrent la tête avec espoir.

– Il n'y a donc plus d'endroit où je puisse le soustraire à la cruauté de l'Empereur Noir, soupira le Magicien de Cristal.

Un autre Immortel apparut alors près de lui, faisant fuir les petites bêtes derrière les débris.

– Que s'est-il passé ici ? s'étonna Danalieth.

– L'empereur a su, je ne sais comment, que je cachais le porteur de lumière dans la montagne.

Le plus âgé des deux Immortels scruta tout le continent en une fraction de seconde.

– Lassa se trouve pourtant au Château d'Émeraude, en ce moment, indiqua Danalieth.

– Grâce à Hawke. J'ignore à quel point il y sera en sûreté.

– Abnar, je sais que vous n'avez pas une très bonne opinion de moi, mais de grâce, prenez le temps de m'écouter.

Le silence du Magicien de Cristal incita Danalieth à lui confier ses craintes.

– Votre dévouement pour Parandar est exemplaire, mais je sens en vous un amour pour les humains aussi grand que le mien. Ne croyez-vous pas qu'il est grand temps de leur offrir une vie remplie de bonheur et de paix ?

– Hadrian m'a déjà fait ce sermon, grogna Abnar.

– Votre frère est un homme sage.

Le Magicien de Cristal ne le savait que trop bien. Sans savoir qu'il partageait un lien de sang avec l'ancien Roi d'Argent, il avait éprouvé de l'admiration pour ce chef au grand cœur qui avait mené la défense du continent d'une main de maître, des centaines d'années auparavant.

– Accompagnez-moi sur le champ de bataille et voyons ce que nous pouvons faire pour soulager les Chevaliers, suggéra Danalieth.

– Je dois d'abord m'arrêter au Château d'Émeraude.

Danalieth n'eut pas besoin de demander pourquoi. Il était conscient de l'importance de garder le porteur de lumière en vie.

– Ramalocé, Urulocé, venez par ici, appela Abnar.

Les deux dragons s'étirèrent le cou hors de leur cachette.

– Vous êtes désormais trop vulnérables dans cette grotte.

Le mage les prit sous chaque bras, malgré leurs couinements craintifs, et s'évapora, aussitôt imité par son confrère immortel. Ils réapparurent dans la chambre où on avait couché Lassa, à l'étage royal du palais. Abnar déposa les deux dragons sur le lit.

– Maître Lassa ! s'exclamèrent en chœur les petites bêtes.

– Mais comment..., bredouilla l'adolescent, les paupières entrouvertes.

– Ils m'avertiront si on tente encore de t'enlever, indiqua Abnar. Ne quitte pas le château.

– Ne vous en faites pas, je n'en aurais pas la force.

– Veillez sur lui, ordonna le mage aux sentinelles.

Abnar se volatilisa dans une pluie d'étoiles argentées.

Les combats faisaient rage sur la berge de la rivière Mardall. Chacun des commandants couvrait une section de la rive avec son groupe, mais des scarabées réussissaient tout de même à se faufiler entre les troupes. Le dragon de Nartrach en happait plusieurs, mais il commençait à manquer d'appétit. Du côté des humains, Bridgess n'éprouvait aucun problème à diriger ses soldats. Pour Ariane, c'était une toute nouvelle expérience. De plus, elle se sentait obligée de surveiller son époux et sa jeune sœur, qui pourtant ne se trouvaient pas sur le front. La Fée guerrière avait voulu qu'ils restent derrière les Chevaliers afin d'empêcher les coléoptères de prendre la fuite. Dinath se débrouillait fort bien avec les pouvoirs de ses mains. Quant à Kardey, l'intervention du Roi Tilly l'avait physiquement transformé en Fée, mais sans lui accorder les facultés particulières de ces créatures aériennes. L'ancien capitaine d'Opale se servait donc de son épée pour matraquer le visage des scarabées, cherchant à leur crever les yeux.

Hadrian luttait en conservant un lien télépathique avec tous ses soldats. Il commençait à ressentir leur fatigue et, pourtant, la bataille était loin d'être gagnée. Lui-même maniait sa lame avec de moins en moins de vitesse. « Vénérable Ialonus, je vous en conjure, ne laissez pas l'envahisseur nous déposséder de ces terres qui nous furent données par Parandar », pria-t-il silencieusement. Comme en réponse à sa supplication, Abnar et Danalieth apparurent en retrait de la mêlée. Hadrian acheva son adversaire et recula prudemment jusqu'aux deux Immortels.

– Toute suggestion serait grandement appréciée, les encouragea le commandant.

– Demandez à vos hommes de mettre leurs mains sur leurs yeux, requit le Magicien de Cristal.

– Sans vouloir vous manquer de respect, Abnar, je ne peux pas exiger d'eux qu'ils se rendent aussi vulnérables tandis qu'ils font face à l'ennemi.

– Faites ce que je vous dis et assurez-vous qu'ils vous obéissent.

Hadrian rengaina son épée sans cacher sa profonde inquiétude. *Écoutez-moi tous !* lança-t-il. *Lorsque je vous en donnerai le commandement, laissez tomber vos armes et protégez vos yeux avec vos mains.*

L'ancien souverain capta aussitôt le malaise des Chevaliers. Il s'approcha de Kardey et tua le scarabée qu'il affrontait. Il l'éloigna tout de suite des combats en le tirant par le bras et lui répéta la même chose à voix haute. Nartrach, qui avait aussi entendu les directives télépathiques du commandant, fit en sorte que son dragon replie le cou vers lui et cacha sa tête triangulaire contre sa poitrine en fermant les yeux. Virgith et Staya se blottirent l'un contre l'autre.

— Maintenant ! signala Abnar.

Hadrian transmit l'ordre à ses troupes en invoquant la clémence des dieux. Un halo aveuglant sortit du corps de l'Immortel et se propagea comme une onde centrifuge sur le champ de bataille. Les hurlements des Tanieths ne durèrent que quelques secondes, puis ce fut le silence. Les Chevaliers n'osaient même plus bouger.

— Vous pouvez ouvrir les yeux, leur permit le Magicien de Cristal.

Ils abaissèrent leurs mains et constatèrent que tous les scarabées gisaient sur le sol.

— Que s'est-il passé ? s'informa Kevin qui, assis sur Virgith, portait toujours son bandeau opaque.

— C'est vous qui les avez terrassés ? demanda Santo en se tournant vers Hadrian.

Le commandant secoua négativement la tête.

– Alors qui ? tonna Onyx, qui n'appréciait pas les devinettes.

– C'est Abnar, les informa Danalieth.

Refusant de le croire, Onyx s'approcha vivement du Magicien de Cristal.

– C'est vous ? explosa-t-il, furieux. Toutes ces années, vous possédiez un tel pouvoir de destruction et jamais vous ne l'avez utilisé contre ces sales insectes !

Hadrian se mit en travers de sa route pour qu'il ne tente pas de faire un mauvais parti à Abnar.

– Nous avons décidé de défier nos créateurs en vous venant ainsi en aide, le défendit Danalieth.

– Nous n'en serions pas rendus là si vous aviez pris cette décision au moment opportun ! hurla le Roi d'Émeraude, hors de lui.

Hadrian utilisa toute sa force physique pour pousser Onyx le plus loin possible du Magicien de Cristal.

– Calme-toi immédiatement ! le somma l'ancien roi.

– Ce mystificateur se moque de nous depuis le début ! vociféra Onyx.

– Il a seulement obéi à ses supérieurs, comme nous l'avons tous fait.

– Il avait le pouvoir d'empêcher cette seconde invasion, mais il a laissé Amecareth tuer d'innocents enfants !

Il faisait évidemment référence à son fils aîné et à ses camarades de classe, qui avaient perdu la vie dans l'écroulement de la tour. En entendant ces mots, Swan décida d'apporter son aide à Hadrian. Elle se faufila entre ses compagnons et alla serrer son époux dans ses bras en lui transmettant une vague d'apaisement.

– Je sais bien que son assistance est tardive, mais essaie au moins d'apprécier son geste, le raisonna-t-elle.

La fureur d'Onyx était si grande qu'elle le sentait trembler contre elle.

– Mais qu'est-ce que c'est que ça ? s'exclama alors Gabrelle en pointant le ciel.

Le nuage violet qu'ils avaient aperçu au sommet de la Montagne de Cristal était devenu si opaque qu'il bloquait la lumière du soleil.

– Ce sont des insectes volants, leur apprit Danalieth.

Onyx se défit de l'emprise de son épouse pour regarder dans la même direction que tout le monde.

– Où se trouvent-ils ? voulut savoir Hadrian.

– Ils tournent en rond au-dessus de la rivière Wawki, précisa Abnar.

– Et ils s'apprêtent à attaquer vos alliés, ajouta Danalieth, qui scrutait magiquement leurs esprits.

– Il faut se porter à leur secours, décida Hadrian. Nous reviendrons brûler ces cadavres plus tard.

Bergeau forma spontanément son vortex. Une par une, les troupes de Chevaliers s'y engouffrèrent en courant, pour se retrouver un instant plus tard sur le flanc gauche des armées de Jade, d'Opale, de Diamant et de Perle. Ces dernières avaient cessé de poursuivre les larves et se préparaient à combattre un ennemi fort différent. Hadrian se hissa sur le dos de Staya et alla se poster devant les soldats magiciens. Il était hors de question qu'il se lance à l'attaque sans en apprendre davantage sur ces nouveaux insectes. Abnar se matérialisa près de lui, tandis que Danalieth faisait la même chose aux côtés du Roi Giller afin de relayer aux humains les ordres du commandant en chef.

Hadrian observa attentivement les insectes volants qui se rapprochaient en essaim. Ils étaient rougeâtres, et leur corps élancé rappelait celui des mantes religieuses. Leurs ailes leur permettaient de faire du surplace. Apparemment, ils les étudiaient aussi de leur côté.

– Que savez-vous de ces créatures ? se renseigna Hadrian auprès de son frère immortel.

– Elles ne possèdent aucune magie, mais je sens la présence de venin dans leurs crocs.

– Comment pourrais-je rapidement évaluer leurs faiblesses ?

– C'est pourtant très simple, répondit Onyx en s'avançant devant les armées.

– Ne fais rien qui les mettra en colère, l'avertit Hadrian.

– Parce que tu crois que ces insectes sont ici pour socialiser ?

– Onyx !

Le Roi d'Émeraude se dématérialisa.

– On ne peut pas dire que notre monarque est un froussard, lança Nikelai, impressionné.

– Il a un comportement suicidaire, plutôt, grommela Swan.

Ignorant ce que son ancien lieutenant avait l'intention de faire, Hadrian ne savait plus très bien s'il devait battre en retraite ou sonner la charge.

– Il est vraiment étonnant, murmura Abnar.

Avant que le commandant puisse lui demander de décrire plus en détail l'information qu'il recevait, Onyx réapparut en traînant par une patte la carcasse d'un dictyoptère couleur de feu. Il avait la taille d'un cheval et de longs membres hérissés de barbillons. Ses ailes transparentes étaient refermées sur son dos et sa petite tête triangulaire n'était pas sans rappeler celle des dragons.

– Ils sont légers comme une plume, déclara Onyx en laissant tomber sa prise.

Le renégat vint se planter devant Hadrian.

– Je n'ai eu aucun mal à descendre ce retardataire avec un seul rayon lancé sur son abdomen. Cependant, j'ai vu quelque chose de bien plus intéressant au-dessus de cette nuée d'insectes : un dragon rouge monté par un grand seigneur.

– Amecareth ? clama Bridgess. Si c'est lui, pourquoi ne nous attaque-t-il pas ?

– Je n'en sais rien, car je ne parle pas le Tanieth.

Abnar communiqua aussitôt cette information à Danalieth par voie télépathique, sachant que cet Immortel pouvait interpréter les pensées de la collectivité. Ce dernier lui répondit instantanément : *Ce ne sont pas des êtres doués de facultés surnaturelles, mais leurs corps possèdent une caractéristique particulière, soit une membrane, à l'intérieur de leurs carapaces, qui met nos pouvoirs de détection en échec.*

— Ces insectes lui servent de paravent, expliqua le Magicien de Cristal aux Chevaliers.

— Il est donc venu terminer lui-même ce que ses innombrables serviteurs sont incapables de faire depuis plus de vingt ans, railla Bailey.

Personne ne perçut les mouvements très lents de la mante religieuse qui se remettait du choc subi lors de l'attaque du Roi d'Émeraude. Hadrian ne la vit qu'à la dernière seconde, lorsqu'elle éleva ses membres antérieurs pour se saisir d'Onyx. Le commandant n'eut pas le temps de réagir. Sur ses pattes, la créature rouge avait deux fois la taille d'un homme. Abnar tendit vivement la main, libérant une lance de flammes. Onyx se dématérialisa et réapparut instantanément près d'Hadrian. La tête du dictyoptère éclata, répandant autour d'elle une gelée incarnate nauséabonde.

— Doit-on conclure que nos faisceaux mortels ne font que les endormir ? se découragea Chloé.

— Pourriez-vous aller en chercher un autre, pour voir si nous pourrons leur pulvériser le crâne de la même façon ? réclama Nogait.

Onyx lui décocha un regard meurtrier. Il laissa partir un éclair bleu sur le corps décapité de l'insecte, qui explosa dans un craquement sonore.

— Très impressionnant, avoua Nogait. Cependant, on ne nous a pas enseigné à utiliser nos paumes de cette façon.

— Heureusement pour vous, vos anciens Écuyers qui ont étudié la magie avec moi ont appris à produire ce type d'énergie, répliqua le roi sur un ton cinglant.

Lorsqu'ils seront à votre portée, visez la tête ! ordonna Hadrian aux Chevaliers. Ces derniers se campèrent devant l'essaim qui allait bientôt fondre sur eux.

Dans le dernier rang de l'armée, Dinath marchait derrière les Chevaliers, comme le lui avait conseillé Ariane. C'est alors qu'elle vit un cavalier de l'armée de Jade qui semblait en difficulté. En retrait de ses semblables, il était plié en deux sur son cheval, en proie à un inexplicable malaise. Dinath n'écouta que son cœur et courut à son secours. Ce n'est qu'à quelques pas de lui qu'elle reconnut son visage pour l'avoir si souvent vu dans les lunes d'eau !

— Dylan ?

Il tenta de se redresser, mais la douleur lui fit relâcher sa pression sur la selle et il glissa sur le sol. Dinath se jeta à genoux près de lui.

— Que t'arrive-t-il ?

— Je n'en sais rien...

— Pourquoi ce bijou brille-t-il dans ton cou ?

— Non... je ne veux pas redevenir Immortel.

— Es-tu en train de mourir, Dylan ?

– C'est tout comme, car en reprenant ma place auprès des dieux, je n'aurai jamais le bonheur de vivre un grand amour dans tes bras.

Touchée par sa sincérité, Dinath se pencha sur lui. Les adolescents magiques échangèrent un long baiser, leur premier. Le jeune homme se mit alors à se dématérialiser.

– Non ! implora-t-il.

Dinath tenta de retenir ses mains, mais elles disparurent dans les siennes.

– C'est tellement injuste, pleura-t-elle.

Les mantes religieuses choisirent ce moment précis pour piquer sur les humains, en vagues successives. Dirigés par Hadrian, les Chevaliers ouvrirent le feu sur celles de l'avant-garde. Les soldats des armées alliées, ne possédant aucun pouvoir magique, furent forcés d'attendre que les insectes soient plus près du sol. Danalieth leur rappela d'être prudents, car leurs crocs étaient venimeux.

Dans la confusion, Hadrian crut voir passer une autre créature volante qui n'était ni une mante religieuse, ni un dragon. Il recula derrière ses hommes et suivit des yeux sa trajectoire.

Onyx ! Je viens de voir Asbeth ! Il se dirige vers le château ! l'avertit le commandant.

Le Roi d'Émeraude s'évapora d'un seul coup afin de se porter à la défense de ses fils. Il s'était juré, après la mort de son aîné, de protéger les autres à n'importe quel prix, même sa propre vie.

Onyx reprit forme sur la passerelle de sa forteresse, faisant sursauter Jahonne et Amayelle, qui surveillaient les combats, au loin. L'hybride avait maintenu aussi longtemps que ses forces le lui avaient permis la voûte d'énergie formée par Kira, mais elle s'était finalement désintégrée.

– Quel est cet ennemi qui tombe du ciel ? voulut savoir Amayelle.

– Ce n'est pas le moment d'en parler, laissa tomber Onyx en scrutant attentivement le toit des bâtiments. Asbeth vient par ici.

– Je ne sais pas si j'ai suffisamment d'énergie pour former un nouveau bouclier au-dessus du château, soupira Jahonne, découragée.

– Surtout, n'en faites rien, coupa le roi. Cet oiseau de malheur est à moi.

Onyx vit alors le corbeau se poser sur la toiture du palais. Il s'y déplaça aussitôt en utilisant sa magie, se positionnant à quelques pas de son sombre adversaire. Le mage avait vraiment mauvaise mine. Il lui manquait des plumes et du sang noir avait coagulé dans son dos.

– Comme on se retrouve, sorcier unique d'Amecareth, railla Onyx.

Asbeth se rappela où il avait aperçu cet humain pour la première fois. C'était au Royaume d'Argent, le jour où il avait enlevé un Chevalier d'Émeraude. Ce magicien avait réussi à capter sa présence malgré son écran d'invisibilité et il n'avait pas eu une réaction de crainte comme les autres.

– Vous n'avez pas fini de rebâtir la tour ? coassa le corbeau en pointant les ruines de l'aile.

— Si vous touchez à une seule brique de mon château, je vous clouerai moi-même sur sa porte d'entrée, le menaça Onyx.

— Je ne suis pas venu pour semer la destruction. L'empereur a faim et il raffole de la chair des petits princes.

Le Roi d'Émeraude sentit la colère monter en lui comme la lave brûlante d'un volcan. De ses deux mains, il propulsa des serpents électrifiés d'un bleu éclatant, mais ils explosèrent sur la bulle invisible que le mage noir avait élevée autour de lui. Au grand étonnement d'Asbeth, Onyx fonça sur lui comme un taureau, courant sans même penser qu'il pouvait se casser le cou sur les tuiles métalliques du toit. Tout comme le renégat s'y attendait, le corbeau abaissa sa garde pour lancer sur lui des faisceaux enflammés.

Onyx se jeta à plat ventre, échappant d'une part aux tirs meurtriers, et saisissant d'autre part les pattes de l'oiseau géant. La force de l'impact fit basculer Asbeth et entraîna les deux combattants, qui s'écrasèrent durement sur le sol.

Morrison, qui surveillait le duel à partir de la cour, s'élança en relevant son marteau au-dessus de sa tête. Il l'abattit durement sur la créature recouverte de plumes noires, qui évita le coup de justesse en roulant sur le côté. La masse s'enfonça profondément dans le sable.

Onyx se releva avec difficulté afin de seconder l'attaque du forgeron, mais une cuisante douleur traversa sa poitrine. Négligeant ses souffrances, il parvint à matérialiser son épée double dans sa main tremblante.

Asbeth sauta sur ses pieds et forma une boule de feu au bout de son aile, avec l'intention de réduire Morrison en cendres avant qu'il puisse dégager son marteau. Il n'eut toutefois pas le temps de la laisser partir. Une décharge brutale le frappa au milieu du dos, le faisant tomber sur ses genoux.

Onyx vit alors Jahonne et Hawke qui approchaient rapidement, les paumes tendues, se préparant à attaquer de nouveau. Asbeth aurait bien voulu se venger des humains en égorgeant tous les enfants du palais et en reprenant Lassa, mais ses ennemis étaient trop nombreux. De toute façon, son maître lui avait demandé de retrouver l'autre adolescent qui avait la même énergie que celui qu'ils avaient découvert dans la montagne. Le sorcier fonça donc vers le ciel en évitant les tirs des magiciens.

Pris d'un violent malaise, Onyx laissa tomber sa longue épée sur le sol et s'effondra. Jahonne et Hawke cessèrent leur attaque, puisque leur cible venait de disparaître dans les nuages, et virent leur roi devenir aussi blanc que de la craie. Ce dernier ouvrit la bouche pour parler, mais perdit conscience.

– Morrison, aidez-moi à le transporter chez lui, s'empressa Jahonne.

Le forgeron cueillit Onyx dans ses bras et suivit son épouse dans le palais.

un homme révolté

Jasson avait établi une petite routine qui l'empêchait de sombrer dans le désespoir, car il entendait chacune des conversations télépathiques échangées entre ses camarades. Il travaillait le bois une bonne partie de la journée, cherchant la façon de fermer son esprit à ces incessants combats. Toutefois, il tâchait de conserver un faible état de veille qui lui permettrait de percevoir un appel de son fils.

Après avoir fabriqué des étagères dans l'une des chambres vides, l'ancien soldat avait commencé à construire une palissade, qui délimiterait ses pâturages. Il était important que les animaux qu'il domestiquerait se sentent protégés des prédateurs. Il bâtirait ensuite une étable pour les abriter la nuit. Pendant que Jasson débitait des arbres pour en faire des pieux, Katil explorait les alentours, à la recherche des moutons bizarres qu'elle avait aperçus à son arrivée au Royaume de Saphir. « Ils doivent avoir peur des rayons lumineux dont nous nous servons », conclut-elle après plusieurs jours de recherches infructueuses.

La petite fille adorait aider son père à préparer l'enclos et à nettoyer les alentours de leur petit palais. Lorsqu'elle était fatiguée ou lorsque la chaleur devenait insupportable, elle allait rejoindre Sanya et Lérine, qui préparaient les repas et lavaient leurs vêtements dans une cuvette mystérieusement apparue dans la cour. Katil n'était pas insouciante, contrairement à ce que pensait sa mère. En réalité, elle était tout simplement heureuse de se trouver dans la Forêt interdite avec ses deux parents, à se façonner une vie différente.

Pendant que Jasson solidifiait un autre pieu, Katil vit passer un papillon comme elle n'en avait jamais vu. Ses ailes aux couleurs chatoyantes étaient ornées de motifs qui ressemblaient à des étoiles. Oubliant les recommandations de prudence de son père, l'enfant s'enfonça dans les fougères en suivant cet insecte presque aussi gros que son poing. Jasson ne remarqua pas tout de suite son absence.

Sanya émergea du temple quelques minutes plus tard, les mains sur les hanches. Elle observa le travail de son époux pendant un moment, puis, voyant qu'il ne revenait pas vers la demeure, marcha jusqu'à lui.

— Jasson, je t'en prie, arrête, l'implora-t-elle. Tu te donnes tout ce mal pour rien.

— Comment pourrai-je conserver mes animaux si je ne construis pas cette clôture ?

— Il est écrit dans les étoiles que tes frères d'armes gagneront cette guerre. Crois-tu vraiment que nous resterons ici lorsque la paix sera revenue sur le continent ?

Piqué au vif, Jasson laissa tomber le palis sur le sol et retourna vers la maison. Il ne savait que trop bien qu'il avait abandonné ses compagnons sur le champ de bataille et il n'avait pas besoin que sa femme lui rappelle sa lâcheté.

— Je n'ai pas fini de parler ! se fâcha Sanya.

– Les dieux ne sont pas infaillibles ! rétorqua-t-il en s'empara de sa lance, appuyée contre la rampe de pierre du temple. Il est impossible qu'une poignée d'hommes, aussi magiques soient-ils, l'emportent contre les innombrables troupes d'Amecareth.

– Tu ne crois donc pas à la prophétie ?

– À mon avis, Parandar ne l'a inventée que pour adoucir notre sort.

– Toutes ces années, tu t'es battu pour une cause à laquelle tu ne croyais pas ?

– J'ai combattu ces envahisseurs dans un seul but : sauver ma famille. Au cas où tu ne l'aurais pas remarqué, c'est encore ce qui m'importe le plus au monde.

Sanya fit un tour rapide sur elle-même en regardant partout.

– Où est Katil ? s'énerva-t-elle.

– Quand elle n'est pas avec moi, elle est dans le temple.

– Je viens juste d'en sortir et elle n'y était pas.

Jasson utilisa ses sens invisibles pour repérer sa fille. Sanya disait vrai : Katil se trouvait dans la forêt, près du plus large des cours d'eau qui sillonnaient cette région. Conscient des dangers que courait une enfant de son âge sur ces territoires inexplorés, Jasson fonça, son javelot à la main.

Katil suivit le papillon jusqu'à ce qu'il se pose sur un bouquet de fleurs rouges qui poussaient en grappes sur de longues tiges. « Si j'avais suivi les cours du château, sans doute saurais-je le nom de ces fleurs », songea la fillette. La danaïde ne semblait pas pressée de repartir. Elle battait mollement des ailes en se laissant chauffer au soleil. Katil constata qu'elle se trouvait à quelques pas seulement d'une rivière. Elle regarda au loin et crut voir une muraille à travers la haute futaie. De nature curieuse, elle se demanda s'il s'agissait d'un autre temple comme celui où elle habitait.

Elle enjamba un tronc d'arbre déraciné et se faufila à travers la végétation afin de s'approcher le plus possible de la rive. De ce nouveau point d'observation, elle distingua de beaux dessins gravés dans la pierre de ce bâtiment. Elle ne pouvait toutefois pas l'explorer à sa guise, puisque aucun pont ne lui permettait de traverser la rivière. Elle baissa les yeux sur l'eau, tentant d'en évaluer la profondeur. C'est alors qu'une gueule géante garnie d'une centaine de dents pointues s'ouvrit devant elle.

Effrayée, Katil recula tant bien que mal dans les fougères. L'animal brunâtre bondit sur la berge, bien décidé à faire de la petite son repas de la journée. Un rayon incandescent passa en sifflant au-dessus de la tête de l'enfant et frappa la bête à la gorge. Le gavial se débattit furieusement, puis s'immobilisa. Katil n'attendit pas de voir s'il était encore vivant. Elle sauta sur ses pieds et courut en sens inverse. Pour sa plus grande joie, elle vit son père qui se hâtait vers elle.

– Papa ! hurla-t-elle, terrifiée.

– Je suis là, ma chérie.

Il la cueillit dans ses bras et la serra de toutes ses forces.

– Il y a des monstres dans l'eau !

– C'est pour cela que je t'ai ordonné de ne pas t'éloigner de la maison.

– Je voulais juste voir où habitait le papillon...

– Les papillons n'ont pas de maison comme nous, Katil. Ils sont libres comme l'air et ils peuvent parcourir le monde entier s'ils en ont envie.

Il reprit le chemin du temple, tenant sa fille d'un bras et la lance de l'autre.

– Est-ce que c'était un dragon ?

– Les livres savants nous apprennent que ces reptiles qui vivaient jadis dans les rivières du sud s'appelaient des ghariyals.

– Ils ne vivaient pas jadis, ils vivent maintenant ! s'emporta Katil.

– Les maîtres qui rédigent ces traités ne savent pas tout.

Ils étaient à mi-chemin lorsque le Chevalier entendit des grondements. Il continua de marcher en scrutant la sylve avec ses sens invisibles. Une meute d'une dizaine de prédateurs les avait pris en chasse. Ces bêtes, un peu plus grosses qu'un loup, refermaient de plus en plus le cercle qu'elles avaient établi autour de leurs proies. Jasson avançait en les surveillant étroitement. Il commençait à douter de pouvoir atteindre sa demeure avant leur assaut.

– Katil, je veux que tu m'écoutes sans paniquer, chuchota-t-il à la fillette.

– Si tu veux me parler des créatures qui marchent de chaque côté de nous, je les sens déjà.

– Je ne crois pas qu'elles nous veuillent du bien, alors je vais sans doute être obligé de nous défendre contre elles. Je te laisserai glisser sur le sol, mais tu devras t'accrocher à ma ceinture et ne la lâcher sous aucun prétexte. C'est d'accord ?

– Je pourrais aussi t'aider à leur faire peur.

– Quand tu seras grande. Pour l'instant, fais ce que je te dis.

Quelques secondes plus tard, les fauves surgirent. Jasson laissa tomber sa lance, qui, de toute façon, ne lui aurait permis de tuer qu'un seul animal. Katil sauta par terre et passa ses petites mains sous la ceinture de cuir de son père. Ce dernier chargea ses paumes d'une énergie incisive et se campa sur ses pieds. Un premier prédateur apparut devant lui. Ce n'était ni un loup, ni un chat sauvage. En fait, il ressemblait un peu aux deux. Son corps était félin, mais sa gueule et ses crocs tout à fait canins. Les légendes parlaient de ces étranges créatures qui ne pouvaient être catégorisées nulle part. « Ce sont des ciacales... », se rappela Jasson.

Il avait suffisamment chassé dans sa vie pour deviner le manège de la horde. Un premier animal attirait toujours l'attention de la proie, tandis que ses congénères se préparaient à s'en saisir. Le Chevalier devait donc les prendre de vitesse. Il abattit le ciacale qui tentait de l'appâter et pivota rapidement pour parer l'attaque des neuf autres. Un fauve bondit des fougères, à quelques pas seulement des humains. Katil hurla de terreur tandis que son père tranchait la gorge du prédateur avec un faisceau aveuglant. L'animal tomba à ses pieds.

Jasson guetta la réaction du reste de la meute, qui hésitait à poursuivre cette chasse coûteuse pour elle. Finalement, l'une des bêtes poussa un glapissement aigu, sonnant la retraite. Le Chevalier attendit tout de même que les ciacales se soient considérablement éloignés avant de respirer à l'aise.

– Ils sont partis, ma chérie, annonça Jasson en décrochant sa fille de sa ceinture.

– Nous ne leur avons rien fait, gémit Katil. Pourquoi voulaient-ils nous faire du mal ?

– C'est la loi de la nature. Il y a des animaux qui ne se nourrissent que de végétation et d'autres qui mangent de la viande.

– Nous ne sommes pas de la viande !

– Ce n'est pas vraiment le moment de te donner une leçon d'anatomie.

Le père ramassa sa lance et se pencha sur l'un des deux fauves qu'il avait abattus. Sa fourrure marron était courte et clairsemée, mais il pourrait certainement l'utiliser pour faire des vêtements. Il était hors de question qu'il laisse pourrir ces carcasses dans la forêt, où elles auraient tôt fait d'attirer d'autres prédateurs. Il les transporta donc par lévitation jusqu'au temple pour les dépecer. Ne désirant pour rien au monde assister à cette opération, Katil se réfugia dans leur demeure.

Jasson fit rôtir cette viande inhabituelle et fut le premier à y goûter. Il en présenta ensuite de bonnes portions aux femmes. Katil n'en mastiqua qu'un tout petit morceau, incertaine.

– Avoue que ce n'est pas si mal, en fin de compte ? la taquina Jasson.

– Je préfère le poulet, soupira l'enfant, mais ça ira.

Le père laissa sa fille raconter elle-même leur aventure de la journée. Tout comme Bergeau, Katil en exagéra bien des détails, mais Jasson ne s'en mêla pas. Il pensait plutôt à ses compagnons d'armes, aux prises avec un nouvel ennemi, à Émeraude même. Il entendait leurs échanges télépathiques et leur ton alarmant n'avait rien pour le rassurer. Si les Tanieths venaient à s'emparer d'Enkidiev, chercheraient-ils ensuite à coloniser la Forêt interdite ?

Jasson barricada le temple pour la nuit et scruta la région avec ses sens invisibles. Les ciacales ne rôdaient pas aux alentours. Il demeura assis sur le bord du feu magique, au milieu de la pièce principale du temple, perdu dans ses pensées. Dès qu'elle eut mis sa fille au lit, Sanya vint prendre place près de lui.

– Je devine, à ton expression, que les choses ne se passent pas bien chez nous, soupira-t-elle, découragée.

– Il semble que l'Empereur Noir soit en train de lancer l'assaut final.

– Songes-tu à rejoindre leurs rangs ?

– Ma place n'est plus parmi eux.

– Personne ne t'en voudra d'avoir pris le temps de pleurer ton frère d'armes.

– Je ne veux pas voir mourir les autres.

Jasson cacha son visage dans ses mains et éclata en sanglots. Sanya s'appuya dans son dos et passa ses bras autour de son torse.

– Si je possédais la moindre parcelle de magie, je l'utiliserais pour te transmettre une vague d'apaisement, chuchota-t-elle dans son oreille.

Elle comprenait sa peine, mais commençait à craindre qu'elle ne se résorbe jamais.

21

EN PERTE D'ÉNERGIE

À la vitesse d'un bolide, Kira traversa la membrane transparente de l'antichambre des morts et atterrit brutalement à genoux sur le palier. Il lui sembla tout à coup qu'une immense charge pesait sur ses épaules. Elle voulut se redresser, mais n'en eut pas la force. Ses mains, posées à plat sur la plateforme, se mirent à disparaître. « Mais que m'arrive-t-il ? » s'alarma-t-elle. Quelqu'un approcha une coupe transparente de ses lèvres et la força à boire toute l'eau qu'elle contenait. Kira sentit aussitôt une nouvelle énergie dégourdir ses muscles.

– N'as-tu pas écouté un seul mot de mes recommandations ? lui reprocha Fan.

Kira rencontra le regard réprobateur de sa mère.

– Je les ai toutes suivies ! répliqua vertement sa fille.

– Si tel était le cas, tu ne serais pas là en train de périr.

La coupe se remplit à nouveau du liquide si précieux pour les Immortels, et Kira ne se fit pas prier pour en avaler encore.

— Lorsque ton pendentif se met à briller, il est temps pour toi de revenir ici, la sermonna Fan.

— Mais c'est ce que j'ai fait !

— Un Immortel ne doit pas non plus dépenser toute son énergie lors d'une incursion dans le monde des mortels.

— Il a fallu que je défende Lassa contre le sorcier d'Amecareth. Vous vous attendiez peut-être à ce que je le fasse à coups de chiquenaudes ?

— Il y a trop de sang guerrier en toi, Kira.

— La prophétie dit que je dois aider le porteur de lumière à vaincre le seigneur des insectes. Cependant, elle ne donne aucun mode d'emploi. J'imagine que Parandar nous laisse libres de choisir les moyens d'accomplir sa volonté.

— Tu n'y arriveras jamais si tu continues à défier les lois qui gouvernent cet univers.

— Dans ce cas, conduisez-moi à Parandar.

— Dans quel but ?

— Je veux lui demander de changer les règles en ce qui concerne les Immortels.

Fan demeura muette, ce qui indiqua à sa fille qu'elle n'approuvait pas son plan.

— Je vous promets de le faire gentiment, ajouta Kira.

— Lorsque je t'ai confiée au Roi d'Émeraude, c'était pour faire de toi, un jour, un Chevalier. J'étais persuadée que leur code d'honneur et leur discipline auraient raison de ton caractère rebelle. Pour sauver le monde, il nous fallait un soldat intelligent, capable de maîtriser ses émotions.

– Une fois lancés dans la mêlée, il nous est difficile de ne pas agir selon notre entraînement militaire.

– L'agression ne doit-il pas être votre dernier recours ?

– Allez donc l'expliquer aux scarabées de l'empereur !

– Je vois qu'il n'y a aucune façon de discuter avec toi.

– Nous ne sommes pas en train d'avoir une discussion, puisque que vous êtes complètement fermée à mes propos.

La déesse Fan se dématérialisa en une pluie de petites étoiles bleues.

– C'est exactement ce que je disais, ronchonna Kira.

Elle se releva doucement et fut bien contente de constater que ses jambes avaient retrouvé leur solidité. Ne sachant pas très bien quoi faire pour s'occuper dans les mondes célestes, elle descendit les marches et suivit le sentier qui menait à l'étang des révélations. Tout comme elle s'y attendait, Wellan y était toujours assis, à étudier ce qui se passait à sa surface.

Le grand Chevalier était encore bel homme, malgré l'usure de la guerre. Ses tempes grisonnantes et son dos légèrement voûté lui donnaient un air érudit. La femme Chevalier se demanda quelle aurait été sa personnalité s'il avait été son père.

– Tes réflexes sont encore excellents, la félicita alors Wellan, qui avait assisté à son combat contre Asbeth.

– Enfin un peu d'appréciation.

– Lorsque tu es devenue Immortelle, n'as-tu pas reçu des pouvoirs accrus ?

– Ma mère prétend que oui, mais je n'en connais pas la teneur.

– Il serait bon que tu les découvres et que tu apprennes à t'en servir.

– Pendant que Lassa se fait massacrer ?

Kira étira le cou pour voir, elle aussi, ce qui se déroulait sur le continent.

– Mon écran de protection a-t-il tenu le coup ? voulut-elle savoir.

– Jahonne l'a maintenu jusqu'à ce que la menace soit passée. Avant que vous puissiez éliminer Amecareth, il vous faudra vous débarrasser une fois pour toutes d'Asbeth. Il ne fait pas toujours ce que lui demande son maître et, en agissant de la sorte, il risque de nous occasionner de graves pertes. Il y a un moment, au lieu de suivre ses ordres et de partir à la recherche de Liam, il s'est rendu au Château d'Émeraude, probablement pour s'emparer à nouveau de Lassa.

– Pourquoi Liam ? s'étonna Kira.

– Il a la même énergie que Lassa, alors Amecareth ne sait plus très bien lequel sera son exécuteur.

– Faut-il que je protège les deux jouvenceaux ?

– C'est une décision que tu devras prendre seule, Kira. Pour l'instant, Liam n'est pas en danger, mais tu sais comme moi de quoi est capable le fourbe sorcier de l'empereur.

– Il tentera de tuer Liam et Lassa, même si son maître lui a demandé de les lui ramener vivants.

– C'est ce que je crois aussi.

– Dois-je le couper en deux, ou y a-t-il une autre façon de procéder lorsqu'on est un Immortel ?

Wellan haussa mollement les épaules.

– Tu as lu tous les livres de la bibliothèque ! Tu dois bien avoir vu quelque chose sur ce sujet.

– Ces traités ont malheureusement disparu.

– Dès que la menace des hommes-insectes aura définitivement été écartée, je me pencherai sur ce mystère.

L'étoile que Kira portait au cou perdit sa luminosité et redevint un bijou ordinaire.

– J'ignore si cela signifie que toutes mes forces sont revenues...

Elle sentit alors un tourbillon d'émotions négatives et pivota sur elle-même pour en trouver le point d'origine.

– Je le capte aussi, confirma Wellan.

Kira n'osa pas lui parler de la requête qu'elle songeait présenter à Parandar, se doutant qu'elle était sans doute la source de cet émoi.

– Je croyais qu'il n'existait que de la joie et du bonheur de l'autre côté de la vie, s'étonna-t-elle.

– Nous avons été créés à l'image des dieux, Kira, lui rappela le Chevalier en songeant à son affrontement avec Akuretari. Ils ne sont pas à l'abri de la colère.

– C'est ce que je craignais.

Elle glissa de la grosse roche où elle avait pris place et se mit à la recherche de la distorsion énergétique. Ses pas la conduisirent au grand escalier de verre qui menait à l'entrée de l'antichambre des morts. Un homme gisait sur le dos sur le palier supérieur. Kira grimpa chaque marche en silence, sans vraiment savoir ce qu'elle pouvait faire pour aider le nouveau trépassé. Quelle ne fut pas sa surprise de reconnaître son propre frère !

– Dylan ! Que fais-tu ici ?

– Laissez-moi retourner à Enkidiev ! gémit-il.

L'Immortel se retourna sur le ventre et rampa vers la membrane mouvante.

– Non ! s'exclama Kira. Tu ne peux pas passer par-là.

Elle tenta de saisir le tissu soyeux de sa longue tunique blanche. Au même moment, Dylan essaya d'introduire ses mains dans la pellicule lumineuse. Il fut si vivement repoussé qu'il fit basculer sa sœur vers l'arrière. Les deux Immortels dégringolèrent l'escalier et se retrouvèrent face contre terre, côte à côte, sur le sentier de cailloux blancs.

– Tu es né ici, Dylan. Il me semble que tu devrais connaître les entrées et les sorties de ce monde.

– Je dois repartir...

Empêtré dans son vêtement immaculé, le fils de Fan lutta pour se remettre sur pied. Kira remarqua alors que le petit éclair qui pendait dans son cou brillait encore de tous ses feux.

– Cette existence est encore bien nouvelle pour moi, déclara-t-elle en se relevant, mais ne sommes-nous pas supposés attendre que ces bijoux s'éteignent avant de plonger dans un plan d'eau céleste ?

– Si je dois mourir, je veux que ce soit dans ses bras.

– Les bras de qui ?

– De Dinath, bien sûr. Je suis tombé amoureux d'elle sur la Montagne de Cristal.

– On dirait que j'ai manqué bien des choses pendant mon emprisonnement dans le passé.

– Lorsque la blessure que m'a infligée Akuretari m'a rendu mortel, j'ai pensé que c'était la fin pour moi. Mais je me suis habitué à ce nouvel état et j'ai même appris à vraiment l'aimer. Pourquoi suis-je redevenu Immortel ?

– Je crois que c'est pour la même raison que je suis revenue au présent... enfin, si on peut appeler ma mort une version du présent. Akuretari a été détruit, alors tous ses sorts se sont effacés les uns après les autres.

Cette déclaration causa tout un choc au jeune homme.

– Tu es morte ?

– J'ai réussi à protéger Lazuli des crocs d'un dragon survivant de l'hécatombe sur le continent, mais le monstre m'a balancée dans le vide, sur la falaise de Zénor.

– Qui est Lazuli ?

– Un Enkiev dont je me suis éprise lors de mon séjour dans le passé.

– Alors personne ne sait que tu es ici ?

– Seulement mère et Wellan. Je n'ai pas eu le temps d'expliquer mes nouvelles fonctions à ceux que j'ai croisés lors de ma courte visite chez les mortels.

Dylan jeta un coup d'œil à son petit éclair, qui resplendissait toujours. Il tendit le bras et une coupe de cristal apparut dans sa main. Il la vida d'un trait.

– Le temps que nous pouvons passer auprès d'eux est très limité, l'informa-t-il.

– Justement, c'est une règle stupide que j'entends faire changer.

– N'y pense même pas, Kira. Parandar retire leur pérennité aux Immortels qui refusent de lui obéir.

– Je suis prête à me soumettre à sa volonté, mais dans un cadre plus flexible, c'est tout.

Elle prit les mains de son frère et lui adressa un sourire rassurant.

– À présent, c'est toi qui me serviras de professeur, décida-t-elle. Je ne suis Immortelle que depuis peu, alors j'ai tout à apprendre.

– Je veux bien te montrer ce que je sais, en attendant de pouvoir repartir. Toutefois, je ne suis pas aussi savant qu'Abnar.

– Tout ce que le Magicien de Cristal m'a enseigné, c'est que les créatures célestes avaient les mains liées. Je désire une plus grande liberté d'action. Mais avant que tu ne m'énumères tous mes nouveaux pouvoirs, j'aimerais que tu sauves la mémoire d'un homme qui nous est cher à tous les deux.

Elle l'entraîna jusqu'à la mare magique.

– Père ? Vous ne devriez pas être ici, se troubla l'Immortel.

– Comment as-tu fait pour revenir dans le monde des dieux ? s'étonna Wellan.

– J'ai perdu ma mortalité, bien contre mon gré.

Tout comme Kira, il constata que le grand chef des Chevaliers d'Émeraude commençait à s'effacer en douceur.

– Si vous ne passez pas bientôt les grandes portes de la vie éternelle, votre nom sera oublié, l'avertit Dylan, très inquiet.

– Ce sera très bien ainsi. Je ne voudrais pas qu'on dise de Wellan d'Émeraude qu'il s'est fait bêtement tué au combat et qu'il n'a pas su mener ses troupes à la victoire.

– C'est uniquement une question d'orgueil, spécifia Kira.

– Je trouve difficile à croire que les dieux vous permettent de rester dans l'antichambre, avoua Dylan, car ils savent très certainement ce qui va vous arriver.

– Même Theandras ne me fera pas changer d'idée. Parle-moi plutôt de toi. Je n'ai pas eu le loisir de te côtoyer bien longtemps sous ta forme humaine.

Kira se percha sur un petit rocher pour écouter cette conversation qui serait sûrement riche en enseignement.

– Malgré le peu de temps que j'ai passé dans un corps physique, j'ai trouvé l'expérience très enrichissante, raconta Dylan. Les hommes ressentent beaucoup plus d'émotions que les Immortels et, mieux encore, ils sont libres de faire leurs propres choix. J'aurais pu vivre une vie protégée au palais du Roi de Jade, mais j'ai choisi de suivre son armée au combat, et je ne l'ai pas regretté. J'ai appris à manier l'épée et à monter à cheval. J'ai même eu le bonheur d'éprouver de la fatigue et des courbatures pour la première fois.

– J'ai connu bien des humains qui s'en plaignaient, le taquina Wellan avec un sourire amusé.

– J'aurais enduré bien des malheurs encore pour vivre le reste des mes jours ailleurs qu'ici.

– En fait, ce qu'il essaie de te dire, c'est qu'il est amoureux, le devança Kira.

Dylan baissa timidement la tête.

– Tout ce que je désire, c'est de mettre fin à la guerre, l'épouser et vieillir avec elle.

– Laisse-moi deviner... S'appellerait-elle Dinath, par hasard ?

Wellan se souvenait fort bien de la réaction qu'avait eue son fils en apercevant la jeune fille au campement de Danalieth. Dylan fit signe que oui, les yeux remplis d'étoiles.

— Elle t'aime aussi ? demanda le Chevalier.

— Oui, mais je suis disparu au milieu d'un baiser. Que va-t-elle penser de moi, maintenant ?

— Son père est un Immortel, alors elle doit sûrement connaître les impératifs auxquels tu es soumis.

— Il y a quelque chose que j'aimerais savoir, risqua Kira. Pendant que tu étais mortel, étais-tu obligé de te plier à la volonté des dieux ?

— Je ne pouvais même pas les entendre, répondit Dylan.

— Alors, si quelqu'un te jetait le même sort que le dieu déchu, en principe, tu pourrais retourner vivre chez les mortels sans que tes maîtres t'en tiennent rigueur.

— Il m'a gravement blessé !

— L'amour de Dinath ne vaut-il pas un peu de douleur ?

Wellan fronça les sourcils, curieux de savoir où la Sholienne voulait en venir.

— Je sais à quel point il est déchirant d'être séparé à tout jamais de celui qu'on aime, alors je vais m'efforcer de te retourner dans les bras de Dinath, même si je dois procéder de la même façon qu'Akuretari.

— Je préférerais de loin que tu trouves un autre moyen.

— Moi aussi, renchérit Wellan.

Dylan prit place sur le sol, entre son père et sa sœur.

— Maintenant, parle-moi de ces nouvelles facultés que je possède, le pria Kira.

L'Immortel l'assura, tout d'abord, qu'elle n'avait perdu aucun des pouvoirs qui lui venaient de son père sorcier.

— Je peux donc continuer de produire des halos violets pour me défendre, conclut-elle.

— Ta façon de communiquer par l'esprit sera différente. Il te faudra choisir à qui tu veux parler, car tes frères d'armes ne t'entendront pas forcément.

— Cela veut-il dire qu'Onyx tient ce pouvoir des Immortels ?

— J'ai entendu dire qu'il a appris beaucoup de choses normalement réservées aux dieux lorsque Nomar l'a pris sous son aile, les informa Wellan.

— Continue, Dylan, le supplia Kira. Que puis-je faire, aussi ?

— En quittant le monde des dieux, tu peux choisir de te matérialiser en un endroit précis sur le continent, ou le survoler à la recherche d'une personne ou d'un événement. À l'aide de ta seule volonté, tu peux également influencer toutes les forces de la nature.

— Enfin quelque chose d'intéressant.

— Il te sera possible de décupler l'énergie que tu produis avec tes mains.

— C'est maintenant que je l'apprends ?

— Tu peux aussi renforcer considérablement ton bouclier de protection et même l'étendre à toute une région. Tu peux aussi accroître les pouvoirs magiques d'une personne, mais il est dangereux d'en donner à quelqu'un qui n'en a aucun à l'origine. Tes dons de guérison seront également amplifiés, alors, sois prudente, car tu pourrais tuer le malade au lieu de lui redonner la santé.

— Puis-je ressusciter les morts ?

— Cette prérogative appartient aux dieux, uniquement.

— Mais Danalieth l'a pourtant fait dans le cas du Roi Hadrian, se rappela Wellan.

— À ses risques et périls, précisa Dylan. Il a utilisé une magie qu'il n'aurait même pas dû connaître pour commencer.

— Donc je peux me déplacer avec plus de précision d'un endroit à l'autre, sans utiliser de vortex, réfléchit Kira. M'est-il aussi possible d'emmener une ou plusieurs personnes avec moi lors de ces déplacements ?

— Seulement si ces gens ne sont pas en proie à la peur.

— Pourrai-je retourner dans le passé ?

— Je n'en sais rien. Tu possèdes peut-être d'autres pouvoirs que je n'ai pas, Kira. Ce sera à toi de les découvrir, à moins que les dieux ne terminent ton éducation magique.

— Je manque de temps, en ce moment, mais plus tard, sans doute.

Les deux Immortels constatèrent que Wellan ne les écoutait plus. Les événements qui se jouaient à la surface de la mare réclamaient à nouveau son attention.

une nouvelle tentative

Certain que son ami Onyx saurait neutraliser Asbeth avant qu'il n'agresse les habitants du Château d'Émeraude, Hadrian continua d'éperonner ses troupes, aux prises avec de gros insectes volants. Abnar et Danalieth se tenaient au milieu des combats, impuissants. Toute utilisation de leurs pouvoirs supérieurs aurait mis les Chevaliers et leurs alliés en danger. Ils se contentaient donc de détruire les mantes religieuses qui tentaient de s'en prendre à eux, attendant d'avoir une ouverture pour en éliminer davantage.

Ce fut Danalieth qui ressentit le premier l'arrivée d'un important contingent ennemi sur la côte. Il avertit aussitôt le Magicien de Cristal. *Les humains arrivent à contenir ces insectes*, répondit Abnar. *Allons voir de quoi il en retourne.* Les deux Immortels disparurent presque en même temps. Ils reprirent forme sur la falaise de Zénor et évaluèrent rapidement la menace. Un énorme nuage violacé arrivait, en provenance de l'ouest.

— D'autres insectes, devina Anar.

Danalieth lui pointa l'horizon. Une importante flotte, composée de bateaux de toutes sortes, allait bientôt atteindre les récifs.

– Certains d'entre eux pourraient trouver le passage entre les écueils, fit remarquer Abnar.

– À moins qu'ils ne rencontrent des vents contraires, suggéra l'aîné.

Ils observèrent d'abord la progression des renforts impériaux pour voir où ils pourraient causer le plus de dommages. C'est alors que des sifflements stridents résonnèrent au-dessus des flots. Les Immortels virent le dragon rouge, volant très haut dans le ciel.

– C'est Amecareth, constata Danalieth.

– Que dit-il ?

– Il menace ses soldats d'une mort atroce s'ils n'arrivent pas à anéantir les humains, les Elfes et les Fées.

Les embarcations étaient sur le point de repérer la brèche dans les brisants.

– Nous ne pouvons pas bloquer cet accès sans mettre en péril l'équilibre d'Enkidiev et de toutes ses côtes, regretta Abnar.

Un fauve au pelage complètement noir surgit alors près d'eux. Avant que les Immortels puissent réagir, il se métamorphosa en une femme d'une quarantaine d'années, aux traits jadois.

– Depuis quand vous souciez-vous du sort des hommes ? railla Anyaguara.

– Vous êtes vivante ? s'étonna Abnar.

– Apparemment, oui.

– Myrialuna vous croit morte.

La mention du nom de sa protégée eut pour effet de durcir ses traits.

– Je sais que vous la cachez depuis sa naissance dans les forêts de Jade, poursuivit Abnar, et j'ai fait sa rencontre sans le vouloir, croyez-moi. Elle est venue à mon aide.

– Tiens, tiens, un Immortel qui demande l'assistance d'une sorcière.

– En fait, s'interposa Danalieth, si vous connaissez une façon de repousser cette nouvelle invasion sans faire souffrir davantage les habitants d'Enkidiev, nous sollicitons votre concours, Anyaguara.

– J'ai vu que vous aviez modifié le fond de l'océan et je vous suis reconnaissante de ne pas avoir séparé complètement les eaux peu profondes et la haute mer. Dresser d'autres récifs dans ces ouvertures aurait très certainement un effet dévastateur sur la vie marine.

– Connaissez-vous une autre solution ?

– Retenez bien ce que vous allez voir, fils du ciel.

La sorcière projeta une puissante énergie en direction de l'océan. Pendant quelques secondes, rien ne se produisit, puis de multiples jets d'eau jaillirent des flots. Utilisant leurs sens invisibles, les Immortels captèrent la présence d'énormes créatures sous l'eau. Agissant en bancs, elles se mirent à renverser les vaisseaux des hommes-insectes, catapultant leurs passagers à la mer.

— Très astucieux, admit Danalieth. À mon tour, maintenant.

L'Immortel leva les bras et le vent lui obéit sur-le-champ. La douce brise se transforma en bourrasques brutales qui amplifièrent les vagues. Les bateaux ainsi malmenés sautillaient sur les flots comme des bouchons de liège.

— Cela ne va pas du tout plaire au seigneur noir, commenta Anyaguara.

Elle planta ensuite son regard envoûtant dans les yeux d'Abnar.

— Myrialuna est-elle en sûreté ? voulut-elle savoir.

— Je lui ai demandé de ne pas quitter la forêt tant que l'envahisseur ne serait pas détruit.

— Je ne l'ai jamais laissée seule aussi longtemps. La pauvre enfant doit être terrifiée.

— Cette soudaine solitude lui pèse, mais elle comprend la nécessité pour elle de rester à l'abri.

— Je suis surprise qu'elle vous ait adressé la parole, car je lui ai enseigné à se méfier des étrangers.

— J'ai dû lui inspirer instinctivement confiance.

Un halo violet éclata en un million de petits éclairs sur le bouclier que Danalieth venait de matérialiser au-dessus de leur tête.

— On dirait bien que l'empereur ne veut pas nous laisser jouer avec ses jouets, ricana la sorcière.

Le dragon exécuta un large arc de cercle afin de revenir vers les trois responsables de sa déconfiture.

– J'aurais dû apprendre à me transformer en condor plutôt qu'en panthère, regretta Anyaguara.

Amecareth lança d'autres anneaux lumineux sur les Immortels, mais aucun ne vint à bout de l'écran magique de Danalieth.

– Vos facultés sont-elles assez puissantes pour vous permettre de riposter à l'attaque d'un sorcier de sa trempe ? les questionna Anyaguara.

– Il faudrait pour cela que je fasse disparaître l'énergie qui nous protège, expliqua Danalieth.

– Nous n'allons pas passer toute la journée à le laisser nous pilonner de la sorte !

– Laissons d'abord Amecareth s'épuiser, puis nous contre-attaquerons.

La sorcière porta son attention sur l'océan, où les baleines continuaient de semer la confusion. Ces bêtes géantes pouvaient faire chavirer les embarcations, mais leur nature pacifique les empêchait de s'en prendre aux insectes qui tentaient désespérément de garder la tête hors de l'eau. Anyaguara chassa donc les grands mammifères et héla des prédateurs plus efficaces. Une bande de requins répondit à son appel. Tandis qu'ils se mettaient à festoyer, au-delà des récifs, la sorcière leva les yeux vers le ciel, où le dragon rouge revenait à la charge. Elle ne connaissait aucun animal volant, capable de s'en prendre à un Lotakieth.

– Messieurs, ce fut un plaisir de travailler avec vous, déclara soudain Anyaguara.

— Vous ne pouvez pas partir sans vous exposer aux tirs de l'empereur, l'avertit Abnar.

— Ce ne sera pas la première fois que j'affronte un tel danger.

Elle redevint panthère et disparut vers l'est sous le couvert des hautes herbes.

— Sous cette forme, elle a de bonnes chances d'échapper à Amecareth, évalua Danalieth.

De nouveaux halos mirent le bouclier à l'épreuve.

— Dites-moi comment une sorcière a pu venir en aide à un Immortel, s'enquit-il.

— J'ai utilisé toutes mes ressources pour arrêter une éruption volcanique, et je n'ai pas eu le temps de retourner dans l'autre monde pour refaire mes forces. Elle m'a offert un flacon qui contenait tout juste assez d'eau cristalline pour me permettre de m'y rendre.

— Quel est donc ce soudain embarras que je sens en vous ?

— J'ai éprouvé de curieuses émotions envers cette jeune sorcière, avoua Abnar.

— De l'amour ?

— Je ne saurais le dire, car je ne connais pas ce sentiment humain.

— Ce type d'attirance passionnelle ne leur est pas uniquement réservé, Abnar.

370

– Vous l'avez connu aussi, n'est-ce pas ?

– J'ai aimé une Fée à la folie et je ne regrette aucun des courts moments que nous avons vécus ensemble. Parfois, l'amour est éphémère. D'autres fois, il est profond et tenace. Peu importe le temps qu'il dure, il ne faut jamais le laisser passer.

– Vous avez certainement eu des maîtres différents des miens, soupira Abnar, qui se découvrait bien ignorant.

– Ce sont les dieux qui instruisent les Immortels et ils n'ont pas vraiment changé. Ce que je sais des états affectifs, je l'ai appris par moi-même, dans le monde des Elfes et des Fées.

Amecareth cessa tout à coup d'attaquer les deux Immortels, mais Danalieth maintint son écran de protection, redoutant une ruse. Le dragon avait pris de l'altitude, comme si son maître cherchait à s'informer de ce qui se passait ailleurs sur le continent.

– Quelque chose retient son attention, souligna Abnar.

– Ce serait le moment idéal d'entrer en jeu, mon ami.

Justement, le Magicien de Cristal y songeait. Il ferma les yeux pour rassembler toute son énergie. Lorsque Danalieth le sentit prêt, il fit disparaître son bouclier. Abnar n'hésita pas une seconde. Il se transforma en une sphère incandescente et fonça vers le nuage violet qui s'approchait du continent. Lorsque l'Immortel l'atteignit, sous sa forme ignée, il provoqua une explosion si puissante que le ciel s'illumina d'un magnifique feu d'artifices. Les corps calcinés des insectes volants tombèrent dans la mer, pour la plus grande joie des requins qui venaient de terminer leur repas de scarabées.

Contemplant cet extraordinaire spectacle, Danalieth ne vit pas le dragon qui piquait sur lui. Ce fut l'ombre du monstre qui attira soudain son attention. Un halo fendit le sol rocheux, à un cheveu de lui, le propulsant dans le vide. Il ne toucha cependant pas le sol, car la créature volante l'attrapa habilement d'une seule patte. L'Immortel ne chercha pas à se débattre. Il profita plutôt de sa situation pour s'en prendre à l'empereur, qui ne pouvait pas l'atteindre sans blesser l'animal.

Danalieth fit apparaître une aura d'un blanc étincelant autour de son corps, puis la propagea au dragon. Incommodé par la chaleur qu'irradiait soudain sa proie, Pyros secoua la patte pour s'en débarrasser, mais elle y resta mystérieusement accrochée. Amecareth ne mit pas longtemps avant de ressentir le même malaise que sa monture. Voyant que cette dernière ne pouvait pas se défaire du responsable de cette souffrance, il lui ordonna de se poser sur la falaise.

Pyros s'empressa de toucher terre et tenta d'écraser Danalieth pour le forcer à lâcher prise. L'Immortel se dématérialisa avant que son corps temporaire soit broyé contre le roc. Il réapparut à quelques pas de l'animal stupéfait, qui le regarda fixement sans oser bouger. Amecareth se laissa alors glisser sur le flanc du dragon et passa sous son aile. Danalieth ne cilla pas en le voyant se dresser devant lui. L'Empereur Noir faisait partie de cette race sur laquelle Parandar lui avait demandé de veiller à la fin de son apprentissage céleste.

— Je suis Danalieth, se présenta-t-il.

— Danalieth ? siffla Amecareth, décontenancé. Sais-tu ce que veux dire ton nom dans ma langue ?

— Oui, je le sais. Il signifie « ami des Tanieths ».

— Tu comprends ce que je te dis ?

— Les dieux m'ont en effet donné ce talent.

— Alors, pourquoi l'ami des Tanieths défend-il les humains ?

— C'est une bien longue histoire, monseigneur. Lorsque j'ai quitté le ciel pour m'acquitter de ma mission auprès de vos ancêtres, j'ai voulu connaître mon père. Cette rencontre a malheureusement changé le cours de mon existence et m'a valu la défaveur de mes maîtres. J'ai été banni et je me suis réfugié sur ces terres.

— Il n'est pas trop tard pour revenir à mon service, ami des Tanieths.

— Au fil du temps, il s'est formé un lien indissoluble entre les habitants d'Enkidiev et moi. J'agirais en traître si je me rangeais maintenant de votre côté.

— Tu as donc décidé, comme eux, de m'anéantir.

— Pas si vous repartez sur Irianeth avec toutes vos troupes en promettant de ne plus jamais revenir à Enkidiev.

— À toi, les dieux ont confié une mission, mais à moi, ils ont offert le monde. Ce continent m'appartient et j'ai l'intention de le reprendre.

— Dans ce cas, je devrai vous en empêcher.

Un halo violet commença à se former autour de la poitrine du scarabée géant. La riposte de Danalieth se ne fit pas attendre. Il laissa partir des gerbes d'éclairs éclatants sur le principal ennemi des humains. À son grand désarroi, elles ne détériorèrent d'aucune façon le bouclier de son ennemi. « Mais d'où tient-il cette puissance ? » s'étonna l'Immortel. Il n'eut pas le temps d'y penser davantage. Pyros fonça sur lui pour aider son maître à achever la proie qu'ils avaient capturée. Danalieth s'éclipsa en toute hâte, désormais persuadé que seules les forces combinées de plusieurs Immortels viendraient à bout du seigneur des insectes.

23

UN DUR PLONGEON

C'est le cœur en pièces que Liam avait quitté son royaume natal. Bien sûr, les Chevaliers avaient besoin de lui, mais il ne pourrait jamais combattre à leurs côtés sans rétablir d'abord la réputation de son père. De plus, au fond de lui, il refusait de servir sous les ordres de l'homme qui allait lui ravir la jeune fille qu'il aimait secrètement depuis sa tendre enfance. Lassa avait eu raison de lui recommander d'avouer son amour à Jenifael tandis qu'ils n'étaient encore que des Écuyers. « J'aurais dû l'écouter... », regretta-t-il. Et puis, comment pouvait-il se comparer à Hadrian d'Argent, ce héros de légende qui s'apprêtait à répéter les mêmes exploits, cinq cents ans plus tard ?

« Je ne suis rien du tout, soupira intérieurement le nouveau Chevalier. Je n'ai pas de sang royal. Je n'ai gagné aucune bataille. » Ses épaules s'affaissèrent sous le poids de cette constatation. « Je ne suis même pas beau. » Pietmah se mit à protester en secouant l'encolure. Liam capta aussitôt ses pensées.

– Je ne nous sépare pas des autres, expliqua-t-il à son cheval-dragon. J'ai une mission différente, c'est tout.

La jument se lança dans une série de sifflements modulés.

– Je sais bien que nous sommes ensemble pour faire la guerre, mais il arrive, dans la vie, que nous devions faire face à des situations plus pressantes.

Ne partageant pas son avis, Pietmah piaffa durement en continuant d'avancer, rendant la selle bien inconfortable. En adhérant à l'Ordre des Chevaliers d'Émeraude, Liam avait juré de respecter toutes les règles du code. Il n'aimait pas mentir, mais s'il n'arrivait pas rapidement à convaincre son destrier de l'importance de retrouver Jasson, il serait forcé de poursuivre sa route à pied.

– Je n'étais pas supposé en parler à qui que ce soit, mais je peux bien te le dire, à toi. Les Chevaliers m'ont demandé d'attirer l'Empereur Noir aussi loin que possible de Lassa.

Cette révélation calma aussitôt la jument-dragon. Elle poussa de petits cris aigus et trotta avec plus d'entrain.

– Je savais que tu comprendrais, Pietmah.

Dès son départ d'Émeraude, le jeune Chevalier avait repéré l'énergie de son père, au sud d'Enkidiev. Croyant le rencontrer dans les denses forêts du Royaume de Turquoise, il avait utilisé la magie jadis enseignée par Farrell pour couper magiquement son trajet de moitié. Une fois rendu là où la rivière Wawki se divisaient en une multitudes de petits affluents, ses sens invisibles l'avaient alors informé que Jasson s'était réfugié encore plus au sud.

Liam avait quitté la quiétude de la sylve pour traverser la prairie qui s'étendait à l'est du Royaume de Fal. Autrefois, il n'aurait pas osé s'aventurer seul aussi loin, mais depuis qu'il s'était retrouvé isolé du monde entier, sur l'île des araignées, il n'avait plus peur de l'inconnu.

– Si je me rappelle bien mes cours de géographie, ce pays est désertique.

Il avait du mal à comprendre pourquoi son père aurait choisi un lieu aussi dépourvu de ressources pour s'expatrier. Les quelques esquisses qu'il avait vues de Fal montraient des arbres disséminés sur un vaste territoire couvert de sable. On pouvait à peine s'y protéger du soleil et la chaleur devenait insupportable au milieu du jour.

Le cheval allait bon train, tandis que son jeune cavalier observait le paysage. À sa gauche, les pics de Béryl n'étaient pas aussi élevés que les volcans de l'est. On pouvait même apercevoir ces derniers derrière les montagnes où habitaient les hommes les plus endurants du continent. À sa droite, les plaines, qui s'étendaient jusqu'à la rivière Dillmun, étaient délimitées par d'autres forêts ancestrales. Liam se laissait bercer par les mouvements désormais plus cadencés de la jument, lorsque soudain, le poil se hérissa sur ses bras.

– Je connais cette énergie maléfique, siffla-t-il entre ses dents.

Il pivota sur sa selle, scrutant les alentours. Le corbeau géant poussa un cri aigu en fondant sur le jeune soldat. Pietmah eut le réflexe de bondir de côté, évitant à son maître d'être labouré par les serres d'Asbeth. L'oiseau de malheur reprit de l'altitude en croassant de colère. Liam aurait voulu descendre de son cheval pour affronter le sorcier en combat singulier, mais Pietmah eut une réaction bien différente : elle galopa ventre à terre en direction de Fal. Son cavalier fut donc contraint d'utiliser uniquement les rayons ardents de ses mains pour repousser son agresseur volant.

La poursuite dura de longues heures. Se laissant porter par le vent, Asbeth attendait que sa proie s'épuise complètement, tout en évitant habilement ses tirs. De son côté, Liam cherchait désespérément le couvert des arbres, de moins en moins fréquents dans cette région de sécheresse. Il lui faudrait bientôt arrêter son cheval-dragon avant qu'il ne tombe de faiblesse.

Ce fut son instinct qui sauva Liam. Sans savoir pourquoi, il tira de toutes ses forces sur les rênes de son cheval-dragon et parvint à l'arrêter à un pas à peine du bord de la plus haute falaise du continent. Le pauvre animal tremblait de tous ses membres.

– Recule doucement, Pietmah, l'encouragea Liam. Surtout, pas de panique.

La jument lui obéit, posant une patte à la fois derrière elle, jusqu'à ce qu'elle se soit suffisamment loin du gouffre pour que le Chevalier puisse mettre pied à terre. Liam sonda les alentours. Il y avait une oasis non loin et aucune trace du corbeau. À grand renfort de cajoleries, il parvint à y emmener Pietmah. Le soldat et l'animal se désaltérèrent dans le point d'eau, puis se couchèrent sur le sol.

– Je me demande à quelle vitesse ce sorcier peut voler...

Pietmah ne fit qu'émettre quelques sons plaintifs.

– Évidemment que je vais surveiller le ciel, mais tu n'as pas à t'en faire. C'est à moi qu'il en veut.

Allongé sur le sable, à l'ombre d'une palmeraie, Liam se rappela les paroles de Dylan, lorsque le dieu déchu avait emprisonné ce dernier dans une bulle d'énergie, dans le Désert. L'enfant de lumière lui avait alors révélé qu'il serait le bouclier de Lassa.

– En attirant Asbeth à l'autre bout du continent, je suis peut-être en train de sauver la vie de Lassa, se réjouit-il.

Son enthousiasme ne dura pas longtemps, car il capta une fois de plus la malveillance du sorcier d'Amecareth. Liam se remit debout. Son cheval-dragon, par contre, fut incapable de bouger un seul muscle : il soufflait comme un bœuf. Liam chargea ses mains et s'éloigna de Pietmah pour éviter que les tirs de son adversaire ne touchent son fidèle destrier.

— Où es-tu, sale oiseau ? gronda le Chevalier.

Il marcha dans le sable chaud en scrutant le ciel. Un point noir retint aussitôt son attention. Lorsqu'il se mit à grossir, Liam sut qu'il venait de localiser Asbeth.

— Approche, que je te fasse rôtir une fois pour toutes ! le défia Liam.

Mais au lieu d'attaquer l'adolescent à partir des airs, le mage noir se posa à une distance respectable de lui. Il avança lentement en penchant la tête de côté, comme s'il tentait de vérifier son identité.

— C'est toi, le porteur de lumière ? demanda Asbeth en s'efforçant d'adopter une voix suave.

— Je ne suis pas assez bête pour répondre à cette question, tout de même.

La témérité de cet enfant humain surprit le mage noir. Seuls quelques Chevaliers ne le craignaient pas. Les autres tremblaient de peur devant lui.

— J'ai une offre à te faire de la part de mon maître. Il cherche de fidèles serviteurs.

— Il n'aimera pas ma réponse.

– Lorsque tous tes amis seront morts, tu te féliciteras de l'avoir acceptée.

– Ce doit être la rareté de l'air en haute altitude qui vous fait divaguer ainsi.

Asbeth poussa un cri furieux en continuant de s'approcher de cette insolente proie que l'empereur voulait vivante. Liam remarqua alors ses nombreuses plaies, qui n'avaient pas encore eu le temps de cicatriser.

– J'espère que c'est l'un des miens qui vous a brutalisé ainsi.

– Tout compte fait, je retire mon offre, se durcit Asbeth.

Sournoisement, il ouvrit une aile et fit jaillir un serpent électrifié. Liam se jeta à plat ventre, fit quelques roulades et laissa partir des rayons incendiaires. Les flammes ne firent que lécher le bouclier invisible du sorcier.

– Je suis bien trop fort pour toi, jeune imbécile, croassa Asbeth, de façon menaçante.

– C'est ce que nous allons voir.

Liam disparut alors sous ses yeux. Stupéfait, le corbeau tourna la tête dans toutes les directions pour voir où il était allé. En fait, Liam n'avait même pas bougé. Il avait utilisé une astuce que lui avait également enseignée Farrell, soit l'art de se rendre invisible en s'immobilisant complètement. Il attendit, avec la patience d'une Tégénaire, que l'homme-oiseau soit encore plus près de lui.

Soudain, une flamme surgit de nulle part et brûla la cuirasse qui protégeait le poitrail d'Asbeth. Ivre de colère, ce dernier reconstitua son bouclier et le projeta à toute volée sur son jeune adversaire. Liam ne put rien faire pour se défendre contre cette violente attaque. Il eut beau planter ses pieds et ses mains dans le sable, il fut repoussé vers la falaise. « Il y a toujours une solution, même à la situation la plus désespérée », lui avait souvent répété Kevin, son maître. Cette fois, Liam ne voulait pas être blessé comme lorsqu'il avait dégringolé du volcan. Dès que ses pieds ne touchèrent plus la terre ferme, il utilisa son pouvoir de lévitation pour descendre en douceur, tout en cherchant dans la paroi rocheuse des aspérités suffisamment grandes pour s'y accrocher. Il avait oublié que le sorcier avait des ailes.

Le premier serpent électrifié mordit l'épaule de Liam et lui causa une telle douleur qu'il relâcha sa concentration. Il piqua aussitôt vers le sol à une vitesse vertigineuse. Certain qu'il succomberait à ce plongeon, Asbeth ne le suivit pas.

Ce furent les branches des arbres qui amortirent la chute de l'adolescent. Pourtant, même s'il toucha terre sur une nappe de mousse verte, le choc fut brutal. Au bord de l'inconscience, Liam suivit un autre des conseils de Kevin. Il s'entoura d'un écran protecteur suffisamment puissant pour qu'Asbeth ne capte pas ses battements de cœur, et le maintint aussi longtemps qu'il le put. Puis, il courut le risque de scruter le ciel. À son grand soulagement, le corbeau était parti.

Papa..., appela Liam avant de s'évanouir.

Jasson était en train de tailler la pointe d'un pieu lorsqu'il entendit l'appel de son fils. Il laissa tomber le palis et s'immobilisa, attentif. Se moquant d'être entendu par ses frères d'armes, Jasson l'appela avec ses facultés télépathiques.

Liam, où es-tu ? L'adolescent ne répondit pas. Jasson fonça vers le temple. Katil, qui avait elle aussi entendu la voix de son frère, descendait justement la rampe à sa rencontre.

– Reste ici avec maman et Lérine et protège-les en mon absence, ordonna le père en s'emparant de son javelot. S'il le faut, barricadez les portes.

– Mais, papa..., regimba la petite.

– Tu dois m'obéir, Katil. Liam est en danger et je dois me porter à son secours. Veille sur le Royaume de Saphir jusqu'à mon retour.

Jasson n'attendit pas ses prochaines protestations. Il ferma les yeux et fouilla la région avec ses sens invisibles, à la recherche de son fils.

– Il est par là, indiqua Katil en pointant vers le nord-est, au pied de la falaise.

Jasson regretta de ne jamais avoir pris le temps d'explorer davantage les environs, sinon il aurait pu utiliser son vortex pour se déplacer plus rapidement.

– Moi, je connais une magie différente, ajouta l'enfant.

– Je sais bien que ce n'est pas le moment de te questionner à ce sujet, mais nous aurons une sérieuse discussion au sujet de toutes ces cachotteries à mon retour.

– Notre retour.

Elle sauta au bas de la rampe et posa la main sur le bras de son père. En un instant, ils furent transportés dans un passage glacial et se retrouvèrent dans la forêt. Jasson fut incapable d'évaluer la distance qu'ils venaient de parcourir, puisque la végétation était exactement la même partout dans la Forêt interdite.

– Par ici, le pressa Katil en tirant sur sa tunique.

Ils découvrirent le corps inanimé de Liam quelques minutes plus tard, au pied de grands palmiers. Jasson se départit de son arme et se précipita au secours de son enfant. Katil s'agenouilla à côté de lui.

– Est-ce qu'il a des os cassés ? s'enquit-elle.

Jasson passa une paume lumineuse au-dessus de l'adolescent.

– Oui, mais ce n'est rien que je ne peux pas réparer moi-même.

Il croisa ses bracelets, formant instantanément son vortex.

– On rentre à ma manière, cette fois, jeune demoiselle.

Le Chevalier cueillit son fils dans ses bras et suivit Katil dans le tourbillon de lumière. La soudaine apparition du maelstrom devant la rampe du temple attira les femmes à l'entrée. En apercevant Liam, Sanya accourut.

– Que fait-il ici ? s'écria-t-elle, affolée. Es-tu allé le chercher dans les volcans ? Est-ce qu'il est blessé ?

– Je crois qu'il est tombé de la falaise, répondit Jasson en entrant dans le temple.

– Moi, je pense qu'on l'a poussé, avança Katil.

Jasson déposa l'adolescent sur le lit supplémentaire qu'il avait fabriqué et détacha sa cuirasse abîmée. Sanya l'aida à le dévêtir, puis assista, impuissante, aux soins magiques que son époux prodigua à Liam.

– C'est tout ce que je peux faire pour l'instant, annonça le Chevalier. Je dois attendre qu'il se réveille pour qu'il me dise lui-même s'il ressent encore de la douleur.

– Jure-moi qu'il est hors de danger, le supplia-t-elle, d'une voix étranglée.

– Il ne mourra pas, affirma Jasson.

Sanya recouvrit son enfant d'une chaude couette, malgré le climat torride, et demeura à ses côtés toute la journée.

24

LA PRÊTRESSE

Le soleil était déjà sur son déclin lorsque Liam battit finalement des paupières. Il reprit lentement ses sens et tenta de déterminer où il se trouvait. Avant de s'évanouir, il avait été violemment repoussé par la magie d'Asbeth et précipité dans le vide. « Je me suis encore une fois écrasé dans un monde inconnu », conclut-il. La seule pensée qu'il puisse devenir de nouveau esclave d'une race d'insectes géants le ranima d'un seul coup.

Il tenta de s'asseoir, mais ressentit une violente douleur dans les épaules. Il n'était pas question d'essayer de s'enfuir avant de pouvoir physiquement le faire. Son aventure chez les Pardusses lui avait appris cette importante leçon de survie. Il concentra donc tous ses pouvoirs de guérison sur le haut de son torse jusqu'à ce que cessent ses souffrances, puis procéda à un examen méthodique du reste de son corps. Il fut bien surpris de trouver très peu de dommages internes après une telle chute.

Une fois entièrement guéri, il observa son environnement. Il s'agissait de toute évidence d'un logis, mais personne n'en construisait de semblables sur le continent. Les meubles, cependant, lui parurent familiers. Il vit son uniforme et ses bottes alignés non loin sur le sol. Quelqu'un lui avait enlevé ses vêtements. Il enfila sa tunique, malgré son état lamentable, puis sortit de la petite pièce et reconnut aussitôt la table et les bancs que Jasson avait jadis fabriqués de ses mains.

— Papa ? appela-t-il.

Il y avait une issue à chaque extrémité de la longue pièce rectangulaire. Utilisant ses sens magiques, il capta la présence d'êtres humains au-delà de l'une d'entre elles. Il marcha sur la pierre froide et risqua un œil dehors. Le décor lui était inconnu, mais c'était bel et bien sa famille qui préparait le repas du soir ! Katil écossait des pois tandis que Lérine éboutait des haricots et que sa mère déposait les écuelles sur une table basse. Plus loin, dans cette grande cour délimitée par une haute muraille, Jasson faisait rôtir de la viande sur le feu.

— Maman ?

Sanya pivota vers lui. Un large sourire de soulagement illumina instantanément son visage. Elle déposa les ustensiles et courut se jeter dans les bras de son fils.

— Les dieux soient loués, pleura-t-elle de joie.

Elle le relâcha aussitôt.

— Est-ce que tu te sens bien ?

— Maintenant, oui.

— Viens t'asseoir avec nous.

Elle le tira jusqu'aux bancs en pierre et le força à y prendre place. Jasson vint aussitôt s'accroupir devant lui en sondant chaque cellule de son corps.

– Je savais que tu survivrais à l'enlèvement d'Amecareth, se réjouit le Chevalier.

– C'est que je ne suis pas facile à abattre.

– Mais comment as-tu réussi à atteindre la Forêt interdite ? voulut savoir Katil.

– Laissez-moi vous raconter mon aventure à partir du début.

Il leur relata tout ce qui s'était passé après qu'Amecareth l'eut déposé sur la corniche du volcan : sa chute dans les Territoires inconnus, sa découverte des Pardusses et surtout d'un dragon comme ceux de l'empereur et son périple jusqu'au pays des araignées géantes. Katil sentit ses cheveux se dresser sur sa tête lorsqu'il leur décrivit les Tégénaires.

– Es-tu en train d'inventer cette histoire pour me faire peur ? se fâcha-t-elle.

– Non, Kat. C'est ce qui m'est vraiment arrivé. Kiarinah était aussi grosse que ce temple et, pourtant, elle me traitait avec douceur.

– Si ces insectes monstrueux vivent sur le dessus d'une montagne plus haute que les nuages, comment as-tu réussi à t'enfuir ? l'interrogea sa mère.

– Nartrach est venu me chercher sur le dos d'un dragon.

– Nous aurions dû y penser ! s'exclama Jasson, trouvant l'idée excellente.

– Continue ! insista Katil.

– J'ai été adoubé au Château d'Émeraude, mais je n'ai pas voulu suivre mes compagnons à la guerre, avoua Liam.

– Mais tu en as toujours rêvé ! s'étonna sa sœur.

– Je ne pouvais pas devenir un véritable Chevalier d'Émeraude sans rétablir la réputation de mon père.

Cette révélation eut l'effet d'un coup de poignard dans le cœur de Jasson.

– Ils pensent que je suis un déserteur, c'est bien cela ?

Liam hocha sèchement la tête.

– J'ai d'abord cru que tu avais été blessé et que tu étais incapable de rentrer à Émeraude. Puis j'ai senti ton énergie et j'ai voulu savoir pourquoi tu ne revenais pas.

Profondément affligé par la réaction de ses frères d'armes, Jasson retourna s'occuper de la cuisson de la viande, la tête basse.

– Ils nous a emmenées ici parce qu'il était persuadé que l'Empereur Noir était sur le point de conquérir Enkidiev, expliqua Sanya à son fils.

– Il ne voulait pas que les scarabées nous mangent, ajouta Katil.

– La victoire n'est certes pas encore assurée, mais je crois à la prophétie, et elle n'annonce pas notre perte.

– Ton père ne fait plus confiance aux dieux.

– Si nous perdons la foi, nous perdrons aussi la guerre.

– Pourquoi t'avons-nous trouvé assommé au pied de la falaise ? demanda Katil.

– Asbeth m'a attaqué tandis que j'étais tout en haut.

– Tu aurais pu être tué.

– Tu ne m'écoutais pas tout à l'heure, quand j'ai dit que je ne suis pas facile à abattre ?

– Je suis contente que tu sois ici, Liam.

La fillette grimpa dans les bras de son frère et le serra de toutes ses forces.

– Où sommes-nous, exactement ? s'enquit l'adolescent.

– Au Royaume de Saphir, répondit Katil.

– Il n'y a aucun royaume qui porte ce nom.

– Nous venons juste de le fonder. Nous allons coloniser toute la Forêt interdite.

– Pour peupler un pays avec des colons, il en faut plus que quatre, la taquina Liam.

– Ils viendront.

Liam mangea avec sa famille en observant son père. Il était son héros depuis sa tendre enfance. Jasson était un homme bon, qui ne prenait les armes que pour défendre son pays, pas par amour du combat. Il était doux, attentif et amusant. Si on lui en avait laissé le choix, il aurait passé toute sa vie sur ses terres, qu'il avait défrichées de ses mains. D'une certaine façon, Liam comprenait sa décision de mettre les siens à l'abri des atrocités qui menaçaient Enkidiev. Cependant, le premier devoir de Jasson, en tant que Chevalier d'Émeraude, n'était-il pas de défendre tous les habitants du continent ?

Après le repas, Jasson profita de la dernière heure de clarté pour continuer à construire la palissade de son pâturage, qui prenait lentement forme. Liam le suivit, afin de lui parler en privé. Il savait bien que ses parents n'avaient pas de secrets l'un pour l'autre, mais ce soir-là, il avait envie d'être un peu seul avec son père.

— Quelle est la vraie raison de ton départ de l'Ordre ? commença l'adolescent en aidant Jasson à planter le pieu qu'il venait de tailler.

— Je suis parti quand Wellan a été tué.

— C'est ton deuil que tu es venu faire ici ?

— Sa mort m'a fait comprendre à quel point notre existence est précieuse. En l'espace d'un instant, j'ai entrevu notre défaite et j'ai eu peur pour ma famille. Je souffrais déjà beaucoup de t'avoir perdu et j'ai voulu mettre fin à tous ces malheurs. C'est en pleurant Wellan que j'ai décidé de quitter ces combats insensés et de vivre la vie dont j'ai toujours rêvé.

— As-tu l'intention de regagner les rangs des Chevaliers ?

— Je n'en sais rien.

— Ils ont besoin de combattants d'expérience. La moitié des soldats viennent à peine d'être adoubés.

– Je ne veux pas y penser, pour l'instant.

– Tu dois quand même entendre leurs conversations télépathiques, non ?

– Je n'ai pas voulu me couper tout de suite d'eux, car je savais, au fond de mon cœur, qu'un jour j'entendrais ton appel.

Liam vit dans les yeux de son père la profondeur de sa détresse.

– Et moi, je suis certain que tu ne les laisseras pas complètement tomber, répliqua-t-il.

Les deux hommes travaillèrent jusqu'à la pénombre, puis jugèrent plus sûr de retourner dans le temple. Ils barricadèrent les portes et les fenêtres et prirent place autour du feu magique, au milieu de la grande pièce. Sanya leur servit du thé. Liam avala très lentement et avec extase sa première gorgée, car cette boisson chaude lui avait terriblement manqué.

– Parle-moi du dragon, l'implora Katil.

Son grand frère lui fit plaisir et Sanya apprécia qu'il n'en profite pas pour la terroriser. Au lieu de lui apprendre qu'elle croquait des scarabées à la manière d'un écureuil, il vanta plutôt la rapidité de la bête et son intelligence. Finalement, il lui décrivit le lien intime qui s'était tissé entre le Lotakieth et le jeune Nartrach.

– Comment s'appelle son dragon ?

– C'est Stellan, je crois.

– C'est un beau nom. Quand il aura des bébés, est-ce que je pourrai en avoir un ?

– Non, répondirent en chœur ses parents.

Avant qu'elle ne se mette à harceler son frère pour obtenir des détails un peu trop précis sur la reproduction des dragons, Sanya la mit au lit. Épuisé, Liam ne se fit pas prier pour regagner sa propre couche. Avant de s'endormir, il tenta une communication télépathique avec sa pauvre jument-dragon qui était restée sur la falaise. *Pietmah, je ne sais pas si tu m'entends, mais je suis sauf. Si tu le peux, reste sur la falaise. Je te rejoindrai bientôt.* Liam espéra que Pietmah pourrait interpréter ses paroles qui n'étaient pas comme à l'habitude accompagnées d'images plus faciles à décoder pour elle.

Le lendemain, après un déjeuner de fruits étranges, Liam suivit son père à la chasse. Le Chevalier aurait préféré que le jeune homme se repose, mais ce dernier était incapable de rester tranquille. Au bout d'une heure de marche vers l'est, ils entendirent le chant d'une cascade. Un couple de sangliers au pelage inhabituel fonça alors sur les humains qui osaient traverser leur territoire. Liam ne pensa même pas à utiliser le javelot dont son père l'avait armé. Il se servit plutôt de ses pouvoirs magiques et abattit les deux porcs sauvages avant qu'ils ne leur déchirent les jambes.

– Tes réflexes sont incroyables, fiston, le félicita Jasson.

En ramenant le gibier à la maison, ils constatèrent que de petits poulets vivaient sous les fougères. Ce n'étaient pas des dragons, mais Katil aurait certainement beaucoup de plaisir à s'en occuper. Liam en captura donc une dizaine à l'aide de ses pouvoirs de lévitation et les ramena avec lui malgré leurs piaillements de détresse. Dès qu'il les relâcha dans la grande cour du temple, les poules allèrent se réfugier derrière la fontaine.

– Maintenant, c'est à toi de les domestiquer, indiqua Liam à sa sœur. Je dois aider papa à dépecer les sangliers.

La fillette s'approcha lentement des oiseaux aux ailes courtes et sema aussitôt la panique parmi eux. Elle eut alors une idée. S'assurant que les adultes ne la surveillaient pas, Katil emprunta magiquement une poche de grains à un fermier d'Émeraude. Elle plongea la main dans le sac et jeta la nourriture devant les poulets. Ils commencèrent par s'écraser peureusement les uns contre les autres, puis l'un d'eux se laissa finalement tenter. Il picota quelques grains, puis, content de sa trouvaille, mangea bientôt avec appétit.

– Je suis certaine que vous ne trouverez rien de mieux dans la nature, annonça Katil en s'asseyant sur le sol.

Encouragées par l'immobilité de l'enfant, les poules se mirent toutes à picorer. Elles comprirent assez rapidement que leur pitance provenait de sa main.

– Il faudra leur trouver un abri pour la nuit, dit Sanya en arrivant derrière Katil.

– Papa pourrait me construire un poulailler avant qu'il ne fasse noir.

Dès que son troupeau fut rassasié, l'enfant alla adresser sa requête à Jasson. Incapable de refuser quoi que ce soit à sa fille, il découpa des planches dans les troncs des arbres qu'il avait abattus à son arrivée et bâtit une petite maison adossée à la rampe arrière du temple. Les poulets observèrent de loin le travail des humains et ne comprirent l'utilité du poulailler que lorsqu'ils virent Katil y entasser de la paille. Pendant que la famille prenait son repas du soir, les oiseaux longèrent la muraille pour finalement aller se coucher dans leur nouvelle demeure.

– Tu as vraiment un don, Katil, la complimenta Liam.

– Merci. Maintenant, est-ce que tu peux me trouver des moutons ?

Jasson éclata de rire pour la première fois depuis qu'ils s'étaient installés dans la Forêt interdite. « Le retour de Liam lui redonne sa joie de vivre », constata Sanya avec bonheur. Son époux vint même dormir près d'elle, ce soir-là. Ce n'était qu'une petite victoire, comme disaient les soldats, mais elle entendait bien gagner sa propre guerre.

Liam se réveilla en sursaut un peu avant le lever du soleil. Il lui arrivait souvent de rêver à l'attaque sauvage dont il avait été victime tandis qu'il était prisonnier des Tégénaires. Thoft, la rivale de sa maîtresse, avait bien failli le tuer dans sa cage. Lorsqu'il faisait de tels cauchemars, le jeune homme préférait ne pas se rendormir tout de suite. Il se levait et allait marcher un peu, histoire de chasser cet affreux souvenir.

Sans réveiller les autres, Liam décrocha la barre de bois qui bloquait les portes du temple. Il pensa d'abord poursuivre la fabrication de la palissade, puis se rappela la cascade.

Éprouvant une soudaine envie de se purifier, il se rendit à l'endroit de la forêt où il avait entendu le chant de l'eau. Il scruta attentivement la végétation sous les arbres, afin de ne pas être surpris par des sangliers, et s'approcha de la chute. Il découvrit alors qu'il s'agissait de plusieurs cascatelles, descendant au moins sept fois de niveaux, comme dans les marches d'un escalier. La dernière tombait à pic dans un bassin creusé par le constant martèlement de l'eau, puis filait vers le sud en se transformant en torrent impétueux.

Les remous des étages supérieurs lui semblant moins turbulents, Liam grimpa la pente abrupte en s'accrochant aux troncs des arbres. En arrivant au sommet de la colline, il constata en effet que le ruissesau était un affluent d'une large rivière qui se jetait des falaises de Fal. Il coulait sans se presser avant de gagner de la force dans les nombreuses chutes.

Le jeune homme descendit dans l'eau fraîche, limpide comme du cristal, et plongea sous sa surface. Il nagea en observant la vie aquatique inhabituelle de ce coin perdu du monde. Des bancs de poissons argentés filèrent en sens inverse en l'apercevant. Liam sonda le lit de la rivière, à la recherche de possibles prédateurs, et ne trouva que de petits batraciens. Rassuré, il émergea et respira le parfum des fleurs. Il toucha le fond avec ses pieds et s'approcha du bord de la première cascade, où le courant lui semblait encore relativement faible. De cette hauteur, il pouvait voir toute la vallée du Royaume de Saphir. Il distingua le temple de son père, loin vers la droite, puis il se tourna vers la gauche. Des volutes de fumée au-dessus des arbres attirèrent son attention. « Mais qu'est-ce que c'est ? » se demanda-t-il.

Liam fit un autre pas, marcha sur des algues, glissa et bascula dans la chute. Il tomba tête première dans le bassin en contrebas et constata que l'eau prenait de la vitesse à cet endroit. Il battit des pieds et des mains pour atteindre le bord. Le courant s'empara aussitôt de lui et l'expédia sans merci dans le bassin suivant, et ainsi de suite jusqu'au septième. Étourdi par la turbulence de la cascade, Liam fut incapable d'éviter le dernier long plongeon. Sa tête frappa durement la surface de l'onde, ce qui lui fit momentanément perdre tous ses moyens. Impuissant, il coula à pic dans le tourbillon qui se changeait en gave, un peu plus loin.

Une main lui saisit miraculeusement le bras et le ramena à la surface. Tandis qu'on le tirait sur la berge, Liam se mit à tousser violemment. Il se laissa tomber sur le dos, épuisé, et vit alors le visage de celle qui l'avait sauvé. Agenouillée près de lui, cette femme n'avait certainement pas vingt ans. Elle ressemblait beaucoup à une Jadoise avec ses yeux en amande et ses cheveux noirs comme du jais, mais la partie supérieure de son visage était couverte de curieux tatouages violets en forme de spirales.

– Qui êtes-vous ? articula enfin Liam.

– Vous parlez la langue de Kira ? s'étonna la jeune femme.

– Vous connaissez Kira ?

– Comme tout le monde. C'est la déesse des Silvas.

Liam n'avait pas été le plus appliqué des élèves d'Émeraude, mais il possédait une excellente mémoire. S'il avait déjà entendu ce nom quelque part, il s'en serait rappelé.

– Qui êtes-vous ? À quelle tribu appartenez-vous ? l'interrogea l'étrangère.

— Je suis Liam d'Émeraude, fils de Jasson et de Sanya. Et vous ?

— Maliaéssandara, des Silvas.

— Est-ce que je pourrais vous appeler Mali ? risqua le jeune homme, qui déformerait certainement ce nom chaque fois qu'il tenterait de le prononcer.

— Oui, si vous le voulez.

— Vous habitez cette forêt, Mali ?

Liam se redressa lentement, pour ne pas l'effrayer.

— Évidemment. Pourquoi me posez-vous cette question ?

— Parce que nous ignorions que la Forêt interdite était peuplée.

— C'est Adoradéa que vous appelez ainsi ?

— Peut-être bien. Je trouve vraiment curieux que nous parlions la même langue sans nous comprendre.

Mali esquissa un sourire timide avant de lui expliquer que tout le territoire qui s'étendait devant lui abritait des Enkievs depuis des milliers d'années et qu'il s'appelait Adoradéa. Plusieurs tribus différentes y résidaient, dont les Silvas, les Riparias, les Roccas, les Folias, les Batraks et les Ventus. Elles n'étaient pas territoriales, mais ne cherchaient pas non plus à envahir les terres de leurs voisins.

— Je ne connais pas votre tribu, avoua-t-elle.

— Si vous êtes réellement une Enkiev, alors je proviens d'une souche tout à fait séparée de nos ancêtres communs, car, à l'origine, les Enkievs ont colonisé Enkidiev.

La surprise de Mali n'était pas feinte. Elle ne saisissait tout simplement pas les paroles de l'étranger. Liam fut donc forcé de lui donner davantage de détails.

— Vous voyez cette falaise, au loin ?

La jeune femme hocha la tête.

— Eh bien, ma tribu vit là-haut.

— C'est impossible.

— Pourquoi dites-vous cela ?

— Parce que ce sont des terres prohibées par les anciens, évidemment. Les dragons y ont laissé une mauvaise magie.

— Il n'y a ni dragons, ni mauvais sorts là-haut, je vous le jure, sauf peut-être celui de Nartrach, mais il vient d'Irianeth.

— Mais c'est ce que prétendent les écritures...

— Je suis né dans ce pays qui vous est défendu et j'y ai grandi, alors vous pouvez me croire. Il ne reste des dragons que de l'autre côté de l'océan... bien qu'il y en ait au moins un dans les Territoires inconnus.

Cette fois, la pauvre femme était complètement déboussolée.

– Comme c'est curieux, voulut plaisanter Liam. Nous appelons votre pays la Forêt interdite, et vous appelez le mien les Terres prohibées. Sachez, Mali, que dorénavant, cette forêt sera connue sous le nom que vous lui donnez, car j'en informerai nos érudits. À votre tour, vous devrez utiliser le nom d'Enkidiev lorsque vous parlerez du vaste continent qui se situe au-delà de ces montagnes.

– Mon peuple sera désemparé lorsque je lui répéterai vos paroles, Liam d'Émeraude.

– Appelez-moi Liam. Émeraude est le royaume où j'ai vu le jour.

Elle resta muette, encore sous le choc des révélations de l'adolescent.

– J'aimerais que vous me parliez de votre déesse Kira, la pria Liam, de plus en plus curieux.

– C'est la fille du dieu Parandar.

– Nous adorons aussi Parandar.

Cela sembla rassurer Mali.

– Elle est venue sur terre, il y a très longtemps, pour libérer les Enkievs de la menace des dragons. Comme vous avez sans doute pu le constater vous-même, il n'y en a plus du tout à Adoradéa.

– À quoi ressemblait-elle ?

– Selon les récits sacrés, sa peau était mauve et ses yeux étaient semblables à ceux des dieux. Ils voyaient plus loin que les nôtres et pouvaient lire le contenu des âmes.

– La description que vous me faites me rappelle vraiment une femme que j'ai connue.

– C'est impossible, puisque personne ne ressemble à la déesse Kira, dans le monde des mortels.

– Il y a peut-être eu deux Kira.

Mali secoua énergiquement la tête pour dire non.

– Venez, Liam, je vais vous montrer que vous vous trompez.

Elle lui prit la main et l'entraîna dans la forêt, jusqu'aux ruines d'un grand temple, dont il ne restait plus que deux murs. On y avait sculpté des symboles étranges à l'extérieur, que le jeune Émérien fut incapable de traduire. Ce ne fut qu'une fois à l'intérieur qu'il comprit où Mali voulait en venir. Il lâcha sa main et s'approcha du bas-relief, où on pouvait suivre les aventures de la déesse.

– C'est hallucinant ! s'exclama Liam.

Les pictogrammes se lisaient de gauche à droite, en colonnes, et commençaient avec une sculpture du visage de Kira, ses cheveux longs, ses oreilles pointues et ses pupilles verticales. Liam n'avait plus aucun doute quant à l'identité de la divinité. Il ne pouvait pas s'expliquer ce qu'elle faisait sur un monument qui remontait à des siècles. Toutefois, Kevin lui avait raconté que Kira avait été emprisonnée dans le passé. Les Enkievs l'avaient-ils prise pour un être divin ? « Probablement, si elle a utilisé ses facultés magiques », conclut Liam.

Il marcha le long du mur en tentant de récapituler les exploits de la déesse.

– Elle est arrivée de nulle part sur la plus haute montagne, lut-il, à voix haute.

– Oui, c'est cela, l'encouragea Mali.

– Elle a tué des dragons, puis elle a accompagné des Enkievs sur le bord de la rivière, près des volcans. Elle est ensuite partie avec un jeune homme de cette tribu pour se rendre au grand océan. Durant le voyage, elle a incendié les arbres.

– Non, pas les arbres, le corrigea Mali. Elle a exterminé les dragons et ensuite, les arbres ont pris feu.

– Je suis désolé. La pierre s'est effritée au niveau des dragons.

Il poursuivit le récit jusqu'à l'arrivée de Kira sur la falaise de Zénor, où un dragon la faisait tomber dans le vide. Liam fut bien surpris de voir la procession d'Enkievs la reconduisant à son dernier repos. Un peu plus loin, leurs mains étaient vides.

– Je ne comprends pas, avoua-t-il.

– Elle est retournée vers son père avant qu'on puisse la déposer dans son tombeau. Nous la vénérons depuis ce temps.

« Comment lui dire qu'il s'agit d'un maître magicien incapable de revenir chez elle ? » se demanda Liam.

– Mali, portez-vous ces marques au visage en l'honneur de Kira ?

– Je suis une prêtresse, au service de la déesse.

– Une prêtresse ? Je suis encore plus honoré de faire votre connaissance.

Il n'y en avait plus depuis fort longtemps à Enkidiev.

– Cependant, je risque de ne plus l'être longtemps, se chagrina-t-elle, en prenant place sur une grosse pierre.

– Pour quelle raison ?

– Je ne reçois plus de messages de la part de la déesse.

– Elle vous parlait ?

– Quelques fois, mais le plus souvent, j'interceptais ses prières à Parandar. En tant que prêtresse, mon devoir était de rapporter à mon peuple tout ce que j'entendais.

– Quand ces transmissions ont-elles cessé ?

– Lors de la dernière lune. S'il ne se produit pas quelque chose bientôt, mon peuple n'aura plus besoin de moi.

– Je suis bien mal placé pour vous donner ce conseil, Mali, mais dans la vie, il faut savoir s'armer de patience et ne jamais céder au désespoir. Tout finit toujours par s'arranger.

– Retournerez-vous bientôt dans votre tribu ?

– Sans doute, mais je compte passer encore quelques jours avec mes parents, qui ont décidé de s'installer à Adoradéa.

Ils entendirent alors le tintement cristallin de petites clochettes.

– On me demande de rentrer, expliqua Mali, abattue.

– Nous reverrons-nous ?

– Tout dépendra de la déesse. Adieu, Liam.

Elle disparut dans la dense végétation sans qu'il puisse dire un mot de plus.

25

ΛUCUNE RELÂChE

Les combats se poursuivaient au pied de la Montagne de Cristal entre les mantes religieuses rouges et les humains. Ne possédant pas les pouvoirs des Chevaliers, les armées de Perle, de Jade, de Diamant et d'Opale repoussaient les insectes volants à coups d'épées et de lances. Malheureusement, plusieurs bons guerriers avaient déjà succombé au poison de leurs crocs.

Après la disparition de Dylan dans ses bras, Dinath n'avait plus su comment se rendre utile. Son père n'était nulle part et les cadavres des dictyoptères s'empilaient autour d'elle.

– Ariane ! appela-t-elle, dans le tumulte.

Dinath se faufila entre les soldats afin de rejoindre le groupe des Chevaliers. Ces derniers s'étaient cependant dispersés sur tout le champ de bataille. Elle ne se découragea pas pour autant et se fraya un passage entre les chevaux, les fantassins et les Chevaliers. C'est alors qu'elle aperçut sa sœur aînée, empêchant des mantes religieuses de s'en prendre à elle et à ceux qui l'entouraient. Dinath fonça vers la Fée guerrière au lieu de rester à l'écart de la bataille. Ariane la vit courir vers elle au milieu du chaos.

– Dinath, reste derrière moi ! ordonna-t-elle.

– Je veux me battre, moi aussi.

Un insecte attaqua la plus jeune des deux sœurs, qui riposta sans hésitation avec des rayons incendiaires. Ariane trouvait déjà contraignant de garder à vue son époux. Kardey frappait avec vigueur les mantes religieuses qui tentaient de le mordre, mais il ne possédait pas les pouvoirs magiques des Chevaliers. La Fée ne pourrait pas convenablement faire son travail si elle devait surveiller deux personnes à la fois.

Même si c'était une activité nouvelle pour elle, Dinath continua de lancer des faisceaux de tout acabit sur l'ennemi qui tombait du ciel. Cependant, son manque d'expérience la mit bientôt en péril. Tandis qu'elle pilonnait les dictyoptères droit devant elle, un autre l'attaqua par-derrière. Heureusement, Ariane venait de jeter un coup d'œil vers sa benjamine. La Fée guerrière lança une décharge si puissante vers la mante religieuse qu'elle fit exploser sa tête. Le choc projeta Dinath au sol.

– Tu ne peux pas rester ici ! l'avertit Ariane en se précipitant sur elle.

– Il nous faut détruire tous ces monstres ! riposta l'autre.

Dinath ignorait évidemment qu'en présence de sa sœur, il lui suffisait d'émettre un vœu pour qu'il se réalise. Ariane saisit sa main avec l'intention d'aller la mettre en sûreté. Lorsque leurs doigts se touchèrent, cependant, un phénomène étonnant se produisit. Une étincelle lumineuse apparut entre leurs paumes. En l'espace d'une seconde, elle se transforma en une sphère étincelante et décolla comme une comète. À une vitesse folle, elle se mit à frapper les insectes volants, les uns après les autres, les désintégrant en entier !

Haletant et au bord de l'épuisement, Hadrian assista à ce bien curieux spectacle. Il n'avait évidemment pas vu d'où était partie cette magie inhabituelle et se concentra pour en déterminer la nature. Puisqu'elle éliminait systématiquement leurs adversaires, il comprit assez rapidement qu'il s'agissait d'une manifestation amie.

Lorsqu'elle eut terminé son œuvre de destruction, la boule lumineuse retourna vers ses créatrices et se résorba dans leurs mains. Toutes les armées s'étaient immobilisées et le silence était tombé sur le champ de bataille. Hadrian fut le premier à réagir. Il contourna les soldats figés sur place et se planta devant les deux filles de Danalieth.

– Êtes-vous responsables de ce qui vient de se produire ? s'enquit-il, stupéfait.

– Apparemment, oui, répondit Ariane, mais je ne saurais l'expliquer.

– Peut-être est-ce une autre des armes de Danalieth, suggéra Bridgess.

– Séparées, elles ont les mêmes pouvoirs que nous, mais ensemble, on dirait bien qu'elles ont la puissance d'un Immortel, commenta Santo.

– Je sais bien qu'on devrait célébrer cette victoire, les interrompit Falcon, mais les larves ont réussi à se faufiler jusqu'à la montagne pendant que nous nous défendions contre ces insectes rouges.

— Transporte ton groupe et celui d'Ariane là-bas et éliminez autant d'imagos que vous le pourrez, lui commanda Hadrian. Les autres vous rejoindront dès que les corps auront été brûlés ici.

Falcon hocha vivement la tête et rassembla les membres de sa troupe, qu'il dirigea sans délai dans son vortex.

Par voie télépathique, Hadrian ordonna à Dempsey d'emmener ses hommes sur les berges de la rivière Mardall afin d'incinérer les cadavres qu'ils y avaient laissés. Il demanda ensuite aux autres groupes d'en faire autant autour d'eux, puis se dirigea vers les rois des pays alliés, qui attendaient la suite des événements, assis sur leurs chevaux. Une odeur pestilentielle commençait à s'élever sur la plaine, ce qui rendait le travail de crémation encore plus urgent.

— Majestés, vos hommes méritent un temps de repos, leur dit Hadrian.

— Je vois au loin que les vôtres continuent à se battre, répliqua Giller.

En effet, des rayons de lumière jaillissaient ici et là, au pied de la montagne.

— Il s'agit de larves que nous aurons tôt fait d'éradiquer. Je vous en conjure, reprenez vos forces. Amecareth n'a pas encore été abattu et il reviendra certainement à l'assaut.

Les souverains échangèrent un regard entendu et hâtèrent la retraite de leurs soldats vers le sud, afin d'établir un campement dans la forêt, loin du carnage.

Au Château d'Émeraude, Lassa se rétablissait rapidement grâce aux bons soins d'Amayelle et du jeune Cameron. La Princesse des Elfes aida le porteur de lumière à s'asseoir dans son lit et lui fit boire une tasse de thé dans laquelle elle avait ajouté des herbes énergisantes. Malgré toutes ces petites attentions, Lassa continuait de contempler ses mains avec tristesse.

– Tu es Chevalier, maintenant, lui annonça le jeune Cameron en pointant l'uniforme tout neuf que les serviteurs avaient déposé sur la commode.

– Je ne sais plus vraiment ce que je suis..., soupira Lassa.

– Tu fais partie de l'Ordre de Chevalerie le plus influent de tous les temps !

– Cameron, que t'ai-je dit au sujet de la vantardise ?

– C'est papa qui le prétend !

– Dans ce cas, Nogait aura droit à la même leçon d'humilité que toi, à son retour.

– C'est vrai que les Chevaliers sont les plus forts.

– Cameron, c'est la dernière fois que je t'avertis.

Le demi-Elfe croisa les bras sur sa poitrine en faisant la moue.

– Ai-je rêvé que Kira est venue à mon secours dans la forêt ? chercha à savoir Lassa.

– Nous ne savons pas comment c'est possible, mais il semble bien qu'elle soit enfin de retour.

— Où est-elle allée ?

— Jahonne dit qu'elle s'est soudainement dématérialisée, comme si elle n'avait plus assez d'énergie pour demeurer parmi nous.

— Est-elle devenue une Immortelle, comme Dylan ?

— Ce n'est pas impossible.

— Elle était maître magicien. Cela veut donc dire qu'elle est morte, là où elle avait été emprisonnée.

Le porteur de lumière retenait ses larmes.

— Si tel est le cas, elle est désormais cent fois plus forte qu'avant, s'empressa de lui faire remarquer Amayelle. Tu devrais plutôt te réjouir pour elle.

Embarrassé par sa réaction enfantine, Lassa essuya ses yeux.

— Te sens-tu assez remis pour que je jette un coup d'œil à un autre patient ?

— Oui, ça va aller. Merci pour tout, Lady Amayelle.

La princesse quitta la pièce en silence, oubliant son fils derrière elle.

— Est-ce que tu pourrais faire semblant que je suis ton Écuyer ? demanda l'enfant à Lassa dès que sa mère fut partie.

— Je n'ai pas tellement le cœur à jouer, Cameron.

— Ce ne sera un jeu que pour moi. Dans ton cas, ce sera vrai.

— Qu'as-tu en tête, jeune vaurien ?

— Je vais t'aider à revêtir ton uniforme pour la première fois, comme dans un véritable adoubement !

— Ce sont nos maîtres qui procèdent à cet important rituel, pas d'autres Écuyers.

— Alors je serai ton maître !

Cameron utilisa une voix grave, pour imiter celle des adultes.

— Lève-toi, fainéant ! ordonna-t-il avec de grands gestes. L'heure n'est pas au repos !

Les mimiques de Cameron firent finalement sourire Lassa. Le porteur de lumière posa ses pieds sur le sol.

— Par quoi commence-t-on ? s'enquit le gamin en oubliant son rôle.

— Le pantalon et la tunique.

Le demi-Elfe fourragea dans les vêtements empilés sur la commode et trouva finalement ce qu'il cherchait. Il attendit que Lassa s'habille, puis alla chercher ses bottes neuves.

— Met-on la ceinture tout de suite ?

— Non, l'informa Lassa, qui avait si souvent aidé Wellan à se vêtir. Elle se porte par-dessus la cuirasse lorsqu'on est Chevalier.

Cameron tira sur l'armure sans se douter de son poids, et s'écrasa sur le plancher avec elle. Découragé, Lassa l'aida à se relever et déposa lui-même la cuirasse sur ses épaules. Il laissa cependant le garçon attacher les courroies.

– Maintenant, on met la ceinture ?

– Oui, et ensuite, la cape.

Une fois le tout bien attaché, Cameron poussa le nouveau soldat devant la psyché pour qu'il s'admire.

– Maintenant, au combat, Chevalier ! s'écria l'enfant.

Lassa contempla son uniforme en regrettant que Wellan ne soit pas là pour le voir. « La prophétie disait clairement que le porteur de lumière était un Chevalier, songea-t-il. Alors, voilà, j'en suis un. Que doit-il se passer, maintenant ? »

– Va-t-il falloir que je te conduise moi-même sur le champ de bataille ? le menaça Cameron en imitant son père.

Lassa se volatilisa d'un seul coup.

– Eh ! protesta l'enfant. Tu es supposé partir à cheval !

Le nouveau Chevalier savait exactement où il trouverait ses nouveaux frères d'armes, et il reprit forme parmi les groupes qui empêchaient les larves d'atteindre la base de la Montagne de Cristal. Théoriquement, il appartenait à celui de Bridgess, mais cette dernière n'était pas encore arrivée sur les lieux. Il se joignit donc à la troupe de Chloé. Tenaces, les imagos continuaient de progresser, malgré les barrages de tirs des Chevaliers.

– Tous derrière moi ! cria une voix qu'il reconnut comme étant celle de Jenifael.

La fille de Wellan n'était plus une apprentie, mais un soldat à part entière. Toutefois, si elle avait un plan, il incombait aux chefs présents de décider de sa pertinence. Falcon devança Dempsey et Chloé.

– Faites ce qu'elle vous demande ! ordonna-t-il.

Lassa suivit les autres Chevaliers au pas de course, curieux de voir ce que ferait la jeune déesse. En fait, Jenifael était épuisée physiquement et moralement, et elle ne désirait plus qu'une chose : mettre fin aux combats pour le reste de la journée. Son corps s'embrasa alors qu'elle avançait vers les larves hésitantes. D'un seul coup, elle ramena ses deux bras devant elle et les frappa ensemble, comme une pince qu'on referme. Un torrent de flammes s'échappa de ses doigts. À la manière d'un serpent mortel, il zigzagua entre les imagos, les incinérant avant qu'ils puissent rebrousser chemin. Le tout ne dura que quelques minutes à peine.

La boule de feu au milieu de laquelle se tenait Jenifael disparut et la jeune fille chancela. Lassa se porta aussitôt à son secours, l'attrapant avant qu'elle ne s'écroule.

– Lassa ? murmura-t-elle en souriant faiblement. C'est bien toi ?

Voyant que ses jambes ne la supportaient plus, il souleva son amie dans ses bras. Quatre vortex apparurent presque simultanément autour des Chevaliers et les autres groupes en sortirent en courant. Les guerriers ralentirent progressivement le pas en constatant qu'ils n'avaient plus d'ennemis à combattre. Hadrian, qui avait voyagé avec les soldats de Bridgess, emboîta le pas à cette dernière. Inquiète, la mère de Jenifael la ravit à Lassa et la déposa tout doucement par terre pour l'examiner.

– Comment va-t-elle ? s'inquiéta l'ancien roi.

– Elle a dépensé une grande quantité d'énergie, mais elle va bien, estima Bridgess, surtout pour se rassurer elle-même.

– J'ai compris comment utiliser mes pouvoirs, chuchota Jenifael.

– Elle a besoin de repos, décida la mère.

– Rendez-vous au campement de nos alliés ! lança Hadrian en pivotant sur lui-même pour que tous l'entendent. Ce soir, nous fêterons cette victoire !

Tout comme il s'y attendait, les soldats manifestèrent bruyamment leur joie en s'enfonçant dans les maelströms. Hadrian fit grimper Jenifael sur le dos de Staya et suivit Bridgess dans son vortex. Arrivé à destination, il coucha la jeune fille sur le bord d'un bon feu. Il s'inclina ensuite devant la veuve de Wellan et se dématérialisa, car il avait un autre patient à examiner.

Stellan choisit ce moment précis pour se poser sur la plaine. Il leva son long cou, examinant les environs, et referma ses ailes.

– Tu arrives trop tard, mon vieux, lâcha Nogait.

– Il n'a plus faim de toute façon, rétorqua Nartrach en glissant de son cou.

Wanda s'avança nerveusement vers son fils. Elle ne s'habituait pas à le voir en compagnie d'un monstre qui pouvait lui arracher le cœur à tout moment. Nartrach se jeta dans ses bras et se laissa serrer avec plaisir.

– Toi, par contre, tu dois être affamé, devina Wanda.

– Disons que le régime alimentaire de mon dragon ne me convient pas vraiment.

Nartrach se tourna vers Stellan, qui avait ramené sa tête sous son aile droite pour dormir. Il était inutile de lui recommander de rester tranquille. Il suivit donc sa mère jusqu'au groupe de Falcon.

– Je suis fier de toi, fiston.

– Mais qu'allons-nous faire de ce dragon, après la guerre ? soupira Wanda.

– Chaque chose en son temps, la tempéra Falcon.

Lassa alla s'asseoir près de Jenifael, pour s'assurer par lui-même qu'elle ne tentait pas de leur cacher ses souffrances. Elle avait les yeux mi-clos et semblait se régénérer toute seule, de l'intérieur.

– Tu es magnifique dans ton armure, le complimenta-t-elle, dans un souffle.

– Mais à quoi servira-t-elle ?

– À battre l'empereur à plate couture, évidemment.

– Où est Liam ?

– Il est parti chercher Jasson.

– Savais-tu qu'il est amoureux de toi, Jeni ?

– Liam ? Mais c'est mon frère, tout comme toi.

– Nous avons été élevés ensemble, c'est vrai, mais nous ne sommes pas de la même famille.

– Je le croirai quand il me le dira lui-même...

Sur ces mots, la petite déesse s'endormit.

26

Les vagues d'assault

Après avoir échappé à l'empereur, Danalieth se matérialisa sur le balcon du Château de Zénor qui donnait sur l'océan. Les baleines avaient fait ce que la sorcière leur avait demandé, puis elles avaient replongé dans les profondeurs. Seuls les débris des vaisseaux qu'elles avaient renversés flottaient au-delà des récifs. Abnar apparut alors près du demi-dieu.

– J'ai détruit la première vague d'insectes, mais il en vient d'autres, annonça le plus jeune des Immortels.

– L'empereur est têtu, soupira Danalieth. Pire encore, il est protégé par une sorcellerie que je ne reconnais pas et contre laquelle je ne peux rien.

– Lui aurait-elle été donnée par les dieux ?

– Je suspecte l'intervention d'Akuretari, mais ce n'est qu'une hypothèse.

– Comment un enfant, dont la magie est rudimentaire, pourra-t-il le vaincre ? se découragea Abnar.

— C'est ce que nous verrons bientôt, j'imagine.

À l'horizon, des centaines de voiles commençaient à apparaître.

— Que suggérez-vous ? s'enquit Abnar.

— Je sais faire beaucoup de choses, mais je n'ai jamais appris à faire obéir les mammifères de l'océan. Je me servirai donc des vents pour disperser la nouvelle flotte qui approche.

Le ciel se colorait lentement en violet.

— Je vous conseille aussi de vous préparer à combattre une fois de plus ces insectes ailés.

— Si la sorcellerie d'Amecareth est aussi puissante que vous le dites, je ferais mieux de m'y mettre avant son retour dans les parages, décida Abnar.

Tout comme il l'avait fait pour la première ruée de mantes religieuses, il se transforma en une étoile radieuse et fonça dans l'épais nuage qu'elles formaient, semant la mort et la destruction. De son côté, Danalieth observait attentivement l'arrivée de l'armada. Les panaches de feu qui se dessinaient au-dessus des embarcations ne semblaient pas décourager ses capitaines.

Lorsque le Magicien de Cristal revint sur le balcon, l'anneau qu'il portait au cou clignotait d'une douce lumière. Bientôt, il serait forcé de quitter le monde des mortels pour faire le plein d'énergie.

— Je ne pourrai pas vous venir davantage en aide, je le crains, annonça-il à Danalieth.

– Je me débrouillerai.

– Mais dites-moi, comment se fait-il que votre talisman ne brille jamais ?

– Je transporte toujours sur moi une dose suffisante d'eau divine pour me maintenir en vie, avoua l'aîné.

Il lui montra la petite fiole qu'il dissimulait magiquement à sa ceinture.

– Avec le temps, je suis devenu plus prudent, ajouta-t-il.

Il allait invoquer les vents marins lorsque la voix d'Amecareth retentit à nouveau dans le ciel, faisant trembler les fondations du vieux château.

– On dirait qu'il tient un discours différent, remarqua Abnar.

– Ce sont de sombres incantations, en effet.

– Quel en est le but ?

Une puissante énergie balaya subitement le littoral. Il était trop tard pour que Danalieth la neutralise. Il s'efforça plutôt de comprendre ce que l'empereur tentait de faire. En portant son regard au loin, il distingua alors un énorme raz-de-marée qui fonçait vers la côte.

– Non ! s'écria-t-il en comprenant que cette lame de fond propulserait tous les bateaux par-dessus les récifs.

Il leva les bras, mais ne put même pas laisser partir le moindre rayon. Une force maléfique venait de les frapper, Abnar et lui, dans le dos.

– Mais qu'est-ce que je trouve ici ? croassa Asbeth.

Les Immortels firent volte-face. S'ils reconnaissaient la voix de leur agresseur, ils ne pouvaient par contre pas le voir.

– À partir d'aujourd'hui, vous ne pourrez plus jamais nuire à mon maître.

Le corbeau s'avança dans le corridor jusqu'à ce que les Immortels le distinguent enfin. Au bout de son aile, le sorcier tenait une chaîne dorée à laquelle pendait une amulette.

– Où l'avez-vous eue ? se fâcha Danalieth.

– J'ai dû égorger quelques Elfes pour l'obtenir, mais je crois que cela en valait la peine.

– Qu'est-ce que c'est ? hasarda Abnar.

– Tiens, tiens... Un Immortel ignorant ?

– C'est l'une des armes que j'ai fabriquées pour aider les humains à combattre les dieux, lui révéla Danalieth, contrarié.

– Il ne détruit que les dieux et les Immortels, n'est-ce pas, ami des Tanieths ?

Asbeth s'approcha davantage et le pendentif en forme de feuille se mit à briller, causant une effroyable douleur aux deux créatures divines.

– Adieu, gentils casse-pieds.

Le mage noir lança le bijou sur ses victimes. Pour sauver Danalieth, Abnar se jeta devant lui et reçut le coup à sa place. Le contact de la feuille métallique le rendit aussitôt transparent. On ne voyait plus de lui que son contour. Devenu aussi léger que l'air, il s'éleva doucement vers le ciel.

– Je t'ordonne de rester ici ! le somma le demi-dieu.

Danalieth savait fort bien que si son semblable s'envolait, il serait condamné à errer entre la terre et le ciel à tout jamais.

– Il va mourir ! hurla Asbeth, haineux.

– Vous auriez dû mieux vous renseigner, sorcier, gronda Danalieth. Certaines de mes armes ont des buts funestes, mais les autres contiennent différents sorts qui ne font que neutraliser les êtres célestes.

Sur ces mots, l'Immortel lança une puissante décharge sur son ennemi. Asbeth la dévia à l'aide de son bouclier et ne resta pas pour en recevoir d'autres. Créant un nuage de fumée, il prit la poudre d'escampette.

– Danalieth ! appela Abnar, en état de panique.

– Je pourrai renverser ce sort en récupérant un autre bijou qui contient l'antidote, mais je ne peux pas partir à sa recherche maintenant. Pour éviter de vous perdre à tout jamais, en raison de votre constitution actuelle, je vais devoir utiliser un autre sortilège pour vous garder dans cette forteresse.

– Faites ce qui s'impose.

– Vous serez enfermé dans ses murs, mais vous pourrez y circuler. La pierre vous empêchera de sortir.

– Mais vous m'assurez que c'est temporaire ?

– Dès que les hommes pourront se passer de moi, je m'occuperai de vous.

Danalieth prononça l'incantation dans la langue des Elfes. Le Magicien de Cristal se sentit alors aspiré dans le mur froid, où il s'enfonça totalement.

– M'entendez-vous, Abnar ?

– *Oui, très bien*, résonna sa voix tout à coup caverneuse. *Quelle curieuse sensation...*

– N'oubliez pas que vous possédez encore vos pouvoirs, même sous cette forme.

– *Mais qu'arrivera-t-il si...*

Le tsunami frappa la côte avant qu'il puisse terminer sa phrase. Danalieth se dématérialisa en un clin d'œil. L'énorme vague engloutit momentanément tout le Château de Zénor et vint se briser sur la falaise où le demi-dieu venait de réapparaître. Il utilisa sa magie pour arrêter la progression de la lame de fond avant qu'elle n'atteigne les villages de Cristal. Quant au Royaume d'Argent, sa muraille en diminuerait considérablement l'impact.

Lorsque la vague géante se retira, la flotte entière de l'empereur se retrouva échouée sur les plages de galets. Danalieth ne perdit pas une seconde et lança des rayons incandescents pour enflammer les embarcations. Il ne réussit à en détruire qu'une vingtaine avant qu'un halo violet le frappe de plein fouet. Considérablement affaibli par cet assaut, il choisit de disparaître plutôt que de braver l'empereur.

Hadrian avait quitté le champ de bataille pour une seule raison : évaluer lui-même la gravité de la blessure d'Onyx. Lorsqu'il réapparut dans sa chambre de l'étage royal, au Château d'Émeraude, le commandant trouva son ami allongé sur son lit. Onyx, que la Princesse Amayelle venait de soigner, portait toujours son pantalon de cuir et ses bottes, mais sur son torse nu, on pouvait très bien apercevoir la cicatrice de la lame qui avait pénétré sa chair. Hadrian s'assit sur le matelas, à proximité du Roi d'Émeraude.

— Ne fais pas cette tête-là, maugréa ce dernier.

— Tu m'as menti au sujet de ton mal.

— Si je n'avais pas été immunisé très tôt dans mon autre vie contre ce genre de poison, je serais déjà mort. Alors, tout compte fait, je me porte plutôt bien.

— Fais voir.

Hadrian passa la main au-dessus de la plaie et sentit la morsure glacée du venin.

— Je vais essayer de l'extraire, mais ce ne sera pas agréable.

— Tu me connais mieux que cela, vieux frère, répliqua Onyx en forçant un sourire. Si tu y arrives, assure-toi de le dissoudre avant qu'il ne s'attaque à toi.

– Sois sans crainte, je tiens à cette deuxième vie.

Le nouveau chef des Chevaliers d'Émeraude fit appel à la science de guérison très ancienne qu'il avait jadis apprise en fréquentant les Elfes. Avec des gestes gracieux, il dessina des spirales au-dessus de la poitrine d'Onyx qui surveillait son travail avec attention. Quelque chose se mit à remuer dans ses entrailles, telle une bête remontant vers son cœur. Le renégat planta ses doigts dans les couvertures et ferma les poings, afin de ne pas frapper son ami d'Argent lorsque la douleur deviendrait insupportable.

Hadrian ne prononça que quelques mots dans la langue d'Osantalt. Onyx fut aussitôt terrassé par une douleur plus terrible que toutes celles qu'il avait ressenties dans ses deux incarnations. Il serra les dents pour ne pas hurler, ce qui aurait déconcentré le guérisseur. De la blessure, refermée par les guérisseurs de l'Ordre, ruissela une substance noire, signe évident de son origine maléfique. Le liquide épais se rassembla au-dessus du corps d'Onyx et se mit à tourner sur lui-même.

Fasciné par les mouvements serpentins du poison, Hadrian avait cessé de prononcer les paroles magiques. C'est exactement ce que le venin attendait pour frapper sa nouvelle proie. Au moment où il jaillissait vers les yeux d'Hadrian, un faisceau aveuglant le pulvérisa, mais ni le Roi d'Argent, ni son ancien lieutenant n'en étaient responsables. Les deux hommes se tournèrent vers l'entrée, où se tenait Danalieth, pâle et épuisé.

– Il s'en est fallu de peu, murmura Hadrian, soulagé. Je vous suis reconnaissant de m'avoir épargné cette épreuve.

– Je suis en effet arrivé au bon moment, mais ce n'était pas le but de ma visite. Malgré tous nos efforts, Amecareth a réussi à faire débarquer son armada à Zénor.

– De combien de bateaux s'agit-il ? l'interrogea Onyx en se redressant.

– Des centaines.

– Hadrian, aide-moi à m'habiller.

Le commandant commença par le sortir de son lit avant de lui faire enfiler sa chemise noire et sa cotte de mailles.

27

LA PLAGE MAUDITE

Danalieth accompagna le commandant des Chevaliers et le Roi d'Émeraude sur la falaise de Zénor. Même si la vague monstrueuse s'était retirée, il restait des flaques d'eau considérables un peu partout entre la plage et la muraille de roc et dans les fosses creusées jadis pour piéger les dragons. Il ne serait certainement pas aisé de s'y battre, mais Hadrian avait déjà décidé que les nouveaux arrivants seraient contenus à cet endroit, là où jadis la dernière grande bataille avait eu lieu. Par mesure de prudence, il avait laissé sa jument-dragon au château, car elle avait de plus en plus tendance à n'en faire qu'à sa tête.

Sur la plage de galets, les embarcations impériales étaient échouées ici et là, à perte de vue.

– Ont-ils aussi débarqué dans les autres royaumes côtiers ? voulut savoir Onyx.

– Non, affirma Danalieth. J'ai vu à ce qu'elles soient regroupées à Zénor.

Hadrian comptait déjà le nombre de fantassins que contenait chaque bateau. *Chevaliers !* appela-t-il avec son esprit. *Je sais que vous avez besoin de repos, mais on nous attaque sur la côte. Venez tous me rejoindre sur la falaise de Zénor, là où un sentier a été creusé.* Pendant que le nouveau chef de l'Ordre préparait sa stratégie, des vortex commencèrent à apparaître derrière lui. Il ne remarqua pas tout de suite que Lassa avait joint le groupe de Bridgess.

Il demanda aux sept commandants des six troupes de Chevaliers de s'approcher. Il dessina sur le sol, du bout de son épée, le contour de la grande baie qui s'étendait du Château de Zénor à la pointe la plus avancée du Royaume de Cristal, puis il traça la démarcation entre les deux contrées. Il divisa ensuite la plage en six parties et indiqua celle qui se rapprochait le plus des côtes de Cristal.

– Bergeau, tu te rendras sur cette pointe que les hommes-lézards continuent de défendre. Ramène-les avec toi à la frontière. Vous protégerez le secteur le plus au nord. Bridgess, tu prendras le secteur contigu. Toujours en descendant vers le sud, Chloé, Dempsey, Ariane, Santo et Falcon, vous occuperez les suivants.

Ils hochèrent vivement la tête pour dire qu'ils avaient bien compris.

– Mais avant, Onyx leur servira un avertissement, poursuivit-il.

– Quoi ? se rebiffa le Roi d'Émeraude.

– Je suis certain que tu te rappelles les règles d'engagement auxquelles nous avons consenti, autrefois.

– Elles ne se sont jamais appliquées dans la présente guerre.

– C'est surtout une question d'honneur, mon frère.

– L'honneur ne nous permettra pas de sauver notre peau, cette fois, Hadrian.

La plupart des Chevaliers étaient d'accord avec Onyx, mais ce n'était pas le moment de soulever les deux anciens combattants l'un contre l'autre.

– J'y tiens, s'entêta l'ancien Roi d'Argent.

Onyx était manifestement agacé. Au milieu de son groupe, Swan souriait de toutes ses dents, se demandant si Hadrian en viendrait plus facilement à bout qu'elle.

– Que veux-tu que je leur dise ? grommela finalement le roi récalcitrant.

– Ordonne-leur de rebrousser chemin ou ils seront détruits.

– Je ne me souviens pas que nous ayons été si à cheval sur les principes, il y a cinq cents ans.

– Tu nous fais perdre un temps précieux, Onyx.

Le roi guerrier s'approcha du bord de la falaise en maugréant et posa les mains sur ses hanches.

– Écoutez-moi ! fit-il en utilisant sa magie pour amplifier sa voix.

La soudaine immobilité des hommes-insectes lui indiqua qu'ils pouvaient tous l'entendre.

– Je suis le Roi Onyx d'Émeraude !

« Il fallait bien qu'il le précise », soupira intérieurement Swan.

– Je vous ordonne de quitter immédiatement ces terres qui ne sont pas les vôtres, ou vous serez anéantis !

Onyx attendit quelques minutes, sans qu'il se produise quoi que ce soit, puis se retourna vers Hadrian.

– Est-ce qu'on peut les écraser, maintenant ?

En réponse à sa question, des mantes religieuses tombèrent du ciel. Puisque le Magicien de Cristal en avait détruit un grand nombre un peu plus tôt, il ne s'agissait que d'une vingtaine d'insectes qui avaient réussi à échapper au massacre. Les Chevaliers n'eurent pas le temps d'intervenir avant que des rayons incandescents jaillissent au-dessus de leur tête. Ils provenaient des mains de Hawke, qui attaquaient les dictyoptères sur le dos de son cheval ailé.

Prenez vos positions ! ordonna Hadrian. Les vortex s'allumèrent et avalèrent les soldats magiques. Onyx demeura aux côtés du grand commandant.

– Si ma mémoire est bonne, c'est à leur chef que tu voudras t'en prendre personnellement, lui dit le renégat en jetant de fréquents coups d'œil au-dessus d'eux.

Hawke faisait du bon travail, mais un accident était si vite arrivé.

– J'aime mieux affronter les sorciers, déclara Hadrian, mais il n'en reste qu'un seul, et il ne semble pas être dans les parages. Qu'en pensez-vous, maître Danalieth ?

L'Immortel venait d'avaler le contenu d'une petite fiole en cristal et observait lui aussi les progrès de l'Elfe magicien qui voltigeait dans le ciel.

– Asbeth n'est pas de la même trempe que les anciens mages de l'empereur, expliqua-t-il. C'est une fourbe créature qui préfère tendre des pièges plutôt que d'affronter ses ennemis en face.

– Ce que Hadrian veut savoir, c'est s'il est dans le coin, s'impatienta Onyx.

– Je ne ressens nullement sa présence.

Un dragon vola au-dessus de la plage, et ce n'était pas celui de Nartrach. Le soleil, qui descendait lentement au-dessus de l'horizon, faisait briller de mille feux ses écailles rouges.

– Tu voulais un adversaire de taille, Hadrian ? railla Onyx.

– Surtout, ne vous en prenez pas à lui, leur conseilla Danalieth. Il est devenu bien trop fort.

– J'ai eu l'occasion de m'en rendre compte moi-même.

Hawke, ne vous exposez pas aux griffes du dragon, lui recommanda Hadrian.

– Il pourrait se mettre à attaquer lui-même les Chevaliers, réfléchit tout haut l'ancien roi. Il faut trouver une façon de le neutraliser tout de suite.

– Une diversion ? suggéra Danalieth.

– De quelle façon impressionne-t-on un sorcier empereur qui chevauche un dragon meurtrier ? s'interrogea Onyx.

Pendant que les trois hommes tentaient de trouver une réponse à cette question, Hawke se posa derrière eux et mit pied à terre. En bas de la falaise, les Chevaliers avaient déjà commencé à refouler l'ennemi vers la mer. Tout comme ils le craignaient, Amecareth se mit à lancer des halos meurtriers sur les soldats humains qui osaient lui barrer la route.

– Je sais exactement ce qu'il nous faut ! s'exclama Onyx.

– Ne fais rien sans..., l'avertit Hadrian.

Trop tard, il avait déjà disparu.

– Il est bien plus rebelle que jadis, gronda le commandant, entre ses dents.

À sa grande surprise, de puissants rayons ardents émergèrent du château en ruines et léchèrent le poitrail du dragon rouge. La bête piqua en vrille, à la recherche de cet agresseur apparemment plus puissant que les Chevaliers, ce qui donna un répit à ces derniers.

– Qui se trouve dans la forteresse ? s'informa aussitôt Hadrian.

– C'est Abnar, répondit Danalieth. Il y est présentement emprisonné par un sortilège d'Asbeth.

– Mais c'est un Immortel ! protesta Hawke.

– Le fourbe a utilisé une de mes armes magiques, confessa Danalieth.

– Nous nous occuperons de lui lorsque nous aurons repoussé cette attaque, décida Hadrian. Si je savais au moins ce que mijote Onyx...

Il n'eut pas à attendre bien longtemps pour le découvrir. Une gigantesque auréole lumineuse apparut au-dessus des flots. Cette première anomalie attira immanquablement l'attention de l'empereur.

– Qu'est-ce que c'est ? demanda Hadrian aux magiciens.

– Ce n'est pas un phénomène naturel, en tout cas, soutint Hawke.

Un visage de pierre s'y dessina. C'était celui d'un scarabée !

– De qui s'agit-il ? s'étonna Hadrian.

– C'est Listmeth, lui apprit Danalieth. Il a été l'un des premiers empereurs des Tanieths. Ses conquêtes furent si impressionnantes que les hommes-insectes l'ont déifié.

Onyx reprit forme entre le Roi d'Argent et l'Immortel.

– Je peux créer l'illusion, mais je ne parle pas leur sale langue métallique, alors je ne peux pas lui faire dire de foutre le camp, indiqua le Roi d'Émeraude.

– Est-ce l'un de vos talents ? voulut savoir Hadrian en se tournant vers Danalieth.

Le demi-dieu ferma les yeux afin d'ajouter des paroles à la création magique d'Onyx.

Dès qu'ils émergèrent des vortex, les Chevaliers d'Émeraude se disposèrent en éventail. Les vétérans s'assurèrent d'avoir au moins un des plus jeunes de chaque côté d'eux, de façon à leur venir en aide ou tout simplement pour les encourager. Les combats s'engagèrent assez rapidement. Sans doute ces scarabées avaient-ils été menacés eux aussi d'une mort cruelle par leur empereur. Ils foncèrent sans la moindre frayeur sur les défenseurs d'Enkidiev.

Lassa avait évidemment suivi le groupe de Bridgess, mais personne ne semblait l'avoir vu. Il se retrouva entre Robyn et Milos, presque au bout de la longue ligne que formaient ses compagnons d'armes. Il fit taire sa peur du mieux qu'il put, en se disant que le meilleur endroit pour passer inaperçu, c'était dans la mêlée. Il chargea ses mains et bombarda comme les autres les scarabées argentés qui se ruaient sur eux.

Toutefois, Lassa se trompait. Juché à l'autre extrémité de la falaise, Asbeth étudiait attentivement le champ de bataille, à la recherche de l'énergie qu'il avait captée chez le garçon qu'il avait balancé dans la Forêt interdite. Il ignorait toujours lequel des deux adolescents était le véritable porteur de lumière, mais cela n'avait plus d'importance, car il entendait bien tuer aussi le deuxième. Pour son plus grand bonheur, il trouva celui qu'il cherchait. Pendant que son maître était aux prises avec de puissants tirs en provenance du château, Asbeth en profita pour instruire les guerriers impériaux quant à celui qu'ils devaient éliminer à tout prix.

Le corbeau imprima dans leur esprit le visage du garçon blond qu'il avait vu au sommet de la Montagne de Cristal, puis il leur transmit son énergie particulière. Tandis qu'ils assimilaient cette nouvelle information, plusieurs des scarabées s'étaient immobilisés, rendant la tâche des Chevaliers plus facile. Mais ceux qui les suivaient, en plus de se battre férocement, se mirent à chercher le porteur de lumière. Certains échangèrent même des renseignements avec leurs congénères. Sur le dos de Virgith, Kevin capta leurs paroles.

– Falcon ! hurla-t-il.

Son commandant se battait contre deux coléoptères qui tentaient désespérément de l'embrocher. Grâce à sa vitesse, Falcon réussit à les déjouer et à leur faire emmêler leurs javelots. Dès qu'il leur eut crevé les yeux, le vétéran recula jusqu'au cheval-dragon.

– Qu'y a-t-il, Kevin ?

– Ils ont reçu l'ordre de tuer Lassa, peu importe ce qu'il leur en coûtera !

Par télépathie, Falcon répéta à Hadrian ce que son frère d'armes venait d'entendre. *Est-il parmi vous ?* lui demanda le grand commandant. *Il ne se trouve pas dans mon groupe,* affirma Falcon, *mais il a peut-être suivi celui de Bridgess, puisqu'il en faisait partie lorsque Wellan était vivant.*

Bridgess avait évidemment entendu leurs échanges. Tout en parant les coups de lance de son adversaire, elle chercha à localiser l'adolescent. S'il était dans sa troupe, il s'était certainement positionné loin d'elle, sinon elle l'aurait remarqué. Elle redoubla d'effort pour se débarrasser du scarabée qui la harcelait, afin de parcourir elle-même la longue ligne de ses Chevaliers, mais les hommes-insectes la prirent de court. Comme une marée de fourmis, ils foncèrent sur la pointe de son groupe la plus rapprochée de celui de Bergeau. Bridgess comprit qu'ils avaient repéré le porteur de lumière avant elle.

Elle courut à en perdre le souffle jusqu'à ce qu'elle l'aperçoive à son tour. Les Chevaliers qui entouraient Lassa faisaient de leur mieux pour contenir cette importante vague d'adversaires. Concentrés sur leur nouvelle mission, les coléoptères se contentaient de les écarter de leur route. Lassa reculait, de plus en plus effrayé.

— Retourne sur la falaise ! lui ordonna Bridgess.

Lassa tenta de se dématérialiser, sans succès.

— Je n'y arrive pas ! cria-t-il, terrorisé.

Bridgess croisa ses bracelets magiques, mais une lance la frappa sur le côté de la tête, la projetant au sol. Bailey se précipita aussitôt à son secours et empêcha les insectes de la piétiner, à grand renfort de rayons enflammés. Hadrian et Onyx apparurent alors dans la mêlée. Avec leurs épées doubles, qu'ils faisaient tourner comme les ailes d'un moulin, ils fauchèrent les scarabées qui les séparaient de Lassa, mais il y en avait toujours plus.

Persuadé que son heure était venue, le porteur de lumière laissa tomber son épée sur le sol et continua de se replier vers la falaise.

— Onyx, emmène-le ailleurs ! ordonna Hadrian, qui était dépassé par les événements.

Le renégat pivota sur lui-même pour localiser l'adolescent. C'est alors qu'il vit un énorme cheval noir galopant ventre à terre. Sa cavalière mauve se pencha sur le côté, tendant le bras. Lassa se tourna vers cette vision inespérée et agrippa ce bras au passage. Kira le hissa derrière elle, exigeant d'Hathir qu'il accélère davantage.

– Onyx ! hurla Hadrian.

– Lassa est sauf ! répondit-il avec un large sourire.

En poussant un terrible cri de guerre, le renégat fonça dans le flot de scarabées.

28

La condamnation

Sa rencontre avec la jeune prêtresse avait beaucoup plus marqué Liam qu'il ne voulait se l'avouer. De retour au temple, il aida son père à poser des pieux pendant une bonne partie de la journée, puis apprit à tanner les peaux des bêtes qu'ils avaient tuées. Jasson respecta son silence, mais comprit assez rapidement que ses pensées étaient dirigées vers une jeune fille. Il était loin de se douter qu'elle vivait non loin d'eux. Il croyait plutôt qu'il s'agissait d'une de ses amies devenues Chevaliers.

Après le repas du soir, lorsque son père lui demanda ouvertement s'il était amoureux, Liam haussa les épaules. Il se coucha à la même heure que le reste de sa famille, mais eut du mal à trouver le sommeil. Pendant la nuit, il rêva à Mali. Cette rencontre nocturne aurait dû le réjouir, mais à son réveil, il se rappela que le visage de l'Enkiev était triste. « C'est une prêtresse, donc elle a forcément des pouvoirs semblables aux miens, conclut Liam. Peut-être a-t-elle besoin de moi ? »

Sur la pointe des pieds, il quitta le temple et reprit la route qui menait aux cascades, persuadé qu'elle l'y attendait. Il fut bien déçu de ne la voir nulle part, au bord des bassins. Une grande anxiété s'empara de lui, alors il décida de pousser son exploration plus loin. Il se rendit aux ruines où Mali lui avait montré les dessins de Kira. Elles étaient désertes. Liam tendit le bras, la paume ouverte au-dessus du sol, et s'efforça de découvrir l'énergie de la prêtresse. Dès qu'il l'eut reconnue, il la suivit dans un sentier dissimulé derrière de grosses fougères. Il marcha pendant un peu plus d'une heure avant d'entendre de curieux chants.

Il avança avec plus de prudence, ignorant comment il serait reçu par ces gens coupés du reste du monde. Lorsqu'il aperçut les premières huttes, il s'écrasa sur le sol et utilisa ses sens magiques pour repérer les Silvas et en évaluer le nombre. Tous les habitants semblaient s'être massés au centre du village.

Liam se faufila entre les habitations de paille en tendant l'oreille. Il n'avait pas souvent entendu la langue des anciens, mais il avait appris à la lire. Il fit donc de son mieux pour traduire un mot sur trois et crut alors comprendre qu'ils étaient sur le point d'offrir un sacrifice à la déesse. « Ai-je vraiment le droit d'être ici ? » se demanda le jeune Chevalier. Il n'avait jamais été féru d'histoire, mais sans doute les érudits de l'Ordre aimeraient-ils connaître les rituels des Enkievs. Pour l'avancement des connaissances de son propre peuple et par curiosité, il repéra le plus haut palmier et y grimpa jusqu'à ce qu'il voie par-dessus les toits.

Au milieu des huttes s'étendait une grande place, au centre de laquelle s'élevait une plateforme rocheuse. Un poteau s'y dressait, et à ce poteau était enchaînée une jeune fille. Un homme portant un costume blanc décoré de plumes multicolores marchait autour d'elle, un long couteau à la main. Liam était profondément inquiet. Il était bien trop loin pour distinguer les visages, alors il se servit de ses sens surnaturels pour retrouver Mali. Son sang se figea dans ses veines lorsqu'il découvrit que c'était elle qu'on allait immoler !

Liam se laissa glisser le long du tronc et cessa de penser à sa propre survie. Il fonça entre les habitations et arriva derrière la foule des villageois. Il devait passer ! Il devait empêcher ces ignorants de tuer une femme qui n'était pas responsable du sort qu'avait connu Kira !

Se rappelant des conseils de Farrell, il apaisa sa colère et emprunta un passage magique pour parvenir jusqu'à la prêtresse. Sa soudaine apparition aux côtés de la jeune femme vouée au sacrifice sema la panique parmi le peuple. Elle n'impressionna cependant pas le chaman, qui tenait le couteau.

– Profanateur ! s'écria-t-il.

Au lieu d'attaquer l'intrus, il s'élança pour planter la lame dans le cœur de Mali.

– Non ! hurla Liam en se jetant sur lui.

Il heurta violemment le bras du chaman, qui perdit son emprise sur la dague sacrificielle, et le poussa dans la foule. Avant que les Enkievs outragés ne lui fassent un mauvais parti, Liam entoura la plateforme de flammes magiques.

– C'est un dieu ! s'exclama quelqu'un dans l'assemblée.

– Personne n'a le droit de verser le sang, sauf pour défendre sa propre vie ! les tança Liam, en colère. Cette femme ne vous a rien fait !

– Elle a perdu ses pouvoirs ! Elle doit mourir !

– Et si c'était la volonté des dieux qu'elle les perde ?

– Les rêveurs nous l'auraient dit !

– Et s'ils vous mentaient pour sauver leur peau ?

– Ils détiennent la vérité éternelle !

Constatant qu'il ne parviendrait pas à anéantir des siècles d'endoctrinement, Liam décida de fuir en emmenant Mali avec lui. Il plaça les mains sur ses bracelets en fer, qui s'ouvrirent comme par enchantement.

– Tu n'aurais pas dû venir, Liam, pleura la prêtresse. Maintenant, ils vont te tuer, toi aussi.

– C'est ce qu'on va voir.

Il l'attira dans ses bras et ils se dématérialisèrent tous les deux. La foule cessa aussitôt ses cris et ses protestations, tentant de comprendre ce qui se passait.

– C'est un subterfuge ! hurla le chaman. Trouvez-les !

Les villageois se dispersèrent en courant, bien décidés à mettre la main sur les contrevenants. Au même moment, Liam et Mali réapparaissaient un peu à l'extérieur du grand cercle d'habitations. Les passages étaient fort utiles pour fuir un danger immédiat, mais ils ne couvraient pas d'aussi grandes distances que les vortex. Liam aurait bien aimé pouvoir compter sur Pietmah, mais un cheval n'avait pas sa place dans ces denses forêts. Il agrippa donc solidement la main de la prêtresse et l'entraîna avec lui sur le sentier qui menait aux cascades. Malheureusement, dans sa hâte de quitter les lieux, Liam n'emprunta pas le bon chemin.

Au bout d'un moment, lorsqu'il se rendit compte qu'il n'avait pas encore atteint les ruines, le Chevalier comprit qu'ils étaient perdus. Il utilisa immédiatement ses sens invisibles pour repérer le cours d'eau, sans se douter qu'il ne percevait pas celui où se jetait la chute.

– Par là ! décida-t-il.

– Non ! protesta Mali.

Elle n'avait toutefois pas la force physique de stopper Liam ou même de le ralentir. Ils arrivèrent sur la berge d'un grand fleuve, où un fort courant faisait naître des milliers de petites vagues coiffées d'écume.

– Nous ne pouvons pas le traverser ! s'effraya Mali.

– Tu n'as pourtant pas peur de l'eau. Tu m'as secouru dans les cascades.

– C'est différent. Ici, c'est le gave des morts !

Liam se rappela alors l'histoire du gavial que sa sœur lui avait racontée et se demanda si elle avait un lien avec la mauvaise réputation de la rivière. Une clameur se fit entendre derrière eux. Les Enkievs venaient de les repérer. Mali baissa la tête, en signe de soumission. Son compagnon, toutefois, n'était pas le genre d'homme à capituler facilement. Il jeta un coup d'œil vers l'autre rive, choisissant l'endroit où il voulait se rendre, et emprunta un autre passage, espérant qu'il serait assez long pour leur éviter la baignade.

Les deux fugitifs se retrouvèrent les pieds dans la vase et n'eurent qu'à grimper sur la berge. Une volée de javelots siffla autour d'eux. En véritable Chevalier, Liam protégea la jeune femme de son propre corps. Les lances passèrent miraculeusement de chaque côté de lui et se fichèrent dans les troncs d'arbres.

– Dépêchons-nous ! lâcha Liam en poussant Mali dans la forêt.

– Ils ne nous poursuivront pas ici, l'informa la prêtresse. Les Silvas ne franchissent jamais ce cours d'eau. Les dieux le leur défendent.

– Vous avez beaucoup de chance de recevoir autant de messages de leur part.

– Ils ne vous parlent pas ?

– Nous connaissons leur volonté grâce aux Immortels, mais ils sont plutôt avares de renseignements.

– Que va-t-il m'arriver, Liam ?

– Ma famille habite à une heure d'ici, tout au plus. Ce sont des gens extraordinaires.

– Tu crois qu'ils voudront d'une prêtresse qui a perdu son don ?

Il allait répondre que lui, en tout cas, serait heureux de la côtoyer tous les jours, mais se ravisa.

– Tant que tu leur donnes un coup de main par les corvées de tous les jours, ils seront ravis de t'accueillir chez eux, dit-il plutôt.

Cela sembla rassurer un peu la jeune femme. Ils poursuivirent leur route en silence dans la forêt, qui devenait de plus en plus chaude. Lorsqu'ils arrivèrent en vue du temple, Jasson était posté sur la rampe et semblait les attendre.

– Encore quelques minutes et je partais à ta recherche, dit le père en voyant Liam émerger de la sylve avec son invitée.

– Je suis assez grand pour me débrouiller seul.

Liam s'immobilisa devant Jasson.

– Papa, voici Mali.

– Je suis enchanté de faire votre connaissance, Mali. Vous pouvez m'appeler Jasson, cependant.

– Elle allait être tuée par sa tribu, expliqua Liam en apercevant le froncement de sourcils de son père.

– Qui est sans doute à sa recherche, en ce moment ?

– Pas du tout. Un vieux tabou les empêche de traverser la rivière. Peut-elle rester avec nous ?

– Évidemment. Depuis quand chassons-nous les réfugiés ?

Liam tira sa jeune amie à l'intérieur du temple, malgré ses réticences. Les femmes se trouvaient dans la cour, à laver des fruits. Mali suivit donc son sauveteur à l'extérieur. Sanya s'approcha tout de suite de l'étrangère, tandis que Lérine et Katil se contentaient de l'examiner de la tête aux pieds.

– Qui nous emmènes-tu, Liam ? voulut savoir sa mère en cachant habilement son inquiétude.

– C'est Mali. Elle n'a plus de maison.

– Vous avez de la chance, Mali. Nous avons une chambre supplémentaire.

La prêtresse ne savait pas très bien ce qu'il fallait faire ou dire dans de telles circonstances.

– Je suis Sanya. Voulez-vous nous aider à préparer le premier repas de la journée ?

Mali hocha timidement la tête. Sanya la décrocha de son fils et l'emmena s'asseoir avec sa servante et sa fille. Cette dernière était incapable de détacher son regard des fins motifs violets qui ornaient le visage de la nouvelle venue.

Jasson se planta directement derrière son fils.

– La dernière fois que tu m'as fait cela, chuchota-t-il à son oreille, c'était un chiot que tu avais rapporté à la maison.

– Ses chances de survie sont à peu près les mêmes, soupira Liam. Savais-tu que tu as des voisins au nord-est ?

– Oui, depuis le début, mais je voulais qu'ils ignorent notre présence jusqu'à ce que je puisse déterminer s'ils sont ou non pacifiques.

– C'est fichu, maintenant. J'ai arraché Mali de leurs griffes.

Voyant que de petites larmes coulaient sur les joues de l'inconnue pendant qu'elle lavait les fruits, Katil délaissa son propre travail et vint s'agenouiller devant elle.

– Nous sommes gentils, vous savez, assura la fillette. Je suis certaine que vous vous plairez, ici. Il y a tellement de choses à faire pour bâtir un vrai foyer.

La sincérité de Katil toucha profondément Mali, qui força un sourire. Elles allaient devenir des amies pour la vie.

29

Le cercle magique

Depuis qu'elle avait sauvé Lassa sur la plage, au milieu de ses ennemis, Kira n'avait pas encore dit un mot. Heureusement que les chevaux-dragons étaient endurants, car l'Immortelle n'avait pas donné une seule occasion à Hathir de ralentir son allure. Puisque la falaise représentait un obstacle impossible à franchir pour un cheval de sa stature, même en passant par le sentier qui y avait été pratiqué, Kira avait poussé son destrier vers le Royaume de Cristal, vallonné et zébré d'innombrables fleuves. Elle ignorait cependant que ces nouveaux scarabées pouvaient les franchir d'un bond.

– Kira, es-tu vraiment ici ? s'égaya le porteur de lumière, une fois qu'il fut rassuré.

– Ce corps est une illusion, Lassa. Je suis une Immortelle, désormais.

– Tu ne vis donc plus dans le même monde que nous...

– Non, et je ne peux pas y séjourner longtemps non plus. J'ai décidé de ménager mon énergie en faisant appel à Hathir, mais nous ne sommes pas encore hors de danger.

En effet, les coléoptères délaissaient les combats au passage de l'étalon noir pour le poursuivre au pas de course, et ils étaient rapides.

— Accroche-toi, avertit Kira.

Constatant que des scarabées tentaient de lui barrer la route vers Cristal, la Sholienne fit obliquer son cheval vers la pente abrupte, là où se terminait la falaise de Zénor et où commençait le Royaume de Cristal. Hathir redoubla d'efforts et grimpa jusqu'au sommet, où sa maîtresse lui ordonna de s'arrêter. Elle lui fit alors faire un tour complet pour déterminer le meilleure chemin à suivre. L'invasion d'insectes au pied de la colline lui rappela que son passager était leur principale cible et qu'elle devait le mettre en sûreté sans perdre une seconde.

Elle enfonça les talons dans les flancs d'Hathir, le dirigeant vers un coteau qui menait tout droit à une rivière. Le cheval-dragon fila comme le vent afin d'éloigner sa maîtresse de ses ennemis. Il n'hésita même pas à se jeter dans le cours d'eau, malgré son aversion pour cet élément. Puissant nageur, il franchit la rivière en quelques minutes à peine. Lorsqu'il fut parvenu sur la berge opposée, Kira l'immobilisa et se laissa glisser sur le sol. Lassa voulut l'imiter.

— Non, l'arrêta Kira. Hathir te ramènera sur la falaise de Zénor, où les Chevaliers pourront te protéger.

— Et toi ? s'énerva Lassa.

— Je vais ralentir ces satanés insectes et te permettre de fuir. Va, Hathir, et ne t'arrête pas. La survie du porteur de lumière dépend de toi.

L'étalon s'élança vers le sud, obligeant l'adolescent à s'accrocher fermement à sa longue crinière noire. Kira se retourna vers le flot de guerriers argentés qui se hâtaient vers la rivière. Juste avant qu'ils ne l'atteignent, elle créa un mur de feu sur l'eau. Les scarabées de la ligne de front s'arrêtèrent et reçurent leurs congénères dans le dos. Tandis qu'ils s'agglutinaient devant la rivière, Kira se transporta magiquement derrière eux. Il y avait des centaines de ces coléoptères ! Elle n'eut même pas à faire monter la colère en elle pour former un halo violet au centre de son corps.

– Laissez-nous tranquilles ! hurla-t-elle en laissant partir un anneau aveuglant qui s'élargit en fonçant sur les ennemis.

En un instant, ils furent tous pulvérisés. Kira baissa les yeux sur son amulette, qui devenait de plus en plus lumineuse.

– Je pense que j'ai exagéré, déplora-t-elle.

– Tu te crois tout permis, croassa la créature qu'elle détestait le plus au monde.

Asbeth venait de se poser sur les cendres des guerriers impériaux.

– Je dirais que c'est plutôt le contraire, répliqua Kira.

– C'est ton père qui mène cette charge, petite sotte. Si tu penses qu'il sera clément en apprenant ce que tu viens de faire, tu te trompes.

– Je pense plutôt qu'il me récompensera lorsque je l'aurai débarrassé de son sorcier incompétent.

— Tu es toujours aussi arrogante, à ce que je vois.

Kira savait qu'il lui restait peu de temps avant de repartir pour le monde des dieux, mais c'était son devoir de capter l'attention du corbeau jusqu'à ce que Lassa soit en sûreté.

— C'est un trait de famille, j'imagine, rétorqua-t-elle.

— Oui, tu as raison. Même ton insolent mari le possède.

— Tu ne sais même pas de quoi tu parles, Asbeth.

— En es-tu bien certaine ? Laisse-moi rafraîchir ta mémoire.

Sans qu'elle s'en rende compte, le sorcier reculait lentement vers la plage, loin des restes des guerriers impériaux.

— Il y a quelques années, le dragon de l'empereur lui a ramené un bien curieux présent, poursuivit Asbeth en continuant d'attirer Kira plus loin. Nous avons cru que c'était un humain, mais nous nous trompions.

Kira se rappelait très bien cette tragique soirée au Château d'Émeraude, lorsque Stellan s'était emparé de Sage et s'était envolé avec lui.

— Tel qu'il l'avait promis à Listmeth, l'empereur l'a attaché sur son autel pour le lui offrir en sacrifice, mais il a arrêté son geste, car il a reconnu en lui son appartenance à la haute caste.

— Tu inventes tout cela, sale menteur.

– Au lieu de le tuer, l'empereur lui a fait boire son sang. Au début, le pauvre prisonnier ne voulait pas manger la même nourriture que son maître. Il s'est fabriqué des javelots pour pêcher du poisson, qu'il refusait de manger cru. Puis, la magie de l'empereur s'est mise à agir et le jeune homme s'est lentement transformé. Il a appris à se sustenter de viande fraîche et il a commencé à oublier ses anciens amis. Il ne connaît même plus le nom de sa femme.

– Mon mari a été tué par un dragon d'Amecareth. Toute cette histoire n'est que pure fabulation.

– Sage est vivant et il devient de plus en plus Tanieth.

– Tu mens !

Asbeth sortit alors de sa tunique une chaînette au bout de laquelle pendait la pierre de Jahonne. Kira en resta tout estomaquée.

– Il l'a perdue, un jour où je tentais de l'assassiner, la tortura Asbeth, mais il n'en a plus besoin, maintenant. Il ne se rappelle même plus ce que c'est.

– C'est impossible.

Kira avait partagé un lien télépathique étroit avec son époux. Elle l'avait très clairement ressenti, le jour où cette connexion avait été rompue. Seule la mort pouvait séparer deux êtres qui s'aimaient vraiment.

– De toute façon, ses jours sont comptés, ajouta Asbeth, pour la provoquer. Pendant que l'empereur s'occupe d'anéantir les humains, je vais retourner sur Irianeth, où Sage est sans défense, et je me débarrasserai de lui une fois pour toutes.

L'Immortelle mordit finalement à l'appât. Elle fit apparaître son épée double dans ses mains et fonça sur le mage noir et la faisant tourner devant elle. Au moment où elle allait abattre l'une des deux lames sur l'horrible sorcier, un grillage lumineux lui bloqua le passage. Kira arrêta le mouvement giratoire de son arme et voulut s'en servir pour traverser cet obstacle magique. Le contact du métal avec les barreaux lumineux provoqua une explosion qui l'envoya choir sur le sol. Assommée, l'Immortelle demeura assise un moment, puis, en regardant autour d'elle, elle comprit qu'elle était entourée de ce curieux treillage.

Elle eut le réflexe de faire disparaître son épée double, mais ses facultés guerrières refusèrent de s'enclencher. Asbeth s'approcha des mailles en penchant la tête de côté. Furieuse, Kira pensa à former un halo meurtrier, mais rien ne se produisit.

– Comme c'est curieux, croassa le sorcier. Habituellement, ce sont les oiseaux que l'on met en cage.

– Tu vas me le payer, Asbeth ! rugit la Sholienne.

– Akuretari a eu le temps de me montrer comment piéger un Immortel, avant de retourner auprès des siens.

– Il n'est pas retourné chez les dieux, il a été détruit par un de leurs meilleurs serviteurs !

– Quel dommage...

Le corbeau marcha autour de la prison lumineuse avec un mépris moqueur.

– Lorsque l'empereur viendra te chercher, car je ne manquerai pas de lui dire où je t'ai laissée, il déclenchera le second sort que j'ai amoureusement logé dans ces jolis barreaux. Vous disparaîtrez tous les deux et la déflagration creusera un grand trou, comme à Alombria.

– Ce n'était donc pas Nomar, après tout.

– A-t-il revendiqué ce génocide ?

– Il avait l'esprit aussi tordu que toi.

– Ne perds pas ton temps à creuser le sol, ta cage a six côtés.

– Je m'en échapperai, et alors tu regretteras d'être sorti de ton œuf !

– En attendant, je vais aller cueillir ton gentil porteur de lumière. Dans quelques heures, il sera mis en pièces dans le palais de ton père et je m'en régalerai.

Le corbeau s'envola en poussant de petits cris aigus qui ressemblaient à un rire sardonique.

Chevaliers, à l'aide ! hurla Kira en se servant de ses sens magiques.

30

⸑EUX ⸑RAGONS

Sur la plage du Royaume de Zénor, les Chevaliers luttaient toujours contre les scarabées qui n'avaient pas poursuivi Kira. Onyx se battait férocement, à quelques pas du Roi Hadrian, comme autrefois. Il multipliait les charges avec son épée double et n'hésitait pas à se servir de ses pieds pour assener de violents coups dans les carapaces argentées. Les six troupes de Chevaliers d'Émeraude repoussaient l'envahisseur avec courage, et celle de Bergeau avait ramené auprès d'eux les hommes-lézards, farouches opposants au système impérial.

Ses pouvoirs magiques étant plus étendus que ceux de la majorité de ses soldats, Onyx fut le premier à entendre le cri de détresse de Kira. Intrigué, il faucha son adversaire et recula derrière les combats. *Qui appelle à l'aide ?* s'enquit-il par le même mode de communication. *C'est Kira. Je suis tombée dans un piège d'Asbeth et il est à la poursuite de Lassa, sur la falaise.*

Le Roi d'Émeraude ne prit même pas le temps de lui demander où elle était ni comment elle savait tout cela. En fait, il ne pensa pas un seul instant qu'il puisse s'agir d'un autre piège. Il se dématérialisa et réapparut sur la falaise, à la recherche du porteur de lumière. Il vit alors, au nord, un point noir qui approchait à grande vitesse. Ses sens invisibles l'informèrent qu'il s'agissait d'un cheval-dragon, et que, sur son dos, Lassa s'accrochait tant bien que mal. Onyx poussa son balayage magique encore plus loin. Il ne fut pas surpris de capter l'essence maléfique du sorcier d'Amecareth.

Onyx, attention ! résonna la voix de son ami Hadrian dans son esprit. Le renégat cessa ses recherches au loin pour se concentrer sur ce qui se passait autour de lui. Il leva les yeux au ciel et vit le dragon. Ce fut son instinct de survie qui le sauva. Il s'évapora au moment même où le halo violet explosait à l'endroit où il se tenait, puis reprit forme plus loin. À sa grande surprise, le petit dragon argenté sur son majeur se mit à couiner comme s'il était en présence d'un dieu.

— L'empereur ? s'étonna Onyx en voyant que sa griffe pointait vers le dragon. Tu n'as pourtant rien fait lorsque je le tenais à ma merci sur les plaines d'Opale !

Quelque chose avait-il changé depuis ce duel qui s'était terminé en frustration pour le Roi d'Émeraude ? Si Asbeth avait réussi à s'emparer d'une des armes de Danalieth, quel autre secret avait-il réussi à déterrer ?

Le dragon rouge effectua un grand arc au-dessus de l'océan et revint à la charge. La griffe du renégat avait faim, mais il était bien risqué d'attendre en terrain découvert l'approche d'Amecareth lui-même.

— J'espère que tu sais ce que tu fais, maugréa Onyx en pointant le bras vers le monstre qui arrivait rapidement.

Hadrian se matérialisa à ses côtés.

— Es-tu devenu fou ? s'exclama-t-il.

– La griffe de toute-puissance a flairé une énergie immortelle chez l'empereur.

– C'est peut-être un leurre !

Du coin de l'œil, le chef des Chevaliers vit partir le halo violet de la poitrine du scarabée géant.

– Onyx ! hurla-t-il.

En même temps, une dizaine de serpents électrifiés jaillirent de la gueule du petit dragon métallique. Ils plongèrent dans l'anneau lumineux projeté par l'empereur et en dévorèrent toute l'énergie. Ensuite, les bêtes lumineuses réintégrèrent si brutalement le doigt d'Onyx que le choc le projeta dans les airs. Le dos du renégat ne toucha le sol que plusieurs secondes plus tard, à une bonne distance du bord de la falaise. Hadrian accourut à son secours.

– Ce n'est pas lui qui est devenu Immortel ! annonça Onyx. C'est l'énergie qu'il emploie : il l'a volée à un Immortel !

Hadrian l'aida à se remettre sur pied en jetant de furtifs coups d'œil vers le ciel.

– C'est cette griffe qui t'a obligé à quitter le champ de bataille ? voulut-il savoir.

– Non, c'est Kira. Ne l'as-tu pas entendue ?

Le Roi d'Argent haussa les sourcils et secoua la tête pour dire non.

– Elle nous mettait en garde contre Asbeth, qui est à la poursuite de Lassa.

— Lassa ? Mais où est-il ?

Le commandant scruta la région et repéra lui aussi l'étalon qui venait vers eux.

— Pas ici ! s'alarma-t-il.

L'empereur planait justement au-dessus de la plage ! *Lassa, arrête tout de suite ce cheval*, ordonna Hadrian. *Je ne le peux pas*, répondit le porteur de lumière. *Kira a donné un ordre à Hathir et il ne m'écoute pas.*

La silhouette de l'énorme cheval-dragon se profila à l'horizon.

— Ces animaux n'en font qu'à leur tête, grommela Onyx. Tu devrais pourtant le savoir.

— J'aurais dû emmener Staya. Elle aurait pu faire comprendre à Hathir l'urgence de faire demi-tour.

— Il y a une autre solution.

Onyx disparut et revint quelques secondes plus tard avec Virgith et son maître. Hadrian lui présenta sa requête en quelques mots. Kevin la traduisit aussitôt à son cheval qui, à son tour, la transmit à Hathir. L'étalon s'immobilisa sur-le-champ, humant l'air. Il venait d'apercevoir le Lotakieth fonçant sur lui.

— Nous devons le protéger, fit Hadrian.

— J'y pensais, justement, approuva Onyx.

— Je vais tenter de confondre le dragon en galopant vers le sud, proposa Kevin.

Hadrian acquiesça d'un mouvement de la tête. Le Chevalier incommodé par la lumière du jour poussa son cheval-dragon au galop en longeant le bord de la falaise, pour que le prédateur puisse bien le voir. S'il avait chassé seul, le dragon aurait probablement hésité entre les deux proies, mais son cavalier savait exactement ce qu'il cherchait. Il lança un halo violet en direction de Hathir et fit exploser le sol derrière lui.

– Il ne veut pas le tuer, comprit Onyx. Il l'a délibérément manqué. Où est ce satané cheval ailé quand nous en avons besoin ?

Intrigué par son absence, Hadrian le chercha avec ses sens invisible sur l'interminable plage de galets.

– Hawke est au château avec Danalieth, annonça-t-il. De toute façon, que pourrait-il faire contre l'empereur ? Viens, nous n'avons pas de temps à perdre.

Les deux anciens soldats se déplacèrent magiquement jusqu'à l'étalon, les paumes prêtes à lancer leurs rayons dévastateurs au prochain passage du Lotakieth. Sur le dos d'Hathir, Lassa tentait de respirer normalement pour chasser sa peur. Jenifael avait vu dans les étoiles que l'empereur le ferait souffrir avant que ne vienne le moment de sa défaite. La seule pensée d'être à la merci de ce tyran le paralysait.

L'empereur dirigea de nouveau sa monture ailée vers celui qui devait un jour le détruire, avec la ferme intention de s'en emparer, peu importe le nombre d'humains qui voudraient l'en empêcher. L'ancien et le nouveau roi ouvrirent le feu presque en même temps, puis la griffe s'en mêla lorsque l'attaquant se fut suffisamment rapproché. Cependant, puisqu'elle était déjà repue, elle n'avala pas autant d'énergie que l'aurait espéré Onyx, et ce qui en restait les frappa de plein fouet. Les protecteurs de Lassa furent catapultés plus loin et Lassa lui-même fut désarçonné par la force de l'impact.

Onyx secoua la tête et vit le dragon rouge replier son corps allongé pour se saisir de l'adolescent avec ses pattes arrière. Impossible de compter sur la griffe, qui s'était endormie. Le renégat se releva malgré la lourdeur de ses jambes. Hadrian gisait toujours sur le dos. Onyx le sonda prestement et constata, avec soulagement, qu'il était en vie. Il fit quelques pas en direction du gros cheval noir qui défiait le reptile volant en balançant son encolure.

Lassa, écrase-toi au sol ! ordonna Onyx. Il n'eut pas besoin de le dire deux fois. Le porteur de lumière se laissa tomber dans l'herbe. Tout comme Virgith l'avait fait, Hathir tenta d'attirer Pyros loin du jeune soldat. Sa manœuvre ne détourna d'aucune manière l'attention du monstre.

Le dragon rasait le sol, sur le plateau, en direction de sa proie, lorsqu'il fut frappé en plein poitrail par un second dragon, tout noir celui-là. Le choc fut terrible. Pendant que son congénère reprenait de l'altitude, Pyros fut violemment repoussé vers l'arrière et se mit à tomber de la falaise vers la plage. Il faillit même démonter son cavalier, mais Amecareth s'accrocha fermement au cou de son animal de combat. Toutefois, malgré son autorité despotique, l'empereur ne parvint pas à freiner l'instinct du mâle qu'il chevauchait. Provoqué par un rival plus jeune que lui, le dragon rouge battit vigoureusement des ailes et évita de s'écraser sur le sol. Il frôla les ruines de la cité et remonta vers le ciel. Au lieu d'obéir à son maître et d'aller se saisir de Lassa, il poussa des cris aigus en prenant de l'altitude.

— Est-ce Stellan ? s'enquit Hadrian en titubant jusqu'à Onyx.

– Comment veux-tu que je le sache ! Ils se ressemblent tous.

La plupart des combattants avaient aussi assisté à l'étrange spectacle. La présence de deux dragons ne découragea cependant pas l'attaque des scarabées, mais elle sema la terreur dans le cœur de Wanda. Elle esquiva la lance de son opposant et se faufila jusqu'à son mari, qui venait de terrasser un autre coléoptère.

– Je l'ai vu, assura-t-il en retirant son épée de l'œil du guerrier impérial. C'est bien Stellan.

– Nartrach est-il sur son cou ? réussit à articuler la mère, morte de peur.

Falcon se retira de l'affrontement en entraînant Wanda avec lui. *Nartrach, où es-tu ?* appela-t-il, de plus en plus nerveux. *Je suis sur la falaise !* répondit le garçon. Les parents éprouvèrent un grand soulagement.

Je ne suis pas encore assez fou pour m'interposer entre deux dragons mâles, tout de même. Dès qu'il a vu l'autre, Stellan n'a plus voulu m'obéir. Alors, je me suis jeté par terre.

– Jeté par terre ? répéta Wanda, étonnée par la témérité de cet enfant qui n'avait qu'un bras.

Un détachement de scarabées quitta le champ de bataille afin de foncer vers la falaise. Obéissant à leur formation militaire, Wanda et Falcon se précipitèrent à leur rencontre. Leur fils était sauf et c'était tout ce qui comptait, pour l'instant.

Sur la falaise, Nartrach assistait au duel entre les énormes bêtes. Il aurait voulu garder Stellan près de lui, car l'autre dragon était plus vieux et certainement plus expérimenté que lui, mais son impulsion naturelle l'avait porté à attaquer Pyros.

Hadrian, Onyx et Lassa observaient également l'étrange ballet aérien avec intérêt. Plus jeune et plus agile, le dragon noir attaquait le rouge de tous côtés en le mordant ou en le frappant violemment avec sa queue.

– C'est son idiot de cavalier qui l'empêche de se défendre, commenta Onyx.

Il n'avait pas terminé sa phrase que Pyros désarçonnait Amecareth. Ce dernier tomba dans l'océan sans même se débattre. Avant qu'Onyx ne propose un sauvetage un peu trop risqué, Hadrian l'agrippa solidement par le bras.

– N'y pense même pas, fit-il.

– Je voulais juste m'assurer qu'il coule comme une pierre.

L'un des vaisseaux miraculeusement épargné lors de la charge des baleines s'empressa d'aller récupérer l'empereur.

– Attaque au moins cette embarcation, réclama Onyx.

– Elle est bien trop éloignée.

– Tu n'es plus capable de former des halos, comme avant ?

– Si tu te souviens bien, je canalisais la force de milliers d'hommes. Ceux que j'arrive à produire maintenant ne sont pas très efficaces.

Les dragons montèrent de plus en plus haut dans les airs, en se griffant et en se mordant. Ils avaient presque atteint les nuages lorsque Stellan s'en prit à l'une des ailes de son adversaire. La gravité fit immédiatement son œuvre, entraînant les deux monstres vers la mer.

– Lâche-le, Stellan ! hurla Nartrach en sautant sur place.

Le jeune animal était bien trop occupé à imposer sa suprématie à son aîné pour entendre les conseils de son petit maître. Un instant plus tard, les dragons plongèrent ensemble dans les flots. Nartrach se figea, horrifié. Stellan et Pyros continuaient-ils leur combat sous l'eau ? Les dragons savaient-ils seulement nager ? Nartrach avait évidemment entendu l'histoire de celui qui avait attaqué Kira dans la forêt d'Émeraude, et qui avait coulé à pic lorsque les Chevaliers l'avaient poussé dans la rivière.

– Stellan, je t'en conjure, remonte à la surface…, s'étrangla le garçon.

Les minutes passèrent sans aucun signe encourageant. Des larmes se mirent à couler en silence sur les joues du gamin. Une main se posa alors sur son épaule, le faisant sursauter. Il crut qu'il s'agissait de ses parents ou d'un des Immortels. Quelle ne fut pas sa surprise de lever les yeux sur une femme à la peau immaculée et aux cheveux roses.

– Êtes-vous une Fée ? risqua Nartrach.

– Non, enfin, pas complètement. Il y en a eu dans ma lignée maternelle, cependant. Je m'appelle Myrialuna.

– Moi, c'est Nartrach, se présenta-t-il en essuyant ses larmes. C'est dommage que vous n'en soyez pas une, car je vous aurais demandé de m'emmener au-dessus de l'océan pour secourir mon dragon.

Le regard de Myrialuna s'immobilisa, tandis qu'elle cherchait à s'informer de ce qui se passait sous l'eau.

– Les deux bêtes ont sombré très profondément et n'ont plus été capables de revenir à la surface, annonça-t-elle à l'enfant.

– Non, Stellan ne peut pas être mort. Il était bien trop jeune.

Nartrach éclata en sanglots amers. Touchée par son chagrin, Myrialuna l'attira dans ses bras et le serra très fort pour lui témoigner sa sympathie.

31

UNE BELLE CAPTURE

Pendant que les Chevaliers d'Émeraude chassaient les scarabées sur la plage de Zénor, Hawke décida d'aller voir ce qu'il était advenu d'Abnar. L'Elfe magicien avait étudié sous la tutelle d'Élund. Il avait appris tout ce qui avait été écrit sur les dieux et les Immortels, mais jamais il n'avait lu où que ce soit que ces derniers pouvaient être victimes de sortilèges jetés par de vulgaires sorciers. Se croyant capable de venir en aide au Magicien de Cristal, Hawke était remonté sur son cheval ailé pour planer jusqu'au château d'où partaient de puissants rayons argentés, comme si la forteresse elle-même était en train de se défendre.

Il laissa Hardjan dans la grande cour, afin qu'il puisse fuir, en cas de danger, et pénétra dans le palais. Hawke utilisa ses sens magiques pour localiser Abnar, s'attendant à le trouver enchaîné quelque part. Après plusieurs minutes de vaine exploration, l'Elfe estima qu'en repérant la source des salves magiques, il parviendrait plus rapidement à son but. Il se rendit compte assez rapidement qu'elles fusaient de toutes les ouvertures de l'étage supérieur.

– Abnar, où êtes-vous ?

Sans avertissement, Danalieth apparut devant l'Elfe magicien.

— Il est enfermé dans la pierre, l'informa le demi-dieu.

— À quel endroit, exactement ?

— Partout. Son énergie circule dans toute la forteresse.

— Peut-il nous entendre ?

Les tirs lancés à partir du château cessèrent immédiatement.

— *Évidemment que je vous entends*, affirma une voix caverneuse.

— Je suis venu vous aider, l'informa Hawke, avec espoir.

— *Si je ne m'abuse, Danalieth médite déjà mon sauvetage, car c'est l'une de ses créations magiques qui m'a mis dans cette situation.*

L'Elfe se tourna vers l'Immortel, qui était en effet perdu dans ses pensées.

— J'ai créé beaucoup d'armes sous la forme de bijoux, dont trois sont mortelles, indiqua finalement ce dernier. Pour toutes les autres, j'ai créé des joyaux possédant la faculté de renverser leurs effets.

— Où pourrais-je trouver celui qui libérerait Abnar ?

— Je l'ai caché sous un chêne au Royaume des Elfes, il y a de cela bien des années.

– Pourriez-vous être un peu plus précis ? Savez-vous combien il y a de chênes dans leurs forêts ?

– Celui que j'ai choisi est particulier. Des initiales ont été gravées en elfique dans son écorce.

– Mais nous n'avons pas de langage écrit, s'étonna Hawke.

– Les Elfes qui ont colonisé la côte d'Enkidiev n'ont rien voulu écrire, de crainte que de l'information importante tombe aux mains de l'ennemi, qui vivait juste en face de leur nouveau territoire. Cependant, il existe bel et bien une écriture sur Osantalt.

– Dans quelle partie du royaume trouverai-je cet arbre ?

– Il se dresse à la frontière du Royaume des Elfes et de celui des Fées, aux abords de la rivière Mardall.

– Je ne devrais pas avoir de mal à le trouver, dans ce cas.

– Soyez tout de même prudent, car Asbeth semble tout à coup s'intéresser à mes armes.

– S'il ose me suivre, il paiera pour son audace.

– *Danalieth a raison, Hawke,* renchérit le Magicien de Cristal. *Surveillez bien vos arrières.*

– Je n'y manquerai pas. Tenez bon, maître Abnar, je vous sortirai bientôt de là.

– *Attendez, je vais vous accorder un pouvoir qui vous permettra de vous déplacer rapidement. Appuyez la main sur le mur.*

L'Elfe obéit sans hésitation. Ses doigts s'illuminèrent un instant, sans qu'il ressente quoi que ce soit de particulier.

– Comment puis-je mettre cette faculté à l'œuvre ?

– *Vous n'avez qu'à appuyer cette main sur l'encolure de votre cheval ailé et sa vitesse en sera décuplée.*

– Merci, maître Abnar.

Hawke redescendit dans la cour et grimpa sur son étalon. Avant de s'envoler pour le nord, l'Elfe magicien s'arrêta d'abord sur la falaise pour prévenir le commandant en chef de ses intentions.

– S'il n'en tenait qu'à moi, il pourrait bien rester enfermé à Zénor jusqu'à la fin de la guerre, maugréa Onyx, debout près de son ami Hadrian.

En retrait, les jambes pendant dans le vide au bord de la falaise, Lassa se demandait à quoi il lui avait servi d'apprendre à se battre si personne ne voulait le voir mettre les pieds sur le champ de bataille.

– Les efforts combinés de plusieurs Immortels pourraient nous être utiles, lui rappela Hadrian.

– Ils n'ont pas réussi à empêcher ce débarquement.

– Procédez, Hawke, décida le nouveau chef de l'Ordre, qui ne voulait surtout pas se laisser gagner par la mauvaise humeur d'Onyx.

Ne désirant pas être mêlé à cette discussion sur le rôle d'Abnar et de Danalieth, l'Elfe poussa son cheval au galop, puis s'éleva vers le ciel.

– Le fait que tu n'aimes pas les Immortels ne leur enlève aucune de leurs qualités, précisa Hadrian à son ancien lieutenant.

– Si tu avais souffert comme moi, tu aurais une opinion fort différente.

– Sans doute, mais j'ai été formé pour prendre en compte le bien de tous les hommes, Onyx. J'ai appris à mettre mes émotions de côté lorsque je dois prendre une décision militaire.

– Es-tu en train de me reprocher mes humbles origines ?

– Non, seulement ta disposition à ne penser qu'à toi. Le roi n'est pas un astre autour duquel tournent ses sujets. Il est plutôt un phare sur lequel ils peuvent compter, surtout durant leurs pires épreuves.

– Je n'ai nul besoin de tes allégories, en ce moment.

– Je ne fais que te donner un conseil, d'un souverain à un autre. Prends au moins le temps d'y réfléchir.

Lassa est-il sauf ? résonna la voix angoissée de Kira dans leurs esprit. *Il est...*, commença à répondre Hadrian. Au même instant, un énorme oiseau noir vola au-dessus de sa tête, planta ses serres dans les épaules de l'adolescent et l'emporta avec lui. Onyx releva aussitôt ses paumes pour attaquer Asbeth à coups de rayons mortels, mais Hadrian arrêta son geste en le forçant à baisser les bras.

– Tu pourrais tuer Lassa ! hurla l'ancien Roi d'Argent.

– Parce que tu penses que le sorcier a l'intention de le garder en vie ? répliqua Onyx sur le même ton.

— Rappelle-toi la prophétie. À mon avis, il est sans doute nécessaire que cet enfant soit mis en présence de l'empereur pour qu'elle s'accomplisse enfin.

— Pourquoi crois-tu aussi aveuglément ce que disent les dieux ? Ils se moquent de nous, Hadrian. L'attitude de leurs Immortels le confirme amplement.

— Un seul d'entre eux s'est montré injuste envers toi. Tu ne peux pas tous les juger en te fondant sur ta mauvaise expérience.

Je ne capte plus son énergie, s'alarma Kira.

— Je te laisse lui expliquer pourquoi, grogna Onyx en jetant un regard courroucé à son vieil ami.

Il se dématérialisa brusquement, sans dire où il allait, mais Hadrian le savait. Son lieutenant de jadis était un homme d'action qui n'aimait pas perdre son temps à formuler des stratégies. Onyx était retourné sur le champ de bataille. Hadrian suivit donc seul la progression du sorcier dans le ciel. Il fonçait vers le large.

Asbeth largua son butin sur le bateau d'un détachement de scarabées qui n'avait pas encore atteint les récifs. Lassa atterrit brutalement sur le pont de l'embarcation impériale. La terreur l'emporta sur sa douleur lorsqu'il se rendit compte que l'ennemi mortel des humains l'avait finalement capturé. Ni Onyx, ni Kira n'avait réussi à l'arracher à son terrible destin. Ces guerriers argentés auraient facilement pu le mettre en pièces, mais ils ne bougeaient pas. « Pourquoi ne m'attaquent-ils pas ? » s'étonna l'adolescent.

C'est alors qu'un coléoptère plus gros que les autres se fraya un chemin parmi les soldats rassemblés sur le pont.

Son manteau rouge collait à sa carapace noire. Le porteur de lumière n'eut aucun mal à le reconnaître.

– Te voilà enfin, se réjouit Amecareth.

Lassa ne pouvait évidemment pas saisir ce qu'il lui disait, car il ne comprenait pas les sifflements et les cliquetis des Tanieths. Il se doutait cependant qu'il ne s'agissait pas d'un éloge.

– Je ne crois pas que tu représentes une véritable menace pour mon règne, mais mon dieu réclame un sacrifice depuis trop longtemps.

Amecareth se tourna vers ses soldats.

– Emmenez-le au palais.

Le jeune Chevalier chercha la rambarde du regard. Il n'avait qu'à se jeter à l'eau pour échapper aux hommes-insectes, qui ne savaient pas nager. C'était ainsi que le Chevalier Kevin avait réussi à s'évader, jadis. Malheureusement, ce dernier n'avait pas agi assez rapidement et il s'était retrouvé sur la plage d'Irianeth. S'il voulait éviter le sort qui l'attendait, Lassa devait réagir sans délai. Toutefois, ces coléoptères étaient beaucoup plus agiles que les guerriers d'élite de l'empereur. Ils pourraient facilement l'empêcher de sauter à l'eau. « Mais en tentant de fuir, est-ce que je condamnerais les humains à une mort certaine ? » se demanda-t-il. Au lieu de foncer vers l'océan, Lassa baissa la tête et accepta son destin.

Au fond de lui, Hawke se sentait coupable d'abandonner les Chevaliers alors qu'ils avaient besoin de tous leurs effectifs. Il s'efforça donc de chasser ce sentiment débilitant de son esprit pour se concentrer uniquement sur sa nouvelle quête : la libération d'Abnar. Il savait d'instinct que cet Immortel avait un rôle important à jouer dans cette deuxième invasion. C'était pour cette raison que le sorcier l'avait neutralisé. « Asbeth est malheureusement toujours en possession d'une arme divine, déplora Hawke. Il pourrait s'en prendre de la même façon à tous les Immortels. »

Le magicien apprécia le don de vitesse que lui avait conféré Abnar lorsqu'il aperçut, du haut des airs, l'endroit que Danalieth lui avait décrit. Hardjan perdit aussitôt de l'altitude et se posa finalement dans une clairière. Il huma le vent et poussa de petits cris plaintifs.

– L'ennemi n'est pas ici, calme-toi, l'apaisa Hawke.

L'étalon cessa ses lamentations et commença à piaffer avec insistance.

– Nous retournerons au combat dès que j'aurai trouvé ce que je cherche, c'est promis.

Hawke cessa de prêter attention aux complaintes de son destrier et mit pied à terre. Sans perdre de temps, il avança vers la forêt. Il n'avait pas fait dix pas qu'une bande d'archers aux longs cheveux blonds l'entourait.

– C'est donc cela que tu tentais de me dire, Hardjan, soupira le mage.

Le chef des soldats Elfes reconnut alors la cuirasse verte que portait leur compatriote.

– Veuillez nous pardonner, sire, s'excusa-t-il en s'approchant. Puisque vous arriviez du ciel, nous avons cru que vous étiez un sorcier. Je suis Shanki, de la tribu des Salicis. Mais quelle est cette bête qui ressemble à un cheval, mais qui vole comme un oiseau ?

– C'est un cheval-dragon unique au monde. Je suis le magicien Hawke, jadis de la tribu des Chasnes.

– Mais vous portez l'armure des Chevaliers...

– C'est que je fais désormais la guerre à leurs côtés.

– L'ennemi se dirige-t-il vers notre Royaume ? s'alarma Shanki.

– Il viendra, éventuellement, si nous n'arrivons pas à l'arrêter sur la côte, mais les Chevaliers les combattent avec vigueur. Je les ai temporairement quittés pour récupérer un bijou façonné par Danalieth. Il l'a caché dans cette forêt, sous un arbre où des initiales sont gravées.

– Je sais où il se trouve, affirma un des archers. Ce n'est pas loin d'ici.

Shanki lui fit signe de l'y conduire sans tarder. Les Elfes s'enfoncèrent dans la sylve, suivis du cheval ailé qui n'avait pas l'intention d'être écarté d'une possible bataille. Le jeune guerrier pointa l'énorme chêne qui dominait la forêt. Il y avait effectivement des glyphes sculptés sur son écorce. Toutefois, Hawke était incapable de les déchiffrer.

– Je ne connais pas l'histoire de cet arbre et pourtant, il est le symbole de mon clan, avoua le mage avec un peu de honte. L'un de vous peut-il lire ce qui y est écrit ?

Shanki hocha la tête avec regret.

– Les Anciens racontent cependant une légende à son sujet, indiqua l'un de ses compatriotes. On dit que c'est ici que le demi-dieu Danalieth tomba amoureux et qu'il immortalisa cet instant en se confiant à un chêne.

– Alors, c'est sûrement celui que je cherche, s'encouragea Hawke.

Il tendit les bras devant lui, paumes tournées vers le bas, afin de localiser l'arme qui devait receler encore beaucoup de puissance en dépit des nombreuses années passées sous terre. Il ne l'avait pas encore repérée qu'une femme d'une beauté éblouissante sortit du tronc rugueux, comme si l'arbre eut été sa maison. Elle portait une courte tunique blanche, parsemée de petites étoiles brillantes. Sa peau très pâle était lumineuse et ses longs cheveux noirs ondulaient sur ses épaules. Tous les Elfes mirent un genou en terre et baissèrent la tête. Hawke, lui, se figea.

– Pourquoi cherchez-vous, encore une fois, à vous emparer d'un instrument divin qui ne vous est pas destiné ? demanda-t-elle d'une voix tragique.

– Je ne désire d'aucune façon vous offenser, affirma le magicien d'Émeraude. Je suis...

– Je sais qui vous êtes.

– Me permettrez-vous en revanche de connaître votre nom ?

– Je suis Cinn.

« La fille de Parandar », se souvint Hawke.

– À moins qu'on ne m'ait très mal informé, Danalieth a créé ces bijoux afin que les hommes puissent se défendre contre les Immortels qui se seraient retournés contre les dieux, plaida-t-il.

– Si un soulèvement s'était produit, nous aurions été les premiers à l'apprendre.

– Il s'agit plutôt d'un sorcier qui a mis la main sur l'arme opposée à celle que je cherche. Pour délivrer celui de vos serviteurs qui a été emprisonné à jamais dans la pierre, il me faut cet instrument céleste.

Le regard lunaire de la déesse s'immobilisa et l'Elfe comprit qu'elle s'informait de la situation des Immortels créés par le chef du panthéon.

– Abnar..., murmura-t-elle, affligée.

Elle planta ses yeux couleur de la lune dans ceux du magicien.

– C'est bien lui que je désire libérer, confirma Hawke.

Un rayon de lumière creva la terre aux pieds de la déesse sans qu'elle ait fait le moindre geste. Au milieu du faisceau brillant s'éleva une bague en or sertie d'une opale resplendissante. Le bijou termina sa course sur la paume de la divinité, qui continuait de regarder fixement l'Elfe magicien.

– Ne tardez pas, lui recommanda-t-elle.

Elle déposa la bague dans la main de Hawke.

– J'ignore comment l'utiliser, vénérable Cinn.

– Vous découvrirez très rapidement que les créations de Danalieth ont une vie propre.

Cinn s'évapora comme un mirage.

32

UN CHOIX DOULOUREUX

Liam apprenait à tresser des joncs avec sa jeune sœur Katil, en suivant les directives de la prêtresse enkiev, lorsqu'il entendit l'appel de détresse dans son esprit. *Chevaliers, à l'aide !* Le jeune soldat reconnut aussitôt la voix de Kira. *Qui appelle à l'aide ?* demanda celle d'Onyx. *C'est Kira. Je suis tombée dans un piège d'Asbeth et il est à la poursuite de Lassa, sur la falaise.*

– Lassa..., répéta Liam, au bord de la panique.

Livide, il laissa tomber son ouvrage de sparterie sur le sol.

– Asbeth, c'est le sorcier, n'est-ce pas ? s'alarma Katil.

– Vous entendez aussi la voix de la déesse ? s'étonna Mali.

– Je dois me porter à son secours, décida Liam, sans lui répondre.

Il se précipita à l'intérieur du temple pour enfiler son armure.

– Êtes-vous aussi de la haute caste ? insista Mali.

– Nous sommes des enfants magiques, alors nous pouvons entendre les conversations télépathiques entre les adultes, lui apprit Katil.

– Qui est Lassa ?

– C'est le porteur de lumière. Vous ne connaissez pas la prophétie ?

La jeune femme secoua vivement la tête.

– Vous êtes pourtant une prêtresse...

– Je n'entends que ce que les dieux veulent bien me laisser entendre.

– Bon, en quelques mots, il est écrit quelque part dans les étoiles qu'un Chevalier mettra fin au règne de l'empereur des hommes-insectes avec l'aide de la princesse sans royaume.

Katil constata, à l'expression de confusion de l'Enkiev, que son éclaircissement ne l'avait nullement renseignée. Sanya vint alors à son aide.

– En ce moment, notre continent est pris d'assaut par d'horribles scarabées, expliqua-t-elle. Notre seul espoir de revoir nos terres, un jour, est cette prophétie. Nous ne savons pas très bien comment tout cela se passera. Nous ne connaissons que les protagonistes de ce drame. Le porteur de lumière est un jeune Chevalier de l'âge de Liam.

– Ils se connaissent depuis qu'ils sont tout petits, ajouta Katil.

– Et la princesse sans royaume ? voulut savoir Mali.

— C'est la fille de l'empereur, née d'une reine d'Enkidiev. Elle s'appelle Kira.

Cette révélation ébranla la prêtresse.

— Mali, est-ce que ça va ? s'inquiéta Sanya.

— J'ignorais que la déesse quitterait une fois de plus le royaume de son père pour secourir les Enkievs...

— Je suis vraiment navrée, mais je n'en sais pas plus.

Le regard de Mali devint absent, tandis qu'elle tentait d'intégrer cette information à celles qu'elle possédait déjà sur la vie et la mort de Kira. Au même moment, Liam attachait les courroies de son armure verte. Il souleva sa cape et vit qu'elle avait été déchirée lors de sa chute dans la Forêt interdite. Il n'était écrit nulle part dans le code qu'il devait absolument la porter pour aller au combat, alors il la déposa sur sa couche et chaussa ses bottes.

— Je dois faire vite, s'agita-t-il.

La façon la plus rapide de regagner le continent, c'était évidemment les vortex. Cependant, Abnar n'en avait pas offert à tous les Chevaliers. Liam attacha sa ceinture, fit glisser son épée dans son fourreau et bondit vers la sortie. Il s'arrêta sur la rampe de pierre et chercha son père du regard. Jasson était immobile devant la palissade qui progressait de jour en jour. « Il a donc entendu lui aussi la supplique de Kira », conclut le jeune soldat.

Liam fonça dans l'enclos. La sombre expression de Jasson aurait dû mettre son fils en garde, mais ce dernier n'avait pas encore appris à discerner les émotions des autres.

— Nous devons partir maintenant, exigea Liam.

– Je t'ai déjà dit que ma vie était désormais ici.

– Lassa est en danger !

– Comme tous les autres Chevaliers.

Jasson se remit au travail sans plus se préoccuper de l'adolescent.

– Tu sais sûrement qu'il est le porteur de lumière. S'il est tué, alors ce sera la fin pour la race humaine.

– Nous sommes déjà tous perdus.

Liam étouffa un juron.

– Je ne comprends pas ton point de vue et je suis loin de le partager, poursuivit-il, mais j'ai besoin de toi pour regagner mon détachement.

– Je ne me sers plus de la magie pour faire la guerre, Liam. Respecte ma volonté.

– Je te demande seulement de me faire gagner du temps ! s'emporta le fils.

Jasson laissa tomber le pieu dans le trou qu'il avait creusé et se mit à l'aligner avec les autres.

– Comment peux-tu vivre avec toi-même en sachant que tu as abandonné tes frères et tes sœurs d'armes ?

Le déserteur fit la sourde oreille. Liam serait sans doute venu à bout de son entêtement, à grand renfort d'arguments, mais le temps pressait. Il tourna donc les talons et fonça vers la forêt en direction de la falaise. Il courait depuis un moment lorsqu'il entendit des pas derrière lui. Plus craintif depuis son aventure chez les Pardusses, il fit volte-face, prêt à se défendre. Quelle ne fut pas sa surprise de voir arriver Mali dans le sentier !

– Je viens avec vous, annonça-t-elle en cherchant son souffle.

– C'est hors de question ! Un champ de bataille n'est pas un endroit convenable pour une prêtresse.

– Je suis la dévouée servante de la déesse et elle nous appelle à l'aide.

– Moi, pas vous.

– Je sais me défendre.

– On a tout de même réussi à vous enchaîner sur la place publique pour vous exécuter.

– Je m'étais soumise à mon sort.

– Mali, cette discussion est parfaitement inutile. Retournez auprès de mes parents pour y attendre mon retour.

– Non.

Liam lui saisit brutalement les épaules.

– Lors d'une guerre, les gens qui ne savent pas se battre se font tuer, s'impatienta-t-il.

– Je n'ai pas peur de mourir.

– Ne me forcez pas à vous assommer pour vous empêcher de me suivre.

Le jeune Chevalier reçut alors une si forte décharge dans ses mains qu'il fut projeté dans les fougères.

– C'est vous qui m'avez fait cela ? s'étonna-t-il en se redressant sur ses coudes.

– Je recommencerai si vous me menacez encore.

– Mais qu'est-ce que j'ai fait aux dieux pour mériter toutes ces épreuves ? grommela Liam en s'extirpant de la végétation.

Lassa est-il sauf ? fit la voix de Kira dans leurs esprits. *Je ne capte plus son énergie !*

– C'est la déesse, s'alarma Mali.

– Je ne le sais que trop bien. Nous n'avons plus de temps à perdre. Avez-vous d'autres pouvoirs magiques dont vous ne m'avez jamais parlé ?

– J'entends les communications de l'au-delà et je fais des rêves sur le passé.

– Vraiment très utile, soupira Liam.

– Je suis une prêtresse, pas une sorcière.

– Kira ne vous a vraiment légué aucun de ses fantastiques pouvoirs ?

– Je n'ai pas eu le bonheur de la connaître.

– Je peux tenter de gagner du temps en utilisant des passages, mais cela nécessitera une grande quantité d'énergie. Il m'en restera très peu pour gravir la falaise.

Il prit la main de l'Enkiev, avec plus de prudence cette fois, et l'entraîna magiquement dans une sorte de grand tube aux parois de glace qui tournait sur lui-même. Ils en étaient à peine sortis que Liam en formait un autre, puis un troisième, et ainsi de suite, jusqu'à ce qu'ils soient au pied de l'immense mur rocheux. Épuisé, l'adolescent tomba sur ses genoux.

– Je savais que cela m'arriverait, haleta-t-il.

Mali plaça ses mains sur ses tempes et ferma les yeux.

– Non, pas de..., voulut-il protester.

Une intense chaleur se dégagea des paumes de l'Enkiev et Liam sentit ses forces revenir petit à petit. Lorsque Mali le libéra, il débordait d'énergie.

– Ce que vous venez de faire n'a rien à voir avec les communications ou les rêves, se troubla-t-il.

– Je suis aussi guérisseuse.

La prêtresse leva les yeux vers le ciel.

– Vous voulez vraiment me suivre dans les Terres prohibées ? tenta de la décourager Liam.

– Pour servir la déesse, j'irai là où vous irez.

– Commençons par grimper là-haut. Accrochez-vous à moi et ne regardez pas en bas. Je n'ai pas les talents de mon père, alors je vais m'arrêter sur de multiples corniches, en commençant par celle-là.

Utilisant ses pouvoirs de lévitation, Liam finit par arriver au sommet de la falaise. Il sonda aussitôt les alentours, afin de ne pas se retrouver une fois de plus nez à nez avec Asbeth. Il capta alors une présence bien familière.

– Pietmah ?

Des sabots martelèrent brutalement le sol, puis une jument noire émergea d'un bosquet.

– Qu'est-ce que c'est ? s'effraya Mali.

– Vous n'avez rien à craindre, c'est mon cheval de combat.

Folle de joie, Pietmah s'arrêta brusquement devant son jeune maître. En poussant des cris stridents, elle se frotta le front sur sa cuirasse en faisant reculer Liam de plus en plus.

– Je vais bien !

Elle renversa Liam sur le sol et se mit à lécher son visage en continuant de se lamenter.

– Pietmah, c'est assez ! Tu dois m'emmener jusqu'à Lassa. Il est en danger.

La jument-dragon releva l'encolure en humant l'air.

– Toi, quand tu fais cela, tu me fais paniquer, maugréa le Chevalier en se relevant.

Liam ne captait pourtant aucune présence ennemie. Il grimpa d'un bond sur le dos de l'animal et tendit la main à Mali, qui tremblait de peur.

– Ce n'est pas un prédateur, mais un moyen de locomotion, la rassura l'adolescent. Si vous ne montez pas maintenant, vous resterez ici.

L'Enkiev s'approcha à petits pas, geste que Pietmah interpréta comme une tentative d'agression. Pour avertir Liam du danger, elle se mit à piaffer.

– Mali est une amie.

Il hissa la jeune femme derrière lui et poussa le destrier au galop vers le Royaume de Perle. Se servant de passages, il parvint à atteindre la falaise de Zénor à la fin du jour. Avant qu'ils ne poursuivent leur mission, Mali l'aida à reprendre des forces. Au loin, sur la plage, les braves Chevaliers d'Émeraude combattaient des scarabées argentés. *Lassa, où es-tu ?*

Liam ? répondit immédiatement son ami de toujours. *Tu es en vie !* Cette nouvelle redonna du courage au porteur de lumière. *Je savais que tu t'en tirerais !*

Dis-moi où tu te trouves, Lassa. Il y eut un court silence, qui glaça le sang du jeune Chevalier. *J'ai été capturé*, répondit finalement le porteur de lumière. *On m'emmène à Irianeth. Ne joue pas au...*

Lassa ? s'alarma son ami. Il attendit de longues minutes sans recevoir de réponse. Il scruta l'océan et capta l'énergie du Prince de Zénor très loin sur les flots. Aucun passage ne pourrait le faire franchir une si grande distance. Pire encore, les vortex ne pouvaient emmener leurs utilisateurs que dans des endroits où ils avaient déjà mis le pied. « Qui a déjà navigué sur cet océan ? » se demanda Liam.

– Kevin ! s'exclama-t-il.

Il talonna aussitôt sa jument et fonça en direction du sentier creusé dans le roc de la falaise.

33

L'amour d'une mère

Bouillant de rage, Kira était assise sur le sol, immobilisée par la sorcellerie d'Asbeth. Elle avait tout tenté pour sortir de cette cage ensorcelée, en vain. Les seuls pouvoirs magiques dont elle pouvait désormais se servir lui permettaient de localiser Lassa, mais rien de plus. Les Chevaliers combattaient les scarabées plus au sud. Ils étaient désormais les seuls à pouvoir sauver le porteur de lumière.

Kira songea à recourir à sa mère pour se sortir de ce mauvais pas, puis se ravisa. « Je n'ai vraiment pas envie de subir ses sarcasmes, en ce moment », décida-t-elle. *Dylan !* appela-t-elle plutôt. Son demi-frère immortel se matérialisa instantanément à quelques pas de sa prison.

— Mais qu'est-ce que cette magie ? s'étonna Dylan.

Il se précipita sur les barreaux envoûtés afin de délivrer sa sœur.

— Ne les touche pas ! l'avertit Kira.

Dylan arrêta son geste, juste à temps.

— C'est une création d'Asbeth, expliqua la femme Chevalier.

— Je ne capte pourtant aucune sorcellerie autour de toi.

— Es-tu capable de me sortir de là, Dylan ? Je dois secourir Lassa.

Le jeune Immortel se concentra et utilisa toutes les incantations qu'il avait apprises pour faire disparaître les barreaux lumineux. Rien ne fonctionna.

— C'est au-dessus de mes forces. Nous devrions nous adresser à la nouvelle déesse, notre mère.

— Pas question.

— Ses pouvoirs sont bien plus puissants que les miens, Kira.

— Et ses jugements aussi. Épuisons d'abord toutes les autres ressources, si tu veux bien.

Dylan appela donc Danalieth à la rescousse. L'aîné leur apparut quelques secondes plus tard. Il fronça les sourcils en reconnaissant l'enchantement qui retenait la Sholienne captive.

— Asbeth m'a volé plus d'une arme, à ce qu'il semble, déplora Danalieth.

— Ce piège, c'est votre invention ? pesta Kira.

— Vous savez donc comment la libérer, se réjouit Dylan.

— Malheureusement, seule la contrepartie de ce dispositif peut l'annuler.

— Allons tout de suite la chercher, le pressa le jeune Immortel.

— Elle repose quelque part à Irianeth.

— Où les Immortels ne peuvent pas se matérialiser...

— Comment se fait-il que cette arme soit là-bas ? voulut savoir Kira.

— Elle a été avalée par un dragon ailé, qui est sûrement mort dans les montagnes rocheuses du continent de l'empereur, il y a fort longtemps.

— Comment l'a-t-il acquise ?

— Il a attaqué l'Elfe qui transportait ce bijou magique en lieu sûr, se rappela tristement Danalieth.

— Existe-t-il une autre façon de me sortir de ce piège ? s'impatienta Kira.

— Je crains qu'il ne soit destiné à retenir à jamais un Immortel ou un dieu.

— Mais pas un mortel ! s'exclama Dylan. Connaissez-vous le sortilège destiné à nous priver de la vie éternelle ?

— Il n'est connu que des dieux, déplora Danalieth.

Dylan s'accroupit près de sa sœur.

— Est-ce que tu me laisses appeler mère, maintenant ? s'enquit-il.

Il ne reçut pour toute réponse de Kira qu'un grognement de mécontentement. Fan répondit aussitôt à l'appel de son fils. Elle ne portait plus le vêtement blanc dans lequel elle avait péri jadis au Royaume de Shola, mais une robe argentée qui descendait jusqu'à ses chevilles. La déesse évalua sans peine la situation embarrassante de sa fille. Avant que ses enfants ne puissent la mettre en garde, elle toucha du doigt l'une des barres brillantes. Il s'ensuivit une pluie d'étincelles multicolores. Le geste imprudent ne lui causa aucune douleur, mais il l'irrita profondément.

— Je reconnais fort bien l'énergie de l'auteur de cette souricière, laissa-t-elle tomber.

— Elle n'était toutefois pas destinée à votre fille, assura Danalieth.

— Si vous m'avez tirée de la quiétude de mon nouvel univers, c'est donc que vous êtes incapable de défaire ce que vous avez fait.

— Cela m'est impossible, puisque ce charme a été utilisé par un sorcier.

— Pour comble de malheur, le bijou qui pourrait libérer Kira a été perdu sur le continent de l'empereur, ajouta Dylan. Comme vous le savez, nous n'y avons pas accès. Toutefois, je crois avoir trouvé une autre façon de la sortir de là.

— En lui rendant sa mortalité, devina Fan.

— C'est un privilège que vous possédez désormais en tant que déesse, lui rappela Danalieth.

Fan regarda fixement la prisonnière pendant quelques minutes. Kira choisit de garder le silence, même si elle éprouvait une forte envie d'expliquer à sa mère qu'elle ne l'avait pas fait exprès de se mettre dans un tel pétrin.

— Je pourrais partir à la recherche du bijou de Danalieth, indiqua Fan finalement. Sans doute arriverais-je à le récupérer au bout de longues fouilles.

— Il ne me servirait plus à rien, puisque Lassa aurait probablement été tué entre-temps, grommela la Sholienne.

— Je pourrais aussi te retirer ta pérennité, mais tu perdrais ainsi tes pouvoirs divins.

— Il lui resterait tout de même ceux qu'elle possédait avant sa mort, spécifia Danalieth.

— Tu mourras une seconde fois, poursuivit Fan, et ta prochaine intégration dans le monde des dieux sera plus longue et plus douloureuse.

— Mon retour parmi vous n'a pas été si terrible, dédramatisa Dylan.

— Évidemment, puisque tu n'es pas né mortel, répliqua Fan avant de reporter son attention sur sa fille. Tu ne pourras pas revenir dans le monde des hommes avant des centaines d'années, Kira.

— Si je n'agis pas maintenant, ce monde n'existera même plus ! argumenta-t-elle. Ce n'est pas une question de choix, mama. Vous devez me libérer.

— Tu ne pourras pas non plus donner naissance à ton enfant dans l'au-delà.

— Un enfant ? s'étonna Danalieth.

– C'est le dernier de mes soucis, en ce moment, maugréa Kira.

Sans plus de préambule, la déesse prononça quelques mots dans une langue inconnue des humains. Un tourbillon de vent violent s'éleva sur la plage, faisant valser autour de la prison ensorcelée des centaines de petits cailloux.

Kira sentit d'abord de curieux picotements sur sa peau, puis ses membres devinrent glacés. Si la mort était un processus éprouvant pour l'âme, qui devait s'arracher du corps, la seconde naissance s'avérait encore plus pénible. Une terrible douleur secoua Kira dans tout son être, tandis que ses cellules divines subissaient la pire des transformations. Soudain, son corps devint lumineux et bientôt, l'éclat gagna toute la cage surnaturelle. Les barreaux magiques explosèrent finalement au contact de cette énergie céleste et s'évanouirent en fumée.

Les Immortels ne bronchèrent pas. Ils attendirent que le brouillard se dissipe. Recroquevillée au fond d'un grand cratère, Kira avait repris sa forme physique, mais ses vêtements ne s'étaient pas matérialisés en même temps qu'elle. Nue comme un ver, la Sholienne se mit à frissonner. Danalieth fut le premier à réagir. Il fit apparaître une tunique blanche, semblable à celle que portaient les magiciens, et aida la femme mauve à l'enfiler.

– Merci, murmura Kira, affaiblie.

– Je n'ai pas connu beaucoup d'Immortels qui aient réussi à traverser une telle épreuve, avoua Danalieth, mais je me doute que cette métamorphose n'est pas très plaisante.

– Elle ne l'est pas du tout, affirma Dylan en s'accroupissant près de sa sœur. Toi, cependant, tu as déjà eu un corps, alors tu n'auras pas le choc d'avoir faim, soif ou mal pour la première fois.

– C'est suffisamment souffrant déjà, marmonna Kira.

Elle tenta de se relever et vacilla sur ses jambes.

– Doucement, lui conseilla Danalieth.

– Comment vais-je pouvoir secourir Lassa dans un tel état ? gémit-elle.

– On se sent mieux au bout de quelques jours, voulut la rassurer Dylan.

– Quelques jours ? tonna sa sœur. Je ne peux pas me permettre d'attendre si longtemps.

Elle adressa donc un regard suppliant à sa mère.

– J'ai fait tout ce que je pouvais, l'avertit Fan. C'est à toi de jouer, maintenant.

La déesse disparut dans une pluie d'étoiles argentées.

– Les Chevaliers ne t'ont-ils pas enseigné à te régénérer par toi-même ? demanda Dylan.

– Si, mais je n'ai pas eu à utiliser cette technique bien souvent.

– C'est le moment idéal de renouer avec ce procédé.

– Mais pas ici, les arrêta Danalieth. Pendant qu'elle sera enveloppée dans un cocon d'énergie, Kira deviendra beaucoup trop vulnérable. Je vais vous transporter au Château de Zénor, que notre ami Abnar est en mesure de défendre.

L'aîné plaça ses mains sur les épaules de Dylan et de Kira, les emmenant aussitôt avec lui. Il choisit la pièce la mieux conservée de la forteresse, soit le grand hall. Dylan matérialisa un lit bas et aida la femme Chevalier à s'y allonger. Kira n'avait pas posé la tête sur le matelas qu'une aveuglante lumière violette l'entourait.

Tandis qu'elle se fortifiait, le château recevait deux autres visiteurs inattendus. Consciente du danger qu'ils couraient en demeurant sur la falaise, Myrialuna avait décidé de mettre le jeune Nartrach en sûreté, et le seul abri qu'elle avait aperçu de son perchoir était cette immense construction en pierre sur le bord de l'océan. La sorcière et l'enfant avaient donc emprunté le sentier creusé dans la falaise, obstrué par des rochers à plusieurs endroits. Myrialuna n'eut aucune difficulté à les déplacer avec sa magie, émerveillant son jeune ami.

Nartrach pénétra le premier dans la cour protégée par de hautes murailles, comme dans un lieu sacré. Hawke avait évidemment raconté à ses élèves les événements heureux et fâcheux qui s'étaient produits à cet endroit sur la côte. Le garçon savait qu'il foulait une terre légendaire. Myrialuna, par contre, ignorait l'histoire d'Enkidiev. Nartrach se fit alors un devoir de lui en dresser les grandes lignes pendant qu'ils se dirigeaient vers ce qui semblait être l'entrée principale du palais. Les bâtiments avaient subi un si grand nombre d'avaries, lors de la première invasion, qu'il était difficile, au premier coup d'œil, de deviner à quoi ils avaient pu servir.

– De grandes batailles ont été gagnées et perdues en ce lieu, récita l'enfant en imitant son professeur de magie.

– Pourquoi les hommes se battent-ils ?

– Pour protéger leurs terres et leurs familles contre les soldats de l'Empereur Noir qui débarquent constamment sur nos plages.

– Ce n'est peut-être pas une bonne idée de nous abriter ici, dans ce cas.

– Sans mon dragon, il nous faudra attendre la fin de la guerre avant de pouvoir rentrer chez nous.

Les yeux de Nartrach se remplirent de larmes.

– Je t'en prie, ne pleure pas, le consola la jeune femme aux cheveux roses. Stellan a donné sa vie pour sauver la tienne. Tu dois honorer son sacrifice.

Nartrach et Myrialuna entrèrent dans le large couloir qui menait aux appartements du rez-de-chaussée et, presque au centre, à un large escalier. La sorcière n'avait jamais vu une habitation humaine, encore moins un château. Elle avait passé toute sa vie dans les forêts de Jade, où elle habitait un terrier. Elle capta alors la présence d'un mage ou d'un sorcier...

– Il y a une puissante magie ici, s'effraya-t-elle en pensant à l'envahisseur dont lui avait parlé Nartrach. Nous ferions mieux de partir.

– *Non, je vous en prie, restez*, résonna une voix pourtant familière.

– Nartrach, est-ce toi qui essaie de me faire peur ? le gronda Myrialuna.

– Je n'ai rien fait ! se défendit l'enfant.

– *C'est moi, Abnar.*

– Abnar ? répéta la sorcière en se détendant. Mais où êtes-vous ?

– *Je suis temporairement emprisonné dans la structure de cet édifice. Il semble être mon lot de tomber dans des pièges maléfiques.*

– Comment puis-je vous aider à en sortir ?

– *Le magicien d'Émeraude s'en occupe déjà.*

Myrialuna continua d'avancer dans le couloir en se demandant comment on pouvait respirer dans de la pierre.

– Je perçois une autre magie que la vôtre, s'inquiéta-t-elle.

– *C'est celle de Kira.*

Le visage de Myrialuna s'illumina.

– Ma sœur est ici ?

Elle accéléra le pas en suivant la piste d'énergie, Nartrach sur les talons.

– Kira est votre sœur ? se réjouit le garçon.

Quelle ne fut pas leur surprise de trouver dans le grand hall un homme penché sur une femme nimbée de lumière violette.

— Dylan ! s'égaya Nartrach. Tu as retrouvé Kira !

— Elle est revenue d'elle-même, alors que moi, je...

L'Immortel ne termina pas sa phrase, car il venait de s'apercevoir que Nartrach n'était pas seul.

— Tu es Dylan ? demanda l'étrangère. Le fils de Fan de Shola ?

— C'est bien moi.

Myrialuna s'approcha en souriant et s'agenouilla près du lit où reposait Kira.

— Mais qui êtes-vous ? s'enquit aussitôt le jeune Immortel.

— Je suis ta sœur, Myrialuna.

— Quoi ?

La sorcière lui répéta les paroles de Fan et lui raconta sa vie en quelques mots. Assis de l'autre côté du lit, Nartrach se régala de cette histoire qu'il se ferait un devoir de rapporter à ses amis. Quant à lui, Dylan l'écouta avec plus de réserve, hésitant à croire que c'était la vérité. On lui avait tendu bien des pièges depuis le début de sa vie. Fan était bien sûr une femme mystérieuse et secrète, qui ne révélait aux autres que ce qu'ils avaient besoin de savoir. « Mais nous cacher à Kira et moi qu'une autre fille lui était née ? » s'offensa Dylan.

— Je suis vraiment honorée d'avoir une si illustre famille, termina Myrialuna.

— Et moi, d'avoir une deuxième sœur qui soit aussi jolie.

— Mais pourquoi Kira est-elle inconsciente ?

— Elle a perdu beaucoup d'énergie et c'est sa façon de refaire le plein. Possédez-vous aussi des pouvoirs ?

— J'ai appris beaucoup de choses auprès d'Anya, mais je ne sais certainement pas comment m'entourer de lumière quand je dors.

— Moi non plus, avoua Dylan.

— Tu es un Immortel, n'est-ce pas ?

— Pour l'instant.

— On dit que ceux qui vivent auprès des dieux sont plus forts que les sorciers. Est-ce vrai ?

— Je ne suis pas très renseigné sur ce sujet. Pourquoi me posez-vous cette question ?

— Parce qu'un autre Immortel, qui s'appelle Abnar, a besoin de toi.

— Je ne peux malheureusement rien faire pour lui, l'interrompit Dylan. Il y a une grande règle en magie : aucun d'entre nous ne peut renverser un sort qu'il n'a pas jeté lui-même.

— Abnar sera-t-il enfermé ici à tout jamais ?

— Si je le connais bien, il a déjà pensé à quelque chose.

— *En fait, c'est Hawke qui s'est chargé lui-même de cette mission*, le corrigea le Magicien de Cristal.

– Subirons-nous le même sort que vous en restant ici ? voulut savoir la sorcière.

– *Non. Je veillerai sur vous.*

Le cocon éclatant s'estompa autour de Kira. La ressuscitée battit des paupières et esquissa un sourire en apercevant le regard soucieux de Dylan.

– Je me sens mieux, affirma-t-elle.

Elle se redressa d'abord sur ses coudes, et vit qu'ils avaient un auditoire.

– Bonjour, Kira ! la salua joyeusement Nartrach.

– Mais que fais-tu ici, toi ? s'étonna la Sholienne. Sommes-nous de retour à Émeraude ?

– Non, à Zénor. Je suis venu vous apporter mon aide, moi aussi.

– Il n'en est pas question, Nartrach. C'est bien trop dangereux.

Kira croisa alors le regard de la sorcière.

– Apparemment, mère a eu un autre enfant à part nous, expliqua Dylan. Voici Myrialuna, fille de la Reine Fan et du Roi Shill.

– Mère m'a parlé d'elle, avoua Kira.

Un lien se créa instantanément entre les deux sœurs, même si elles n'avaient pas eu le bonheur de grandir ensemble. Myrialuna se faufila entre les bras de la femme mauve et la serra avec bonheur. Cette dernière accepta cette marque d'affection avec joie.

– De quelle façon es-tu mêlée à ce conflit ? s'enquit Kira.

– Je n'en sais rien, avoua la sorcière en relâchant sa sœur. Je suis surtout à la recherche de ma mère adoptive. Je crois qu'elle est morte et je cherche son corps. Mon instinct m'a menée jusqu'ici.

Nartrach raconta alors à Kira pourquoi il était venu à Zénor et comment il avait rencontré Myrialuna. En retour, Kira leur relata volontiers sa formidable aventure dans le passé, puis se tourna finalement vers son frère.

– Savais-tu qu'à l'origine, il y avait un tombeau à cet endroit même ? fit-elle en reprenant son aplomb. Il servait de dernier repos aux héros d'Enkidiev.

– L'histoire ancienne des humains a été perdue à un certain stade de leur évolution, se rappela Dylan.

– *Par ordre des dieux*, précisa Abnar.

– Lorsque cette guerre sera terminée, nous nous pencherons sur ce mystère, décida Kira. Pour l'instant, il nous faut assurer notre victoire.

– À bas les hommes-insectes ! s'exclama Nartrach.

– Comment une seule femme pourrait-elle mettre fin à une guerre ? s'étonna Myrialuna.

– Si je suis vraiment la princesse sans royaume de la prophétie, c'est moi qui aiderai Lassa à vaincre l'empereur.

— Dis-nous quoi faire ! s'enthousiasma Nartrach.

— Toi, tu rentres tout de suite à Émeraude avec Myrialuna, où vous pourrez mettre vos talents au service du royaume.

— Mais...

Dylan n'eut pas besoin que sa sœur lui en fasse la demande. Il prit les mains de l'enfant et de la sorcière et s'évapora avec eux pour les sortir de la zone dangereuse. Enfin seule, Kira se leva. Elle constata alors qu'elle portait une longue tunique blanche. « Je ne peux pas affronter l'empereur habillée de la sorte », songea-t-elle. Son armure mauve était restée dans une crevasse de la Montagne de Cristal et elle n'avait certainement pas résisté au passage du temps. Il ne lui restait plus qu'une seule chose à faire. Se servant de ses pouvoirs de localisation, Kira lança son esprit à la recherche d'une nouvelle armure. Avec soulagement, elle découvrit que les couturières et les artisans du cuir du Château d'Émeraude avaient fabriqué de nouvelles tuniques et de nouvelles cuirasses.

Kira n'avait jamais été douée pour les déplacements magiques. Cependant, elle avait commencé à les maîtriser dans le passé. « Je n'ai rien à perdre », se dit-elle en fermant les yeux. Elle n'eut plus qu'une seule pensée : se rendre dans la forteresse où elle avait grandi. À son grand étonnement, lorsqu'elle ouvrit les yeux, elle se trouvait exactement là où elle l'avait désiré. En vitesse, elle fouilla dans la pile de vêtements et dénicha un pantalon et une tunique verte à sa taille, ainsi que des bottes de cuir toutes neuves. Elle enfila son uniforme avec un plaisir renouvelé. « Je suis et j'ai toujours été un Chevalier d'Émeraude, pas une Immortelle ou une princesse », maugréa-t-elle intérieurement.

Elle examina rapidement les armures alignées le long du mur sur des chevalets de bois, attendant d'être endossées par de valeureux soldats. Kira avait suffisamment porté la sienne pour en choisir une d'un seul coup d'œil. Elle détacha les courroies de l'épaule et du côté et passa la cuirasse par-dessus sa tête.

– Lady Kira ? fit la voix d'un enfant.

La guerrière fit volte-face et reconnut les cheveux blond clair de Fabien, l'un des fils du Roi Onyx.

– Il ne vous est pourtant pas permis de jouer ici, le gronda-t-elle en prenant un air sévère.

– Je ne joue pas. Je contemple mon futur uniforme. D'ailleurs, je ne viens ici que lorsque je suis seul, car cette pièce est comme un temple pour moi. Un jour, je serai Chevalier, comme mon père.

– Tu es d'abord un Prince d'Émeraude, Fabian.

– Mais ce n'est pas moi qui monterai sur le trône. Ce sera Atlance. Je serai donc libre de devenir qui je veux. En attendant, pourrais-je être votre Écuyer ?

– C'est aux magiciens que revient la décision de te faire passer du statut d'étudiant à celui d'Écuyer, pas à moi.

– Pourriez-vous me laisser faire semblant, alors ?

Kira s'agenouilla pour être à la hauteur du garçon et ainsi lui permettre d'attacher les sangles de sa cuirasse et sa ceinture.

– Je ne vois les capes nulle part, se désola Fabian.

– Je n'en aurai pas besoin.

La femme Chevalier embrassa le jeune prince sur le front, comme l'aurait fait son maître, et se redressa.

– Courage, honneur et justice, lui dit-elle avant de disparaître.

Fabian poussa un formidable cri de joie.

une expédition dangereuse

Les Chevaliers d'Émeraude retenaient tant bien que mal les scarabées sur la plage de Zénor, mais il y avait de plus en plus de blessés dans leurs rangs, et ceux qui pouvaient encore se battre faiblissaient. Ariane et Dinath avaient tenté d'unir leurs forces, une fois de plus, comme à Émeraude, mais rien n'avait fonctionné. Elles ne pouvaient évidemment pas savoir que le sorcier de l'empereur marchait au milieu du champ de bataille, sous le couvert de son bouclier d'invisibilité, tenant à la main plusieurs des bijoux de Danalieth qui neutralisaient les pouvoirs des Immortels et des maîtres magiciens.

Au milieu des défenseurs d'Enkidiev, Jenifael avait reçu l'ennemi avec les mêmes armes que ses compagnons. Même si elle était en partie déesse, elle possédait un corps physique qui pouvait lui aussi s'épuiser. Lorsqu'elle sentit ses bras ployer sous les coups de lance de ses adversaires, elle décida de faire appel aux facultés qu'elle avait reçues du ciel, malgré son manque de pratique. Elle se transforma subitement en torche humaine et fonça sur les coléoptères, réduisant en cendres tous ceux qui entraient en contact avec elle. Son initiative sema bientôt la panique dans l'armée impériale, donnant ainsi l'occasion aux Chevaliers de massacrer les scarabées désorientés.

Jenifael décima les forces d'Amecareth jusqu'à ce qu'elle se heurte violemment à un obstacle invisible. Jamais une chose pareille ne lui était arrivée lorsqu'elle utilisait ses facultés de combustion. Elle tomba à la renverse, mais son corps demeura couvert de flammes.

– Mais qu'avons-nous là ? railla Asbeth.

La jeune déesse ne pouvait pas le voir, mais elle savait qu'il était là, droit devant elle. Elle releva vivement les bras et lança des faisceaux de feu sur la créature malfaisante. Ils se brisèrent sur l'écran protecteur du sorcier, incendiant les scarabées qui l'entouraient.

– Ne sais-tu pas qui je suis ?

– Je ne peux même pas vous voir, mais cela n'a aucune importance ! se hérissa la femme Chevalier qui se remettait sur pied. Vous êtes un envahisseur au même titre que tous ces horribles insectes et vous subirez le même sort !

Asbeth lui apparut sur les galets, mais il conserva son écran protecteur autour de lui. Jenifael tenta une deuxième fois de l'anéantir, sans plus de succès. C'est alors qu'arrivèrent les renforts. Onyx avait bien sûr flairé la présence d'Asbeth de loin et il avait depuis cherché à se rapprocher de lui, dans la mêlée. La déconfiture de l'armée impériale lui avait enfin fourni la percée qu'il attendait. En le voyant approcher, Asbeth redevint invisible.

– Laisse-le-moi, Jenifael, ordonna le Roi d'Émeraude.

Asbeth était un être particulièrement orgueilleux, qui faisait souvent le brave, même lorsqu'il se savait désavantagé. Cependant, il était suffisamment intelligent pour reconnaître la supériorité de certains de ses adversaires, comme cet humain vêtu de noir. Il se rappelait très bien sa première rencontre avec Onyx. À l'époque, ce dernier était encore connu sous le nom de Farrell et il ne portait pas de tenue de combat. Il avait également mis Asbeth en déroute avec une étonnante facilité sur les plages du Royaume d'Argent.

– Montre-toi, lâche ! le somma Onyx.

Le corbeau ne broncha pas. Il ignorait si les bijoux magiques qu'il avait dérobés pouvaient le débarrasser des humains possédant autant de pouvoirs que les Immortels. S'il voulait un jour occuper le trône de son père, Asbeth ne pouvait courir aucun risque inutile.

– Je t'ai dit de te montrer !

Des serpents électrifiés d'un bleu éclatant jaillirent des paumes d'Onyx et s'attaquèrent voracement au bouclier d'Asbeth. Ce ne fut toutefois pas l'assaut du Roi d'Émeraude qui fit battre le sorcier en retraite, mais l'apparition d'une nouvelle énergie magique en provenance des ruines de la vieille cité de Zénor. Occupé à maintenir l'intégrité de son écran protecteur, Asbeth n'était certes pas en position d'identifier le nouveau venu. S'il s'agissait d'un ou de plusieurs Immortels, il pourrait certainement en venir à bout, mais pas pendant qu'il se défendait contre cet insolent Chevalier.

Hadrian tentait de se rendre jusqu'à Onyx lorsqu'il perçut une vague de soulagement parmi ses soldats. Il terrassa rapidement le coléoptère argenté qui s'en prenait à lui et chercha à découvrir ce qui redonnait tout à coup courage à son armée. Au loin, il aperçut un cheval noir arrivant au galop entre les blocs de pierre qui avaient jadis été des maisons.

– Kira...

La guerrière fonçait vers la bataille avec la puissance d'un ouragan. *Chevaliers, repliez-vous !* ordonna-t-elle. Ignorant d'où venait ce commandement, seuls quelques-uns des soldats vêtus de vert se retirèrent du combat. *Obéissez-lui !* l'appuya Hadrian en tournant lui-même les talons.

Asbeth, qui pouvait capter les conversations télépathiques entre les humains, comprit que sa principale rivale avait réussi à s'échapper du piège qu'il lui avait tendu et que c'était lui qu'elle prendrait pour cible. Il était donc temps pour lui de filer. Dans un geste désespéré, il lança brutalement sa coquille protectrice sur Onyx et s'envola vers la falaise. Le Roi d'Émeraude reçut le mur magique de plein fouet et fut projeté dans les airs. Son dos frappa durement les galets, sans toutefois lui faire perdre ses réflexes militaires. Faisant fi de sa douleur, Onyx se remit debout et bombarda de rayons mortels l'oiseau de malheur qui fuyait dans le ciel.

Onyx, replie-toi ! hurla la voix de son ami Hadrian dans son esprit. Malheureusement, lorsqu'il passait à l'attaque, le renégat n'entendait plus raison. Il continua donc de s'en prendre à Asbeth, même s'il était désormais hors de sa portée. Comme tous les autres Chevaliers, Jenifael avait entendu la consigne du commandant en chef. Cependant, elle voyait bien que le Roi d'Émeraude s'entêtait à harceler son ennemi malgré l'ordre très clair d'Hadrian. En temps normal, la jeune déesse aurait pu transporter magiquement le souverain en lieu sûr, mais elle n'arrivait plus à éteindre les flammes qui sortaient de tous les pores de sa peau. Elle ne pouvait donc pas toucher le renégat sans l'incendier.

– Sire, je vous en prie, cessez le feu ! le supplia-t-elle.

Ou bien il faisait la sourde oreille, ou bien il était en transe. Jenifael ne voulait surtout pas causer la mort de son souverain, mais elle devait aussi obéir au nouveau chef des

Chevaliers. Son devoir consistait maintenant à prévenir Hadrian de l'entêtement de son ancien lieutenant. La soudaine apparition de la femme enflammée au milieu des soldats d'Émeraude les fit sursauter.

– Il ne veut rien entendre, sire ! s'exclama Jenifael.

Sur son cheval-dragon, Kira galopa alors devant les yeux incrédules des Chevaliers. Un halo violet se formait sur sa poitrine et grossissait à vue d'œil.

– Onyx ! ragea Hadrian.

Loin devant lui, sur la plage, le renégat avait cessé de pilonner Asbeth, car il faisait maintenant face à une marée de scarabées furieux. Onyx chargea ses mains et n'eut le temps de projeter qu'un seul serpent électrifié. Quelqu'un venait de le saisir par-derrière ! N'entendant pas être aussi lâchement assassiné, il se libéra de l'emprise de son agresseur et se retourna avec l'intention de lui régler son compte lorsqu'il le reconnut.

– Liam ?

– À votre service, Majesté.

Le jeune soldat empoigna les bras d'Onyx, comme le faisaient les Chevaliers lorsqu'ils se saluaient entre eux, et se dématérialisa avec lui. À peine avaient-ils quitté la plage qu'un gigantesque anneau d'énergie rasait le sol. Tous les scarabées, morts et vivants, furent désintégrés au contact de cette énergie dévastatrice.

Hathir ralentit son allure pour laisser sa cavalière savourer sa victoire, puis revint au trot vers les Chevaliers. Débarrassés de la menace impériale, la plupart d'entre eux s'occupaient déjà des blessés. Quant à leur commandant, il n'avait pas remué un cil. Son cœur battait la chamade, car il ne voyait plus Onyx nulle part.

Hadrian suivit la course de l'étalon noir en se mordant la lèvre inférieure. *Je ne suis pas mort*, lui apprit finalement la voix de son ami. *Où es-tu ?* s'exclama Hadrian, tiraillé entre le soulagement et l'irritation. *Derrière toi.*

L'ancien Roi d'Argent pivota et vit que les Chevaliers s'écartaient pour laisser passer Onyx.

– Quand je te donne un ordre, je m'attends à ce que tu m'obéisses ! laissa tomber Hadrian.

– Tu ne t'adresses plus à ton lieutenant, dois-je te le rappeler ?

Hadrian s'aperçut alors qu'un jeune Chevalier suivait Onyx, menant par la bride un gros cheval noir avec une petite étoile au milieu du front. Sur le dos de l'animal, une jeune femme était assise.

– Je me fiche du rang que tu occupes dans cette vie, répliqua le commandant. C'est entre mes mains que tu as placé la stratégie militaire de l'Ordre. Lorsque tu es sur le champ de bataille, tu es sous mes ordres au même titre que les Rois de Jade, de Perle, d'Opale et de Diamant.

– Je me suis fait un devoir de le lui mentionner, indiqua Liam en s'arrêtant devant les deux vétérans.

– Je suis heureux de te revoir, jeune homme, mais surpris que tu t'adresses à ton roi de cette façon, répliqua Hadrian.

– Il a toujours dit ce qu'il pensait, soupira Onyx.

– Eh, tout le monde ! les coupa Nogait. Devinez qui vient dîner ?

Kira venait d'immobiliser son énorme cheval noir devant ses frères et ses sœurs d'armes.

– C'est la journée des retrouvailles, on dirait, se réjouit Bergeau.

– Milady, la salua Hadrian en se courbant avec respect.

– Je suis contente que tu sois de retour, Kira, fit Bridgess.

– Jamais autant que moi, répliqua la Sholienne.

Bridgess l'examina attentivement. Quelque chose avait changé en elle. Ce n'étaient pas ses cheveux plus pâles et désordonnés ni le fait qu'elle portait tout à coup un uniforme vert. Les épreuves qu'elle avait traversées dans le passé l'avaient-elles à ce point transformée ?

– Est-ce que je rêve ou quoi ? demanda Nogait. Tu as éliminé toutes ces bestioles sans que personne n'ait eu à te faire fâcher ?

– Si tu parlais moins et si tu écoutais davantage, Nogait, tu te rendrais compte qu'elle bout de colère à l'intérieur, l'apostropha Chloé.

– Ce n'est pas le moment d'analyser mes émotions, les arrêta Kira.

Les Chevaliers remarquèrent que son ton n'était plus le même. La Sholienne affichait une nouvelle assurance et s'exprimait avec autorité.

— Je dois me rendre sur Irianeth pour que la prophétie s'accomplisse, ajouta-t-elle.

— Pas seule, en tout cas, l'avertit Dempsey.

— Nous t'accompagnons, renchérit Falcon.

— Une nouvelle invasion se prépare, leur annonça Kira en tournant la tête vers la mer. Vous devez rester pour la contenir.

Hadrian se reprocha aussitôt son inattention. Il scruta la côte et capta, en effet, la présence de guerriers-insectes.

— Je ne pourrai pas demeurer avec vous pour les repousser, ajouta la Sholienne. Le temps m'est compté. Toutefois, si je survis à cette incursion sur le territoire de l'empereur, je reviendrai vous prêter main-forte.

— Dempsey et Falcon ont raison, les appuya Bridgess. Tu ne peux pas partir seule. Il est impératif que quelques-uns d'entre nous surveillent tes arrières.

Malgré sa longue absence, Kira n'avait pas oublié les règles élémentaires de l'Ordre. Même le meilleur des soldats ne devait jamais partir seul au combat.

— Dans ce cas, je ne prendrai que douze d'entre vous, décida-t-elle. Les autres devront continuer de défendre Enkidiev.

— Qui ? la pressa Ariane.

Kira promena son regard sur ses compagnons, comme Wellan l'aurait fait en de pareilles circonstances. Elle choisit alors Swan pour sa combativité, Bergeau pour sa force, Dempsey pour sa maîtrise du pistage, Nogait pour sa créativité, Wimme pour sa ruse, Bailey pour son courage, Milos pour sa fiabilité, Robyn pour son agilité, Winks pour sa détermination, Ellie pour son jugement et Kagan pour son dynamisme. Au grand étonnement des Chevaliers, Kira ajouta Kevin à sa liste.

— Mais il ne voit rien le jour ! protesta Maïwen.

— Il comprend la langue de l'ennemi, lui rappela Chloé. Il leur sera d'un grand secours.

Les autres soldats se mirent à réclamer le droit d'accompagner eux aussi la Sholienne. Hadrian les fit taire.

— Elle ne m'a pas choisi non plus, leur fit-il remarquer. M'entendez-vous lui reprocher sa décision ? C'est elle qui nous sauvera tous en épaulant le porteur de lumière. Tâchez de ne pas l'oublier.

— En tant que Roi d'Émeraude et véritable chef de l'Ordre, je me vois quand même forcé de m'ajouter à ce groupe, intervint Onyx.

— Forcé ? répliqua Swan en arquant un sourcil.

— Et pour quelle raison, Altesse ? voulut savoir Nogait.

— Parce que je suis le seul à pouvoir vous emmener à Irianeth sans utiliser un tourbillon de lumière ou une embarcation.

— Une petite minute ! s'écria Liam. Je suis le bouclier de Lassa, alors il n'est pas question que je reste ici.

Kira allait permettre au jeune homme de se joindre au groupe quand la jeune fille qui accompagnait ce dernier se prosterna à ses pieds.

– Vénérable déesse, je vous ai toujours servie avec la plus grande dévotion, lui apprit Mali. Je suis l'une de vos prêtresses. Dites-moi ce que je dois faire qui vous agréerait.

– Mais qui est cette femme ? maugréa Bergeau, qui ne voyait en elle qu'un retard inutile à l'exécution de leurs plans.

– Mali est une Enkiev, les informa Liam.

– Vient-elle du passé ? s'enquit Bridgess.

– Non. Plusieurs descendants des Anciens vivent en ce moment même dans la Forêt interdite.

– Il serait vraiment intéressant d'échanger avec eux, pensa Hadrian tout haut.

– Malheureusement, ils ne sont pas très amicaux, ajouta Liam.

– Ce n'est pas le moment de nous raconter ces petites anecdotes, les coupa Onyx. Que les élus se mettent en position d'attaque, sinon, je pars sans eux.

Les Chevaliers se placèrent derrière Kira et le roi, formant un éventail.

– Posez la main sur l'épaule de la personne à côté de vous.

Ils formèrent ainsi une chaîne humaine. Le renégat n'eut qu'à prendre la main de Kira pour tous les emmener dans son vortex. Prosternée sur le sol, Mali ne comprenait pas pourquoi sa déesse s'était volatilisée sans lui confier sa volonté. Ressentant sa profonde détresse, Chloé se pencha sur elle.

— Soyez la bienvenue parmi nous, Mali, lui dit-elle pour la rassurer.

La prêtresse leva un regard attristé sur elle.

— Je suis Chloé.

La femme Chevalier l'incita à se relever.

— Possédez-vous des facultés surnaturelles ?

— Pas les mêmes que celles de Liam, mais je sais me défendre.

— Ce ne sera pas suffisant, je le crains, trancha Hadrian. Pietmah !

La jument-dragon s'approcha de cet homme dont Staya lui avait si souvent parlé. Le commandant lui ordonna d'emmener la jeune Enkiev en lieu sûr jusqu'à ce que les combats soient terminés, puis il se tourna vers ses soldats épuisés.

— L'ennemi sera bientôt là, leur rappela-t-il. Si vous avez appris à refaire rapidement vos forces, je vous conseille de vous y mettre maintenant.

— Laissez-moi vous aider, sire, offrit Danalieth en apparaissant près de lui. Fermez tous les yeux, je vous en prie.

Les Chevaliers, qui avaient grandement besoin d'un apport énergétique, firent ce qu'il demandait.

De son perchoir, Asbeth surveillait la vermine humaine qui refusait de mourir. Pire encore, elle trouvait toujours la façon d'éliminer même les meilleurs guerriers de l'empereur. Le sorcier avait réussi à neutraliser le Magicien de Cristal et Narvath, mais cette dernière s'était échappée. Avant de la poursuivre sur Irianeth, il devait à tout prix se débarrasser de celui qui se disait l'ami des Tanieths. Ses deux filles, quant à elles, avaient été faciles à désamorcer.

Un nouveau bataillon impérial approchait. Il provenait des confins de l'empire et avait donc mis beaucoup plus de temps à atteindre le continent des hommes. Cela occuperait les Chevaliers pendant que le sorcier irait enfin régler son compte à sa rivale. Asbeth allait prendre son envol lorsqu'une créature ailée passa au-dessus de lui. Il reconnut le cheval-dragon et l'Elfe magicien qui avaient secouru le porteur de lumière.

– Cette fois, tu ne t'en sortiras pas, créature d'Osantalt, croassa le corbeau.

Il fonça comme une flèche sur la forteresse afin d'y être avant sa victime. Quelques secondes plus tard, Hardjan se posait dans la grande cour du Château de Zénor et repliait ses ailes. Son cavalier mit pied à terre. *Hawke, prenez garde !* l'avertit Abnar. L'Elfe se figea, cherchant la source du danger.

Asbeth ne pouvait pas utiliser les armes de Danalieth contre un simple magicien. Alors, en se posant devant l'entrée du palais, il attaqua Hawke à coups de rayons meurtriers. Ce furent uniquement ses réflexes qui sauvèrent le magicien : il matérialisa immédiatement son bouclier de protection, ce qui brisa la première charge d'Asbeth. Les ricochets frôlèrent cependant le cheval-dragon, qui se mit à gémir.

— Fuis, Hardjan ! lui ordonna son maître.

L'étalon prit son envol. Pour protéger sa fuite, Hawke riposta à l'attaque du sorcier par des rayons incendiaires. C'était lors de tels affrontements qu'il regrettait de ne pas avoir suivi le même entraînement que les Chevaliers.

Voyant qu'il ne réussissait nullement à impressionner son adversaire, l'Elfe décida de s'en tenir à sa première mission, soit libérer le Magicien de Cristal de sa prison de pierre. Sous le couvert de son écran magique, Hawke se hâta vers les ruines d'un bâtiment attenant au palais et bondit à l'intérieur.

— Abnar, si vous avez une idée, j'aimerais l'entendre ! implora l'Elfe.

— *Pour me libérer, vous devez vous rendre à l'endroit exact où le sort a été jeté.*

— Le sorcier me barre la route ! Ne pouvez-vous pas l'éliminer ?

— *Maintenant que vous êtes dans le château, une telle tentative serait dangereuse pour vous aussi.*

Un faisceau ardent frappa le mur près du bras gauche du magicien, faisant éclater la pierre. Hawke plongea dans une brèche, sans savoir où elle menait.

— Indiquez-moi le chemin ! cria-t-il.

— *Regagnez le corridor principal.*

— Je ne sais même pas où je suis !

L'Elfe continua de zigzaguer de pièce en pièce, incapable de choisir une route claire jusqu'à son but. Il se retrouva finalement dans un petit hall, dont la sortie semblait s'ouvrir sur le couloir central du palais.

– *Vous y êtes presque, l'encouragea Abnar. Suivez le corridor jusqu'au grand balcon.*

Hawke courut vers la porte, mais s'arrêta net en voyant le corbeau s'y présenter.

– Abnar, faites quelque chose !

– *Tant que vous serez tous les deux dans le même bâtiment, je ne pourrai rien faire.*

– Si vous ne faites rien, je mourrai de toute façon !

Le magicien rebroussa chemin avec l'intention de revenir dans la grande cour, mais la brèche se referma devant lui, l'emprisonnant dans la pièce. Il pivota lentement vers son agresseur. S'il était tué au combat, ce ne serait pas par un tir dans le dos ! Asbeth bloquait l'unique sortie du hall. Sa sombre silhouette était immobile et menaçante. L'Elfe pouvait certes lui opposer son bouclier pendant un certain temps, mais qui s'épuiserait le premier ?

Hawke pensa alors à son épouse, qui n'avait jamais vu un guerrier en lui. « Elle avait sans doute raison », approuva-t-il. Chaque fois qu'il avait pris une initiative militaire, il avait été sérieusement blessé. « Mais pour vivre enfin la vie tranquille d'un professeur de magie, il faut d'abord que j'aide les Chevaliers à mettre fin à cette invasion une fois pour toutes. » D'un geste rapide, il fit jaillir un serpent enflammé sur Asbeth. Celui-ci avait évidemment prévu le coup et il dévia facilement le feu.

– Il est inutile de vous débattre, lâcha le sorcier. Cet univers appartient à mon maître et bientôt, il sera mien. Vous serez tous exterminés.

Asbeth leva lentement les ailes, savourant l'impuissance de sa proie. Au moment où il allait lui porter le coup de grâce, il fut violemment frappé par-derrière et fit un vol plané dans le hall. Son bec heurta le plancher. Ce n'est qu'à ce moment que Hawke vit la panthère noire qui avait planté ses griffes dans le dos du sorcier. Sous ses yeux, le fauve se métamorphosa en une séduisante Jadoise aux longs cheveux noirs.

– Fuyez pendant que vous le pouvez, le pressa Anyaguara.

– Est-il mort ?

– Non, il n'est qu'assommé.

– Puis-je vous aider à le tuer ?

– Avez-vous une épée sur vous ?

Hawke secoua la tête pour dire non.

– La seule façon de se débarrasser de lui, c'est de le couper en deux.

– Je peux créer des rayons ardents.

– Ils lui trancheront la peau, mais pas les os.

Asbeth poussa une plainte sourde, signalant au magicien d'Émeraude qu'il ne devait pas rester là. Hawke contourna donc les deux créatures magiques et fonça dans le couloir. Il courut à en perdre haleine jusqu'au balcon qui s'ouvrait sur l'océan, tout au bout du couloir principal.

– Que dois-je faire, maître Abnar ?

– Appuyez l'arme de Danalieth contre le mur.

Hawke inspira profondément et fit ce qu'il demandait. Tout le château se mit à trembler. Soudain, une puissante explosion extirpa enfin le Magicien de Cristal de la pierre et le projeta sur le sol. L'Elfe s'empressa de se porter au secours de l'Immortel. Le contact de ses mains était glacial et l'anneau qui pendait à son cou brillait de mille feux.

– Asbeth est dans les parages, l'informa Hawke. Nous devons nous unir pour l'anéantir.

– Je ne le pourrais pas, même si je le voulais. J'ai épuisé mes réserves d'énergie en défendant la forteresse. Je dois maintenant retourner dans mon monde afin de boire l'eau qui me permettra de revenir à Enkidiev.

– Pouvez-vous au moins me procurer une épée ?

– Il en reste dans l'armurerie...

Abnar s'évapora sous le regard paniqué de l'Elfe.

– Je ne sais pas où elle se situe ! cria-t-il.

L'Immortel ne lui répondit pas. Hawke commença par se calmer, puis se remémora la structure habituelle des châteaux d'Enkidiev. En général, les rois conservaient les armes dans une salle non loin de la sortie du bâtiment, où ils logeaient leurs soldats. Il se précipita donc dans le couloir, espérant que le sorcier était toujours inconscient. Toutefois, lorsqu'il s'arrêta à l'entrée du petit hall, Asbeth n'y était plus.

– Oh non...

Il entendit un gémissement dans la pièce complètement plongée dans la pénombre. Pourtant, Hawke ne voyait personne ! Il alluma la paume de ses mains pour éclairer les lieux. La sorcière gisait par terre, ensanglantée. L'Elfe n'écouta que son cœur et se précipita pour examiner ses blessures.

– Ne le laissez pas s'en prendre à ma fille..., murmura-t-elle.

Sur ces mots, elle rendit l'âme. Hawke ne savait pas s'il devait la soulever dans ses bras pour l'emporter ailleurs ou la laisser là. Il n'eut pas le temps de prendre une décision. La peau d'Anyaguara se couvrit de petites étincelles turquoises et se désagrégea jusqu'à n'être plus qu'un tas de cendres sur le sol.

– Asbeth..., murmura Hawke, livide.

Le maléfique corbeau avait réussi à tuer la sorcière. Il lui restait donc suffisamment de force pour s'en prendre à lui ou à Abnar, à son retour des mondes célestes. « Je dois trouver une épée! » se motiva Hawke. Il fit taire sa peur et scruta tout le palais sans trouver l'infâme oiseau. Craignant une ruse, l'Elfe se mit aussitôt à la recherche d'une arme suffisamment acérée pour trancher Asbeth par la moitié.

35

Les noctuidés

Pendant que les Chevaliers se préparaient à affronter une nouvelle vague d'ennemis, Hadrian marchait entre les troupes pour s'assurer que les soldats gardent le moral. Certains méditaient, assis en tailleur sur les galets. D'autres, comme Santo, soignaient les plaies de leurs camarades, afin qu'ils soient de nouveau prêts à se battre. La conversation que l'ancien Roi d'Argent avait eue avec Jenifael lui revint alors en mémoire. Pourquoi ressentait-elle autant d'amour pour lui ? Ils se connaissaient à peine et ils n'avaient pas eu l'occasion de forger des liens depuis qu'il était revenu à la vie.

Comme tous les autres souverains d'Enkidiev, Hadrian avait dû épouser la princesse que ses parents avaient choisie pour lui. Éléna était jeune, craintive et mélancolique, davantage préoccupée par sa propre personne que par le bien de son entourage. Hadrian aurait tellement voulu qu'elle soit comme Lexa, sa mère, une femme cultivée, intelligente et clémente. Jenifael ressemblait davantage à Lexa...

Hadrian avait dû faire de gros efforts pour s'attacher à Éléna. La naissance de leurs enfants les avait enfin rapprochés. Il avait appris à aimer cette femme, malgré ses tares et ses défauts. Jamais Hadrian ne s'était plaint de cette situation. Son éducation royale lui avait enseigné que la vie d'un dirigeant du continent impliquait malheureusement de grands sacrifices. Sa seule compensation avait été ses enfants.

Il avait donc rêvé pendant toute sa première incarnation d'un amour différent. Ayant souvent côtoyé les Elfes, Hadrian avait été séduit par la divine beauté de leurs femmes. Il n'avait toutefois pas eu l'audace de s'intéresser à l'une d'entre elles, ne désirant pas commettre l'adultère. Il ignorait donc que ces beautés gracieuses étaient pour la plupart dénuées de véritables émotions et qu'elles considéraient les humains inférieurs aux Elfes. En fait, elles étaient elles-mêmes à la recherche de l'homme parfait, mais parmi les représentants de leur propre race.

Nogait avait pourtant épousé une Elfe... Amayelle était charmante et ses attraits rivalisaient avec ceux des créatures célestes. Elle n'en demeurait pas moins une femme distante et réservée. Courageuse, elle ne s'effondrait pas chaque fois que son mari partait à la guerre, mais elle ne s'extasiait pas non plus lorsqu'on lui récitait un poème. Au Château d'Émeraude, on disait qu'elle n'avait épousé un Chevalier que pour échapper à son destin chez les Elfes.

Hadrian prit place sur un bloc de pierre, vestige de l'ancienne cité. Il n'arrivait tout simplement pas à comprendre l'intérêt que lui portait la fille de Wellan. « Pourquoi s'est-elle éprise d'un vieux revenant de cinq cents ans alors qu'il y a des tas de garçons de son âge qui pourraient la rendre heureuse ? » s'interrogea-t-il, encore une fois. Il n'avait pas encore saisi que c'était la magnificence de son âme qui attirait Jenifael.

— Je les vois ! s'écria Derek.

Le commandant bondit sur ses pieds et regarda au loin, en direction de l'océan. Ne possédant pas la vision de l'Elfe Chevalier, il ne discerna qu'un nuage noir à l'horizon.

– À quoi ressemblent-ils ? s'informa Hadrian en s'empressant de rejoindre Derek et ses frères Elfes sur les galets.

Les Chevaliers commencèrent à se relever, par petits groupes.

– Ce sont des créatures volantes, annonça Bianchi.

– On dirait des papillons de nuit, ajouta Botti.

– Aucun bateau ? demanda le chef des Chevaliers.

– Non, affirma Arca.

– Dans combien de temps seront-ils ici ?

– Au coucher du soleil, je crois, estima Derek.

Danalieth quitta ses filles pour aller se poster près de l'ancien roi.

– Que pouvez-vous me dire à leur sujet, maître ? s'enquit Hadrian.

– Ils n'ont des papillons de nuit que l'apparence et ils ont quitté leurs terres natales il y a fort longtemps pour répondre à l'appel de l'empereur. En conséquence, ils sont affamés.

– Sont-ils magiques ?

– Pas dans leur essence, mais ils sont protégés par une puissante sorcellerie.

– Celle d'Asbeth ?

– Je dirais plutôt celle d'Amecareth lui-même.

– Ce n'est pas très rassurant, soupira Derek.

– Tente-t-il de nous donner le coup de grâce ? demanda Bridgess en s'approchant.

Elle se tourna du côté de la ville désertée. La jeune Mali était assise à l'ombre des ruines, près de Jenifael qui s'était enfin éteinte. Un peu plus loin, la jument-dragon de Liam montait la garde.

– Pour laquelle t'inquiètes-tu ? la questionna Hadrian en suivant son regard.

– Pour Mali. Jenifael est parfaitement capable de se défendre.

– Les chevaux-dragons sont têtus, mais ils finissent toujours par obéir aux ordres. S'il le faut, Pietmah la traînera loin des combats, par ses vêtements.

L'ancien roi voulut ensuite savoir si les Immortels interviendraient de nouveau.

– Comme je vous l'ai sans doute déjà expliqué, répondit Danalieth, aucun d'entre nous n'a reçu le pouvoir de détruire sciemment la vie. Nous pouvons par contre bloquer ou retarder l'avancée de vos ennemis.

– Même lorsqu'ils bénéficient de la protection de l'Empereur Noir ?

– Ce sera plus compliqué, surtout si Asbeth rôde encore dans les parages. Il est en possession de plusieurs de mes armes.

– Il pourrait donc s'en prendre aussi à vous ?

– Il serait fou de ne pas essayer, mais mes créations savent reconnaître leur maître.

Hadrian salua l'Immortel et alla s'entretenir avec tous ses commandants de troupe. Il ignorait les plans d'Amecareth, alors les Chevaliers devaient s'attendre à tout. Les lépidoptères pouvaient tout aussi bien s'en prendre à eux qu'aux habitants d'Enkidiev.

– Ils volent très haut, lui fit remarquer Derek.

– Dans ce cas, il devient encore plus important de les arrêter ici-même.

Les papillons arrivèrent à la hauteur des récifs quelques heures plus tard. Les braves défenseurs du continent constatèrent avec découragement que l'essaim comptait des milliers d'individus. *Préparez-vous à attaquer !* ordonna Hadrian, qui pria aussi le ciel que la mission de Kira réussisse. *Tirez n'importe où ! Ne prenez pas le temps de viser ! Il faut en abattre le plus grand nombre possible avant qu'ils perdent de l'altitude !*

Les Chevaliers coururent se placer en deux longues lignes, sur la plage. Dès que les insectes volants furent à portée de leurs tirs, les soldats ouvrirent le feu. Instantanément, les noctuidés s'éparpillèrent dans le ciel. La plupart gagnèrent de l'altitude et une centaine à peine furent atteints par les rayons éblouissants. Ils s'abîmèrent pour la plupart dans l'océan. La sombre nuée poursuivit sa route en direction du continent.

– Ce n'est pas à nous qu'ils veulent s'attaquer ! constata Volpel.

Hadrian ressentit au même moment la terreur des Zénorois qui vivaient sur le plateau.

– Falcon ! appela-t-il. Ton vortex ! Ils attaquent Zénor !

Les Chevaliers se précipitèrent tous dans le maelström, sauf Maïwen. « Quelqu'un devra être ici lorsque Lassa reviendra avec ses sauveteurs », se dit-elle. En fait, elle voulait surtout accueillir son mari à son retour.

Le tourbillon lumineux se forma sur la place centrale du village. Les soldats en émergèrent en tirant sur les papillons aux ailes brunes striées de noir qui terrassaient les habitants en les touchant du bout de leurs antennes, malgré les coups de pioche et de faux qu'ils recevaient.

Hadrian choisit plutôt de s'immobiliser afin d'établir un tableau complet de la situation. Il découvrit assez rapidement que seul un petit nombre de xanthies s'étaient abattues sur la région. Les autres progressaient vers l'intérieur du continent. Sans délai, le commandant tenta d'anticiper le chemin que suivraient les papillons. Tout comme les larves, ils semblaient se diriger vers Émeraude.

Hadrian décida donc de diviser ses forces. Avant qu'il puisse mettre son plan à exécution, une série de sifflements aigus résonnèrent dans son crâne. « On dirait que j'intercepte un message télépathique de l'ennemi », conclut-il, étonné. Malheureusement, Hadrian ne comprenait pas la langue des Tanieths. Il n'allait apprendre que beaucoup plus tard que tous les Chevaliers avaient entendu la voix discordante de l'empereur qui leur annonçait leur fin imminente.

Le chef des Chevaliers demanda au groupe d'Ariane de demeurer à Zénor et d'anéantir les noctuelles. Puis il ordonna à tous les autres de le suivre dans le vortex de Falcon. Conscients de la nécessité d'agir promptement, les soldats foncèrent derrière Hadrian. En débarquant au Royaume de Perle, ils furent sidérés de constater que les papillons se déplaçaient à une vitesse vertigineuse. Cette fois, Hadrian ne fut pas le seul à deviner où se rendait leur ennemi. Santo en arriva à la même conclusion.

– Yanné..., s'étrangla-t-il.

La seule pensée que son épouse, enceinte de leur premier enfant, soit assassinée par ces horribles bestioles lui fit oublier qu'il avait prêté le serment de protéger tous les habitants du continent. Il croisa ses bracelets et sauta seul dans son maelström en prenant soin de visualiser la ferme de Sutton, à la frontière sud d'Émeraude.

En émergeant du tourbillon, le guérisseur vit les papillons piquer comme des aigles sur les travailleurs qui quittaient les champs après une dure journée de labeur.

– Non ! hurla Santo.

Il abattit plusieurs xanthies grâce à des rayons ardents. C'est alors qu'un terrible cri de douleur le fit sursauter. Il pivota vers la grande maison et vit Sutton succomber à l'attaque d'un gigantesque papillon. Santo courut à en perdre le souffle, tout en continuant de bombarder les noctuidés qui pourchassaient ses gens. Il se jeta finalement à genoux près de son beau-père et vit qu'il avait été vidé de son sang en quelques secondes à peine.

Accablé, le guérisseur promena son regard sur les alentours. Son cœur sombra dans sa poitrine quand il vit le corps de Galli gisant sur l'allée de petits cailloux qui menait à la résidence.

– Yanné ! s'époumona Santo en se relevant.

Il scruta sa propriété avec ses sens invisibles. Sa maison était déserte et plusieurs personnes fuyaient vers la forêt, en direction de la rivière. Le Chevalier se hâta de les rattraper. Il vit d'autres insectes volants terrasser deux de ses serviteurs en les touchant du bout de leurs antennes. Yanné et les servantes avaient réussi à se faufiler entre les arbres, croyant que leurs agresseurs ne pourraient pas les y suivre. Cependant, avec son gros ventre, la femme du soldat était plus lente que ses domestiques.

Épuisée, Yanné se laissa finalement tomber sur le sol, évitant de justesse les antennes meurtrières d'une xanthie. Elle se traîna tant bien que mal entre les arbustes, au pied des grands chênes, et arriva, par pur hasard, à l'entrée d'un vaste terrier. Morte de peur, la jeune femme s'y faufila, se tapissant contre le mur le plus éloigné de la tanière. Deux appendices noirs pénétrèrent aussitôt dans son abri. Yanné resta figée d'horreur.

Santo bondit dans la forêt juste à temps pour incinérer le papillon brun qui tentait de boire le sang de son épouse, la tête enfouie dans le terrier où elle s'était réfugiée. Il éparpilla les cendres de l'insecte d'un geste magique de la main et se pencha dans l'ouverture. Le bruit d'un battement d'ailes l'empêcha d'aller plus loin. Le Chevalier se retourna vivement et se trouva face à face avec une dizaine de noctuelles affamées. Il fit aussitôt jaillir le feu de ses mains qui, pourtant, préféraient guérir plutôt que tuer, et réussit à se débarrasser des premiers agresseurs. Ils étaient toutefois de plus en plus nombreux.

« Est-ce moi ou Yanné qu'ils veulent absolument dévorer ? » s'énerva-t-il. Il continua de repousser les papillons. Dès qu'il les aurait tous tués, il transporterait Yanné au Château d'Émeraude, où Jahonne et Amayelle s'occuperaient d'elle. Les xanthies semblaient se multiplier et bientôt, Santo eut du mal à lancer assez de faisceaux pour se défendre. Ses adversaires tombaient les uns après les autres, mais il était au milieu d'un véritable déluge de papillons de nuit.

Une antenne frôla alors son bras droit, le rendant instantanément inutilisable. Sentant la panique s'emparer de lui, Santo redoubla d'efforts pour éliminer les insectes de sa seule main active. Malgré l'intervention divine de Danalieth, qui avait décuplé ses forces, le guérisseur se sentait perdre la partie. Finalement, il s'écroula sur les genoux. Une antenne manqua de peu son cœur.

– Je dois sauver ma femme et mon enfant ! cria-t-il pour s'encourager.

Sa main valide lui causait une indescriptible souffrance. Peu à peu, la douleur remonta le long de son bras et bloqua son épaule. Impuissant, Santo se laissa tomber sur le dos en bloquant avec son corps l'entrée du terrier.

– Vous ne les aurez pas, balbutia-t-il, au bord de l'évanouissement.

Des faisceaux lumineux jaillirent alors au-dessus de lui, abattant un à un les papillons tenaces. Santo fit un effort surhumain pour garder les yeux ouverts, car il voulait savoir qui se portait ainsi à son secours. Les centaines de rayons qui frappaient insecte après insecte étaient aveuglants. Le guérisseur dut donc attendre que cesse la volée pour connaître l'identité de son sauveteur.

– Santo, est-ce que ça va ?

– Jasson ? C'est bien toi ?

– Eh oui.

– Je savais que tu ne nous avais pas abandonnés...

Santo était sur le point de perdre conscience.

– Je n'aurais pas pu vivre en paix sachant que vous faisiez face à l'anéantissement.

Jasson saisit les mains de son frère d'armes et l'aida à s'asseoir.

– Tiens bon, Santo.

Il restaura la circulation dans son bras et sa peau reprit bientôt une couleur saine. Ensuite, il redonna à Santo une bonne dose d'énergie qui le fit sursauter. Remis de sa fatigue et de ses douleurs, le guérisseur roula sur le ventre et passa la tête dans l'entrée de la tanière.

– Yanné ?

Il n'y avait pas un son dans le terrier. Santo tenta de se glisser dans le trou, mais il était trop étroit.

– Recule, le pria Jasson. Je vais t'aider.

Utilisant ses pouvoirs de lévitation, le déserteur souleva la terre et la lança plus loin, dégageant complètement la cavité. Le spectacle qui s'offrit aux deux hommes les ravagea. Yanné était couchée sur le côté, ses jupes maculées de sang.

Jasson secoua sa consternation et passa une main lumineuse au-dessus du cœur de la jeune femme.

– Elle est..., commença-t-il.

Les mots s'étranglèrent dans sa gorge.

– Non ! sanglota Santo en se penchant sur son épouse.

Il tenta de la ranimer pendant de longues minutes, sans succès. Seuls les dieux possédaient le pouvoir de redonner la vie.

– Santo, c'est inutile, l'arrêta Jasson, en larmes. Elle est partie.

Le guérisseur appuya sa joue contre le ventre de Yanné pour dire adieu à son fils qu'il ne connaîtrait jamais. Jasson s'assit en bordure du terrier excavé, décidé à laisser Santo pleurer Yanné aussi longtemps qu'il en sentirait le besoin. C'est alors qu'il perçut une très faible énergie. Il se rappela avoir vécu la même expérience quelques années auparavant, à la naissance de Liam et de Katil.

– Santo, je pense que ton enfant est né.

Jasson souleva les jupes de la jeune mère et, tout comme il s'y attendait, découvrit un poupon, toujours relié à Yanné par son cordon ombilical. Il ne respirait pas... Voyant que son frère d'armes était complètement désemparé, Jasson prit la situation en main. Il sectionna le cordon et aida les petits poumons du bébé à prendre leur première inspiration. Ses membres s'animèrent et il se mit à vagir.

– C'est un garçon, annonça tristement Jasson.

– Il ne devait pas naître avant la saison des pluies...

Jasson emmaillota le nouveau-né dans un pan de la jupe de Yanné et le remit à son père.

– Que vais-je faire d'un fils sans défense dans un monde où il risque d'être dévoré à tout instant par nos ennemis ?

– La même chose que nous, mon frère. Tu vas lui montrer tout ce que tu sais, pour qu'il devienne un homme aussi généreux que toi. Mais pour qu'il se rende jusque-là, nous devons purger Enkidiev de ces monstres qui essaient de nous ravir nos terres depuis trop longtemps déjà.

Jasson reprit le poupon dans ses bras.

– Prends le temps de faire tes adieux à Yanné, puis nous irons confier ton fils à ta famille.

Santo contempla le visage serein de son épouse jusqu'à ce que la nuit enveloppe le royaume, afin de le graver à jamais dans sa mémoire.

– Je n'ai pas su te protéger contre mes ennemis, sanglota-t-il. Je t'en demande pardon...

Il l'embrassa tendrement sur les lèvres.

– Que les dieux t'accueillent sur les grandes plaines de lumière, où je te retrouverai lorsqu'il sera temps pour moi de quitter cette vie.

En pleurant, il incinéra celle qui avait choisi de partager sa vie. Santo n'était pas un homme violent, au contraire. Son plus grand désir était de soulager tous ses semblables de la souffrance et de la maladie. Pourtant, ce jour-là, il souhaita exterminer à lui seul tous les guerriers d'Amecareth et même ceux qui étaient encore dans leurs œufs.

Lorsqu'il alla enfin retrouver son frère d'armes, Santo tremblait de tous ses membres et son visage était baigné de larmes. Jasson lui transmit une vague d'apaisement en posant la main dans son dos, même s'il savait que seul le temps adoucirait son chagrin.

– Tout le monde a été tué sur ma ferme, bredouilla le guérisseur. Je ne sais plus vers qui me tourner.

– Je connais un endroit où ton fils sera en parfaite sécurité. Viens, nous avons peu de temps.

Jasson remit le poupon à son père et forma son vortex.

36

Le porteur de lumière

Le bateau de l'empereur ne s'arrêta que lorsqu'il atteignit Irianeth. Amecareth s'empara de son prisonnier en serrant sa large main autour de son cou et le traîna jusque dans son palais, creusé dans un imposant pic rocheux. Privé d'air, Lassa ne se débattit même pas. En fait, il était à peine conscient lorsque son ravisseur le laissa tomber au fond d'une étroite cage en fer, suspendue au plafond de son alvéole. Le pauvre garçon ne sut pas combien de temps il demeura couché sur le plancher en métal. Ce furent les étranges odeurs de l'antre d'Amecareth qui lui firent finalement reprendre connaissance.

Lassa se redressa lentement. Tous ses muscles le faisaient souffrir. Tremblant de peur, il jeta un coup d'œil entre les barreaux rouillés. La pièce circulaire ne contenait aucun meuble, hormis un imposant siège en roc, qui devait être un trône. Le garçon poursuivit son examen visuel de l'alvéole et sursauta en apercevant un être humain, assis sur une peau de bête, le dos appuyé contre le mur. Sur ses genoux dormait une version miniature d'un Lotakieth, mais de couleur rouge. Le prisonnier observa plus attentivement les traits l'homme. Il ressemblait à Sage !

Pour en avoir le cœur net, Lassa colla son visage entre les barreaux. « C'est lui ou il a un frère jumeau », conclut-il finalement. Les longs cheveux noirs de l'hybride étaient emmêlés et ses vêtements déchirés, mais son regard n'avait pas changé. Ses yeux gris pâle reflétaient la lumière ambiante.

– Sage, c'est moi, Lassa, chuchota le porteur de lumière.

L'Espéritien pencha doucement la tête de côté.

– Est-ce que tu me reconnais ?

Le petit dragon sauta sur le sol et galopa jusque sous la cage en couinant.

– Sage, réponds-moi.

L'ancien Chevalier demeurait immobile, ce qui fit penser à Lassa qu'il avait été envoûté ou blessé.

– Nous pensions que tu étais mort, parce que Kira a senti votre lien se briser pour de bon.

– Kira..., répéta Sage d'une voix enrouée.

– Oui, ta femme. Il lui est arrivé tellement de choses depuis que le dragon s'est emparé de toi, dans la cour du Château d'Émeraude.

– Émeraude...

Sage semblait faire de gros efforts pour se rappeler son ancienne vie, sans y parvenir.

– Tu lui manques beaucoup.

Lassa vit alors l'imposante silhouette de l'empereur se dessiner à l'entrée de la salle royale. Il combattit aussitôt sa frayeur, car cette créature avait hanté beaucoup de ses nuits durant son enfance. Amecareth marcha lentement jusqu'à la cage où il gardait son trophée. En capturant le porteur de lumière, il avait défié les dieux eux-mêmes et il leur avait montré qu'il était le plus fort. Leur oracle ne se réaliserait jamais !

Le scarabée géant s'arrêta près de la cage en fer. Lassa se fit violence pour ne pas s'en échapper en utilisant la magie. « Non, je ne peux pas laisser tomber les humains », se dit-il pour garder courage. Il refusait de croire que Parandar avait offert aux hommes une prophétie sans les aider également à l'accomplir. Il supporta donc sans sourciller le regard violet du plus grand tyran de tous les temps.

Asbeth choisit ce moment précis pour revenir au bercail. Il atterrit de peine et de misère sur le balcon de l'empereur, indisposé par les blessures que lui avait infligées la panthère. Il les avait nettoyées dans l'eau salée de l'océan, mais elles continuaient de le faire souffrir cruellement. Reprenant une contenance, il claudiqua à l'intérieur de la chambre royale et se prosterna sur le sol.

— Tu as bien mauvaise mine, sorcier, lâcha l'empereur.

— Les humains sont coriaces, monseigneur. Mais n'ayez crainte, les Papilios sont enfin arrivés. Ils éradiqueront la vermine du continent sans la moindre difficulté.

— Et qui nous débarrassera des Papilios lorsque nous voudrons y établir des colonies ?

— Ils ne vivent que quelques jours, après s'être gorgés de sang.

– Je vois.

Amecareth se retourna vers son prisonnier.

– Je suis bien surpris que ce soit toi que les dieux ont choisi pour sauver les tiens, cliqueta-t-il.

Lassa ne pouvait évidemment pas comprendre les affreux sons que produisaient les mandibules de l'empereur. Il demeurait donc immobile comme une statue, attendant un signe du ciel sur la façon de vaincre son ennemi.

– N'as-tu pas peur de moi ? poursuivit le scarabée. Où est donc ta grande magie ? Les humains auraient-ils inventé eux-mêmes cette prophétie pour m'intimider ?

Asbeth l'avait pourtant vue dans le ciel, lui aussi... L'énorme coléoptère marcha autour de la cage suspendue. Voyant qu'il risquait d'être écrasé sous les pieds de l'empereur, Aubèrone courut se réfugier dans les bras de Sage.

– Et si tu n'étais pas celui qu'ils appellent le porteur de lumière ? Un autre enfant possède la même énergie que toi, dans ton monde.

– Mais Narvath ne protégeait pas l'autre garçon, monseigneur, lui fit remarquer Asbeth.

– Je ne comprends rien à ce que vous me racontez, risqua alors Lassa, et vous ne saisissez sans doute pas le sens de mes paroles, mais mon cœur me pousse à les prononcer de toute façon.

– Le dieu des Tanieths m'a accordé le pouvoir de comprendre ta langue, répliqua l'empereur. Il semble qu'il ne t'ait pas offert le même cadeau.

– Puis-je vous venir en aide ? proposa le mage noir.

– Oui, Asbeth, répète-lui mes paroles pour qu'il sache ce qui l'attend.

Sage sembla soudain reprendre vie.

– Je ne suis pas une perfide créature comme votre sorcier, rappela-t-il à l'empereur. Si vous me le permettez, je traduirai fidèlement ce que vous direz à votre prisonnier.

Lassa ne cacha pas sa surprise. Sage comprenait encore la langue des humains, alors pourquoi n'avait-t-il pas répondu à ses questions ?

– Approche, mon petit, grinça l'empereur.

L'hybride déposa son dragon sur le sol pour aller se poster près de son imposant grand-père.

– Merci de me venir en aide, Sage, lui dit Lassa.

– Je ne le fais que pour servir mon maître.

Lassa sonda le cœur de l'ancien Chevalier. Jouait-il la comédie ou était-il vraiment sous la domination du Tanieth ? Il se rendit compte, avec tristesse, que l'homme qu'il avait connu jadis n'existait plus.

– Parle ! ordonna Amecareth.

Sage n'eut pas à traduire ce mot pour le porteur de lumière, qui l'avait fort bien interprété.

– Premièrement, sachez que je ne vous déteste pas, malgré tout ce que vous avez fait endurer aux miens.

Le tyran l'écouta sans broncher.

– Vous êtes ce que vous êtes et je ne peux rien y changer. Cependant, dans l'univers, tout doit demeurer en équilibre. Lorsqu'un élément menace cet équilibre, des forces invisibles interviennent pour le rétablir. C'est une loi immuable.

Toujours aucune réaction de la part d'Amecareth.

– C'est moi que les dieux ont choisi pour mettre fin à vos conquêtes et ainsi permettre aux autres races de ce monde de vivre leurs propres expériences. J'ai appris à me battre, mais je ne prône pas la violence. Alors, j'ose croire que l'amour qui m'habite vous fera finalement comprendre votre erreur et vous incitera à la corriger.

Furieux, l'empereur frappa la cage si violemment que Lassa heurta les barreaux et tomba à la renverse.

– Tu n'auras rien à manger jusqu'à ce que je te sacrifie sur l'autel de Listmeth ! hurla Amecareth.

Sage traduisit la sentence sans exprimer la moindre émotion et retourna s'asseoir à sa place. Au fond de sa cage, Lassa essuya le sang sur sa lèvre inférieure et se mit à prier tous les dieux qu'il connaissait.

Les Chevaliers sélectionnés par Kira apparurent tous ensemble sur le long quai de pierre qui s'avançait dans l'océan, devant le palais de l'Empereur Noir, là même où, jadis, Wellan et Onyx s'étaient rendus pour libérer

Kevin. Ce dernier faisait justement partie de la nouvelle équipe de sauvetage. Selon lui, il s'agissait d'un juste retour des choses. On lui avait souvent répété, lorsqu'il avait grandi à Zénor, qu'il fallait toujours rendre les bienfaits qu'on recevait. L'Ordre d'Émeraude penchait aussi dans le même sens.

Ce que Kira, Onyx, Swan, Bergeau, Dempsey, Nogait, Wimme, Bailey, Milos, Robyn, Winks, Ellie, Kagan, Liam et Kevin ignoraient, toutefois, c'est que le sorcier de l'empereur, soupçonnant une tentative de sauvetage de la part des Chevaliers, avait tué tous les bébés dragons avant de quitter Irianeth pour provoquer la rage de leurs mères. Depuis ce carnage, les femelles galopaient sur les plages rocheuses à la recherche du prédateur qui leur avait enlevé leurs petits. Elles tombèrent inévitablement sur les humains vêtus de vert qui remontaient le quai en direction de la ruche des hommes-insectes.

– Attention ! s'écria Bergeau.

Les monstres commençaient à s'entasser au bout de l'embarcadère. Avant longtemps, ils s'y aventureraient !

– Il y en a bien trop ! s'exclama Wimme.

– Pas de panique, recommanda Onyx.

– Kira, tu es capable de les anéantir, non ? la pressa Nogait.

La Sholienne se préparait déjà à les attaquer. Un halo violet se forma au milieu de sa cuirasse tandis qu'elle avançait vers le troupeau enragé. Onyx tendit les bras de chaque côté de lui pour empêcher les Chevaliers de la suivre. Si

Kira arrivait à les débarrasser rapidement de cette menace, les Chevaliers pourraient facilement prendre le palais d'assaut.

L'anneau brillant allait se détacher du corps de la guerrière quand un tir partit du sommet de la ruche, frappant Kira en pleine poitrine, neutralisant du même coup ses efforts. Le choc fut si brutal qu'il la fit basculer dans la mer. Bailey n'hésita pas une seule seconde. Il plongea dans les flots pour la secourir. Il s'empara d'elle avant qu'elle n'atteigne le fond de l'eau, entraînée par le poids de sa cuirasse, et nagea de toutes ses forces pour la remonter à la surface. Liam et Milos l'aidèrent à la hisser sur le quai.

Onyx n'avait pas remué un cil. Il observait tour à tour les dragons et la ruche en réfléchissant aux diverses avenues qui s'offraient à lui. Ses faisceaux magiques étaient certes plus puissants que ceux des Chevaliers qui l'accompagnaient, mais ils ne pourraient pas venir à bout d'un tel troupeau. Avant toute chose, il devait s'assurer que les membres de l'équipe ne périssent pas sous les crocs des dragons. Il dirigea donc l'énergie de ses mains sur le quai, à ses pieds, créant un large fossé entre les femelles et les Chevaliers. La cavité se remplit instantanément d'eau, décourageant une attaque massive de la part des dragons.

– Cela ne nous avance pas vraiment, fit remarquer Dempsey.

– J'en suis parfaitement conscient, Chevalier, rétorqua Onyx.

Pendant que le renégat demeurait posté devant les femelles de plus en plus nombreuses, Nogait ranimait Kira et soignait sa blessure.

– Le tir provenait de là-haut, sur ce pic rocheux, indiqua Swan à son mari.

– Ce n'était pas non plus l'énergie d'Asbeth, ajouta Dempsey.

– C'est l'empereur lui-même qui a ouvert le feu, les informa Onyx. Je ne sais pas pourquoi il ne continue pas à tirer sur nous.

– La prophétie évoque clairement deux personnes et l'une d'elle est Kira, spécula Ellie. En se débarrassant d'elle, il assure ainsi sa survie.

– Maintenant que Kira est sauve, allons lui arracher Lassa, s'échauffa Swan.

– Il nous faut un plan de secours, au cas où nos efforts ne rimeraient à rien, les refroidit Bergeau.

– Il a raison, l'appuya Kagan. Si nous arrivons là-haut pour finalement découvrir que l'empereur a déjà tué Lassa, il nous faudra trouver une autre façon de l'anéantir.

– Lassa est vivant, hoqueta Kira en crachant de l'eau salée.

Bailey l'aida à se remettre sur pied et à se rendre jusqu'à Onyx. Sa cuirasse était écorchée, mais la guerrière semblait suffisamment remise pour poursuivre sa mission.

– Moi, il y a quelque chose que je ne comprends pas, commença Nogait en se tournant vers Kira. Toute ta vie, il a tenté de te reprendre vivante. Alors pourquoi essaie-t-il de te tuer maintenant ?

— Sans doute pour déjouer la prophétie, avança Dempsey.

— Il essaie juste de sauver sa peau, maugréa Milos.

— Toutes les créatures vivantes possèdent un instinct de survie, leur fit remarquer Kevin.

— Vous me seriez bien plus utiles si vous trouviez une façon de traverser ce barrage de dragons au lieu de philosopher, coupa Onyx.

— Attirons-les dans la mer, proposa Bergeau.

— Avec quoi ? rétorqua Nogait.

— On va te pendre au bout d'une corde et te balancer devant leur nez, le taquina Milos.

— L'idée n'est pas mauvaise, concéda Swan.

— Quoi ! glapit Nogait, insulté.

— Les dragons ne mettront jamais une seule patte dans la mer, même si on leur offrait notre cœur battant sur un plateau, objecta Dempsey. Utilisons plutôt un vortex. Santo l'a fait jadis.

— Il n'y a que toi et moi qui possédions des bracelets magiques, fit Bergeau.

— Si je vous déplace plus loin sur la plage, est-ce réalisable ? s'impatienta Onyx.

Les deux vétérans hochèrent vivement la tête.

— J'irai le premier, offrit Bergeau. Si ça ne fonctionne pas, Dempsey fera un nouvel essai.

– Quel sera l'appât ? demanda Kagan.

– Prenons une des filles, suggéra Nogait.

– Il faut que ce soit un soldat agile et téméraire, capable de prendre une décision en l'espace d'une seconde sans consulter tout le monde, trancha Onyx.

– En effet, il faut que ce soit une femme, confirma Swan en pensant tout haut.

Son époux lui décocha un regard amusé.

– Kevin, viens ici, appela Onyx, au grand étonnement de l'équipe.

Le Zénorois suivit le son de sa voix et s'arrêta devant lui. De tous les Chevaliers, c'était celui que le Roi d'Émeraude connaissait le mieux, pour l'avoir sauvé d'un terrible empoisonnement. Farrell venait tout juste de dévoiler aux Chevaliers sa véritable identité, à l'époque. Il avait alors passé un long moment enfermé avec le brave homme afin de le purger du poison et avait ainsi eu le loisir de sonder tous les recoins de son cœur.

– Pourquoi lui ? s'alarma Nogait, qui avait déjà perdu l'un de ses meilleurs amis et qui ne voulait pas voir périr le deuxième.

– Parce qu'il parle aux animaux, répondit Onyx.

– Créez ce vortex et je vous jure que j'y ferai pénétrer jusqu'au dernier dragon, déclara Kevin.

– Je n'aime pas du tout cette idée, continua de gémir Nogait.

– J'ai envie d'être un héros, moi aussi, répliqua son ami.

– Mais tu en es déjà un !

Onyx s'était tourné vers son épouse.

– Dès que la voie sera libre, foncez, ordonna-t-il.

– Compte sur moi.

Il demanda ensuite à Bergeau, Dempsey et Kevin de se prendre par la main et disparut avec eux. Les quatre hommes se matérialisèrent au bout du passage créé par le roi, suffisamment loin du quai pour que les prédateurs ne flairent pas tout de suite leur odeur.

– Il ne faudra ouvrir le vortex que lorsque les dragons seront tout près, précisa Onyx.

– Comment Kevin les incitera-t-il à le suivre ? s'inquiéta Bergeau. Il n'y voit rien !

– C'est à lui de le décider.

Le souverain serra les bras du Zénorois à la façon des Chevaliers.

– Merci, murmura ce dernier, honoré par la confiance que lui manifestait Onyx.

Il quitta ses compagnons pour se rapprocher du troupeau. À découvert, sur le quai, le soleil l'obligeait à porter son bandeau, mais à l'ombre des grands pics rocheux qui sortaient de terre sur les plages d'Irianeth, il osa le retirer. Il voyait à peine à quelques pas devant lui, mais c'était suffisant pour lui permettre d'accomplir sa tâche. Il marcha entre les pierres géantes jusqu'à ce qu'il butte contre un objet mou. « C'est exactement ce qu'il me fallait ! » se réjouit-il.

Une seule chose pouvait déloger les monstres agglutinés devant le quai. Habilement, Kevin imita le cri d'un bébé dragon en détresse. Les femelles se turent presque toutes en même temps, cherchant le petit. Elles se mirent à tourner en rond, médusées. Onyx eut alors l'idée de créer une illusion pour faire décoller le troupeau du bon côté, mais il vit Kevin quitter sa cachette : il portait le corps d'un bébé dragon sur le dos ! Les femelles se précipitèrent aussitôt sur lui au grand galop.

– Kevin ne voit rien ! s'exclama Bergeau. Il va être piétiné !

– Lorsqu'une personne perd l'usage d'un de ses sens, ses autres sens s'aiguisent, lui expliqua Dempsey qui, lui, avait confiance en son ancien Écuyer. Prépare-toi à noyer ces affreux monstres.

De son côté, Kevin écoutait attentivement le martèlement des griffes et mesurait la vibration croissante sous ses pieds. Il ne possédait plus les pouvoirs magiques de ses camarades, mais il s'en était découvert de nouveaux. Entre autres, sa force physique avait décuplé. Il pouvait soulever de lourdes charges, passer de longues heures à cheval sans jamais s'épuiser et, surtout, il pouvait sauter d'un seul bond à la cime des plus hauts arbres !

Dès que les dragons furent sur ses talons, Kevin se propulsa dans les airs en lançant le corps du bébé devant lui.

– Par tous les dieux ! s'énerva Bergeau.

– Tes bracelets ! Vite ! le pressa Dempsey.

L'homme du Désert les croisa tout de suite, évoquant dans son esprit l'image de la haute mer. Le cadavre du petit dragon s'écrasa au pied du tourbillon.

– Non, non, non ! s'écria Dempsey, qui craignait que les énormes bêtes ne s'arrêtent pour le flairer.

Il fit aussitôt appel à ses facultés de lévitation, souleva l'animal mort et le lança dans le maelström. Les femelles l'y suivirent en poussant des lamentations aiguës.

Kevin atterrit alors au milieu de la ruée et se recroquevilla pour éviter d'être écrasé par les dragons. Le vortex se referma finalement sur le dernier monstre sans que le Chevalier ait subi la moindre blessure.

– On me l'aurait raconté que je ne l'aurais jamais cru, bafouilla Bergeau.

– Maintenant, ce sera à toi de raconter cette aventure à nos compagnons, se réjouit Dempsey.

Onyx les avait déjà quittés pour vérifier de ses propres yeux que Kevin n'avait rien.

– Ça va, le rassura le Zénorois. Hâtez-vous, je tâcherai de vous suivre.

Puisque le Chevalier invalide ne risquait plus de tomber sur d'autres dragons, le Roi d'Émeraude courut derrière Bergeau et Dempsey qui filaient déjà vers l'embarcadère.

Dès que les femelles eurent libéré l'extrémité du quai, Kira fonça la première, suivie de ses camarades. Elle sauta par-dessus le fossé rempli d'eau, atterrit sur la plage rocheuse et parvint à la base de la ruche. Tout comme la Sholienne s'y attendait, des scarabées noirs jaillirent de l'ouverture qui donnait accès au palais. Onyx apparut près d'elle. Il matérialisa aussitôt son épée double et attaqua les guerriers d'élite.

– C'est l'ancienne sorte ! s'écria Nogait en évitant un coup de lance. Visez les coudes !

Bergeau et Dempsey se jetèrent dans la mêlée. Ces coléoptères étaient plus coriaces et plus gros que les scarabées argentés qu'affrontaient les Chevaliers depuis quelques mois. Ces derniers parèrent les coups des insectes géants tant bien que mal, tout en cherchant à leur couper les bras. L'échauffourée dura de longues minutes, mettant les soldats à rude épreuve. Parmi eux, Swan, Dempsey et Bailey eurent le plus de succès. Dès qu'ils se furent défaits de leurs opposants, ils s'empressèrent d'appuyer leurs compagnons. Bientôt, les galets furent couverts de cadavres et de sang noir.

– Plus rien ne peut nous arrêter, maintenant ! s'exclama Nogait.

Encouragés par leur victoire, les Chevaliers firent un pas vers l'entrée du palais, mais furent forcés de s'immobiliser. Une silhouette humaine, armée d'une lance, leur bloquait le passage. Ils ne reconnurent leur nouvel adversaire que lorsqu'il sortit de l'ombre et que le soleil frappa son visage.

– Sage..., s'étrangla Kira.

Il portait une tunique de cuir usée et ses cheveux lui atteignaient la taille. Malgré son apparence négligée, la Sholienne n'eut aucune difficulté à reconnaître l'homme qu'elle avait tant aimé. Elle fit disparaître son épée double et accéléra le pas pour aller à sa rencontre. Sage se campa sur ses jambes et pointa le javelot sur elle.

– Sage, c'est moi, Kira ! Ne me reconnais-tu pas ?

– Apparemment, non, laissa tomber Nogait.

– Il n'y a que deux femmes mauves dans tout l'univers, poursuivit la guerrière, et l'autre c'est ta mère, Jahonne.

– Kira, tu perds ton temps, l'avertit Liam. Tu vois bien qu'il est envoûté.

– Son âme n'habite peut-être plus son corps, ajouta Ellie.

Comme pour leur donner raison, Sage attaqua Kira. Elle évita la pointe du javelot de justesse, ainsi que tous ses coups. Mais elle ne se décidait pas à le frapper. Onyx observa la scène pendant quelques minutes en réfléchissant à ce stratagème de l'empereur. Si ce dernier leur opposait Sage, ou du moins son apparence physique, c'est qu'il tentait de gagner du temps pour faire quelque chose de plus important. « Comme sacrifier Lassa », conclut-il. Au fond, Onyx comprenait la réticence de Kira, qui ne voulait surtout pas blesser son mari. Jadis, il avait lui-même habité le corps de l'Espéritien et il s'était servi, à ses propres fins, de l'attachement de la Sholienne pour Sage.

– Kira, assomme-le ou laisse-moi le faire ! ragea Bergeau.

– Sage, je t'en conjure, écoute-moi, le supplia la femme Chevalier en pleurant. Tu te bats dans le mauvais camp. Dépose cette arme et viens avec moi.

Pour toute réponse, l'hybride abattit durement sa lance, visant la tête de la Sholienne. Heureusement, Onyx veillait. Le javelot de Sage s'abattit violemment sur l'une des lames de l'épée double du renégat. Toutefois, ce dernier ne se contenta pas de parer le coup. Il fit pivoter son arme, heurtant de nouveau la lance en sens inverse et déstabilisant l'hybride. Le coup suivant transperça son épaule gauche.

– Non ! hurla Kira.

Onyx frappa de nouveau, fauchant presque le bras de l'hybride. Kira bouscula le Roi d'Émeraude pour l'empêcher d'achever Sage, qui venait de s'écrouler sur le sol. Une fois qu'elle eut décroché Onyx de sa proie, la guerrière se pencha sur son mari désorienté.

– Venez ! ordonna Onyx.

Les Chevaliers hésitèrent un instant, car celui qui venait de tomber était en réalité l'un des leurs. Le code leur interdisait d'abandonner un frère sur le champ de bataille. Onyx ne les attendit pas. Il entra seul dans la ruche.

Dempsey s'accroupit près de Kira, qui avait vivement refermé les blessures de son époux. Ayant perdu beaucoup de sang, Sage luttait pour ne pas sombrer dans l'inconscience.

– Est-ce mortel ? demanda Dempsey.

– Non, soupira Kira, visiblement soulagée.

– Alors, viens avec nous. Nous récupérerons Sage au retour.

La Sholienne faillit bien laisser ses compagnons régler eux-mêmes le sort de l'empereur. Elle avait déjà perdu son époux une fois et elle ne voulait certes pas revivre cette déchirante expérience une seconde fois. Elle tourna la tête vers le palais. Le groupe avait déjà rejoint Onyx à l'intérieur. Il ne restait plus que Dempsey qui l'implorait du regard. Kira avait un rôle à jouer dans la prophétie. Son profond attachement pour Sage devrait attendre qu'elle ait accompli sa mission. Elle prit une profonde inspiration et embrassa l'hybride sur les lèvres.

– Ce soir, mon amour, nous reprendrons notre vie ensemble, dans un monde où la paix régnera à jamais, lui promit-elle en se levant.

Persuadée que son époux était trop faible pour aller où que ce soit, Kira le quitta et emboîta le pas à Dempsey. Ils retrouvèrent les autres dans le couloir arrondi qui montait en spirale jusqu'au sommet de la ruche. Liam fut le premier à remarquer l'absence de vie dans cette énorme construction de pierre.

– N'est-il pas censé y avoir des serviteurs, dans un palais ? lâcha-t-il.

– Habituellement, cet endroit fourmille d'insectes-ouvriers, confirma Onyx.

– C'est peut-être une embuscade, suggéra Ellie.

– Il y a des centaines de petites grottes creusées dans ce tunnel, indiqua Winks, mais je ne perçois aucun signe de vie.

Onyx avançait rapidement dans la galerie, effectuant son propre examen magique. La femme Chevalier disait vrai : la ruche semblait avoir été abandonnée. Les esclaves d'Amecareth étaient certainement quelque part... Onyx poussa son enquête plus loin et découvrit un autre couloir qui courait sous leurs pieds. Il menait aux falaises, au nord-est, celles-là mêmes que Wellan avait en partie démolies. Apparemment, les Tanieths avaient réaménagé les pouponnières, car le renégat captait la présence de milliers d'individus, dont certains étaient très jeunes. « Pourquoi Amecareth a-t-il demandé à son entourage de se réfugier ailleurs ? » songea Onyx.

– Comment cette prophétie s'accomplira-t-elle ? demanda-t-il à Kira.

– Personne ne le sait vraiment, répondit Robyn à sa place.

– Ce dont nous sommes certains, toutefois, ajouta Swan, c'est que Lassa sera l'exécuteur du grand seigneur des insectes, pas nous.

– Les étoiles disent aussi que Lassa n'y arrivera qu'avec l'aide de la princesse sans royaume, rappelez-vous, précisa Bailey.

– Tous les morceaux du casse-tête sont enfin réunis, les encouragea Milos. Nous verrons enfin ces prédictions se réaliser.

Une fois au sommet de la ruche, Onyx fit ralentir les Chevaliers. Une énergie maléfique était à l'œuvre dans cette partie du palais, bien qu'elle fût difficile à discerner.

– Je la ressens aussi, confirma Kira.

Ils jetèrent un coup d'œil prudent dans la vaste alvéole où aboutissait le couloir.

– Lassa est passé par ici, affirma Kira.

Il n'y avait pourtant plus personne dans la chambre royale. Bergeau s'y risqua avant ses compagnons.

– Où peuvent-ils bien être allés ? s'étonna-t-il.

– Il y a de la vie dans les montagnes environnantes, signala Wimme.

– L'empereur ne se trouve pas parmi ces insectes, leur apprit Onyx.

– Pourrait-il être retourné à Enkidiev avec son prisonnier pendant que nous le cherchions ici ? s'alarma Nogait.

– J'en doute, répliqua Dempsey. Amecareth sait que le Roi Hadrian et les Chevaliers gâcheraient son moment de gloire.

– Il a peut-être envie de faire un coup d'éclat, pour nous prouver sa supériorité, suggéra Ellie.

– En tuant le porteur de lumière sous le nez des Chevaliers d'Émeraude, ajouta Kagan.

Tout comme Kira, Onyx demeurait parfaitement silencieux, étudiant chaque petite parcelle d'énergie que recelait la pièce. Tous deux ressentaient la peur et la souffrance de Lassa. Elles émanaient surtout de la cage qui pendait du plafond. La Sholienne s'en approcha.

– Il était encore ici lorsque nous sommes entrés dans le palais, indiqua-t-elle.

– Donc, ils ne peuvent pas être bien loin, se réjouit Bergeau.

– L'empereur s'est sans doute enfui sur le dos d'un dragon, supposa Swan en marchant vers le trône d'hématite.

– Combien de dragons possède-t-il, au juste ? s'inquiéta Nogait.

– Très peu, estima Onyx. Les mâles ne supportent pas la présence d'autres mâles sur leur territoire. Ils se battent jusqu'à la mort. Nous en avons vu deux s'abîmer dans l'océan et nous en avons tué un autre lorsque je suis venu chercher Kevin avec Wellan, il y a quelques années. À mon avis, Amecareth doit être à court de monture.

– Mais il a lui-même des ailes, fit remarquer Milos.

– S'il a quitté cet endroit après que nous y soyons entrés, il y a forcément une autre sortie, déduisit Dempsey.

Justement, Swan venait de contourner l'énorme siège de roc.

– Il y a un balcon par ici, annonça-t-elle, et un autre couloir également.

Les Chevaliers s'y précipitèrent, Kira en tête. La plate-forme s'ouvrait vers l'ouest. La Sholienne passa la main au-dessus de la pierre et n'eut aucune difficulté à reconnaître la trace d'Asbeth. « Si cet oiseau de malheur est dans les parages, il s'agit à coup sûr d'un guet-apens », conclut-elle.

Au lieu d'inspecter le balcon, Onyx avança plutôt dans le couloir qui s'en éloignait, car sa griffe avait dressé ses petites oreilles argentées. Le Roi d'Émeraude n'avait pas fait deux pas qu'il sentit son sang se glacer dans ses veines. Au bout du corridor, une créature magique se cachait. Onyx avait déjà séjourné dans ces lieux malsains. Il avait été torturé et empoisonné par l'empereur lui-même, à la demande d'un soi-disant Immortel qui, en fait, n'était nul autre que le dieu déchu Akuretari. Était-ce lui qui l'attendait, tapi dans l'ombre ? L'attitude menaçante du petit dragon argenté sur son doigt semblait l'indiquer.

Le renégat ne pouvait pas faire apparaître son épée double dans un espace aussi réduit. Aussi serait-il forcé de n'utiliser que ses facultés surnaturelles pour se défendre. Tout le savoir que le renégat avait arraché à Nomar, à son insu, allait lui être d'un grand secours contre l'empereur. Onyx était si concentré sur la puissance qu'il détectait qu'il ne s'aperçut même pas que tous les Chevaliers étaient derrière lui, le suivant pas à pas. Il marcha dans l'obscurité et vit finalement une lueur blanchâtre au bout du tunnel. Elle provenait d'une grotte enfoncée sur la gauche. Onyx pencha la tête par l'ouverture pour voir ce que contenait la caverne sans exposer tout son corps. Amecareth se tenait debout devant une énorme statue de pierre !

Le Roi d'Émeraude plissa les yeux pour obtenir plus de détails sur les acteurs de ce bien étrange spectacle. C'est alors qu'il distingua un autel qui atteignait la taille de l'empereur et, sur cet autel, une victime solidement attachée. Lassa ! Du sang coulait en petits filets sur le sol de chaque côté d'Amecareth. Il était en train d'immoler le porteur de lumière !

Onyx fonça dans le temple de Listmeth sans réfléchir. Seuls Kira et Liam eurent le temps de le suivre, car Amecareth venait de faire volte-face. Une membrane bleuâtre scella aussitôt la pièce, séparant les trois hardis Chevaliers du reste du groupe.

– Non ! ragea Bergeau, incapable de traverser cette barrière.

Il dirigea des rayons ardents sur l'écran magique, mais ils y furent aussitôt absorbés. Onyx, Kira et Liam n'avaient certes pas le temps ni le loisir de leur venir en aide, car ils devaient maintenant défendre leur propre vie contre un puissant sorcier.

– Qui ose profaner le temple de Listmeth ? grinça Amecareth.

– Que dit-il ? chuchota Liam.

– Il n'est pas content que nous soyons là, répondit Kira.

« Comment pourrais-je leur transmettre le don de comprendre le Tanieth ? » se demanda la Sholienne, qui voulait sauver Lassa au lieu de jouer les interprètes. *Pose la main sur leur nuque,* suggéra une voix de femme qu'elle ne reconnut pas. Kira ne se posa pas de questions et s'exécuta sur-le-champ. Son geste fit sursauter Onyx et Liam.

– Vous serez les prochains à mourir pour la gloire de mes dieux ! poursuivit le scarabée géant.

– Je comprends ce qu'il dit ! s'étonna Liam.

Plus aguerri, Onyx ne gaspilla pas son temps à comprendre ce prodige.

– Nous verrons bien lequel d'entre nous ira rejoindre ses créateurs, aujourd'hui, répliqua le Roi d'Émeraude en relevant fièrement la tête.

Un halo violet commença à se former au milieu du torse de l'empereur.

— Attention ! s'écria Kira.

Onyx ne broncha pas. La première fois qu'il avait utilisé cette sorcellerie contre lui, Amecareth l'avait pris de court. Cette fois, il était préparé.

— Nous ne pouvons aller nulle part ! s'alarma Liam.

— Surtout, ne bougez pas, les avertit Onyx.

Tout comme sa griffe ensorcelée, le renégat surveillait attentivement l'expansion de l'anneau lumineux et ne réagit que lorsqu'il se détacha du corps de l'empereur. Onyx leva vivement les mains. Au lieu d'attaquer Amecareth, le dragon argenté créa devant les humains un filet dont les mailles étaient des serpents électrifiés de couleur indigo. L'énergie dévastatrice de l'empereur grésilla sur ce puissant bouclier pour finalement repartir vers ce dernier. Le seigneur des insectes dévia le halo avec une vitesse surprenante, l'enfonçant dans les parois de la grotte sans qu'il ait tué qui que ce soit.

— Aucun humain ne possède une telle magie ! tonna Amecareth.

— Aucun humain ordinaire, le corrigea Onyx. Je n'ai plus le même visage, mais il y a fort longtemps, on m'a fait boire le sang empoisonné des sorciers d'Irianeth.

— Ce sort est destiné à tuer un homme à petit feu, pas à lui transmettre des pouvoirs.

— Vous êtes dans l'erreur et j'en suis la preuve.

L'empereur émit un grondement de fureur qui fit trembler la grotte.

– Préparez-vous à mourir, meurtrier d'enfants ! cria Onyx.

Le Roi d'Émeraude n'avait plus qu'un seul désir : venger la mort de son fils. Kira le lut facilement dans son cœur.

– Nous sommes venus ici pour libérer Lassa et lui permettre d'accomplir son destin, lui rappela-t-elle.

Onyx ne l'entendit même pas. Il se mit à avancer vers son immense adversaire en poussant le filet électrifié devant lui. Il était trop furieux pour comprendre qu'en broyant Amecareth contre le mur, il tuerait Lassa du même coup. Kira ne pouvait donc pas le laisser exécuter son plan.

– Si vous relâchez le jeune homme, je prendrai ma place auprès de vous, offrit-elle à l'empereur.

– Non ! hurla Bergeau, impuissant, tout comme ses compagnons, à l'entrée de la caverne.

– J'ai promis son sang à Listmeth, rétorqua Amecareth.

– Je lui offrirai celui de milliers d'autres humains.

Opportuniste, comme toujours, Onyx décida de jouer le jeu de la Sholienne.

– Kira, si tu te retournes contre nous, je serai forcé de te tuer.

Le coléoptère les observait tous les deux en silence. « Il ne faut surtout pas lui donner le temps de réfléchir », songea Onyx. De la main qui ne portait pas la griffe, il saisit

Kira à la gorge et la ramena durement contre sa poitrine. La Sholienne aurait très bien pu se dégager de cette emprise, mais elle avait saisi ce que le souverain tentait de faire.

— Rends-moi ma fille et tu auras la vie sauve, ordonna l'empereur.

— Ce n'est pas suffisant, refusa Onyx.

— Je vous laisserai tous partir.

— Y compris le Chevalier sur l'autel.

Amecareth grommela de mécontentement. Liam jugea donc que c'était à son tour d'entrer en scène. Dylan lui avait expliqué qu'il serait le bouclier de Lassa. Il n'avait jamais vraiment compris ce que cela signifiait, jusqu'à maintenant...

— De toute façon, c'est moi que vous cherchez, déclara-t-il en s'avançant à un cheveu du filet lumineux. Je suis celui qu'on surnomme le porteur de lumière.

Cette révélation jeta l'empereur dans la stupéfaction la plus totale.

— Laissez partir mes amis et je me soumettrai à votre volonté, ajouta le jeune soldat pour enfoncer le clou encore plus creux.

Les chaînes qui retenaient Lassa tombèrent bruyamment sur le sol. Rassemblant son courage, Liam traversa l'écran protecteur d'Onyx. Il savait pertinemment qu'il pouvait le franchir vers l'extérieur, mais qu'il ne pourrait plus revenir dans l'autre sens. Les Chevaliers qui assistaient à la scène retenaient leur souffle. Tandis que Liam s'approchait de lui,

Amecareth sonda son énergie. Il fut forcé d'admettre qu'elle était en tous points semblable à celle de son prisonnier. Asbeth lui avait-il menti au sujet des deux garçons ? Où était passé ce sorcier de malheur, alors qu'il avait besoin de lui ?

De son côté, malgré son visage impassible, Liam s'enquérait de la santé de son ami grâce à ses facultés surnaturelles. Il remercia intérieurement son maître Farrell de lui avoir enseigné les communications individuelles. *Lassa, es-tu capable de te lever ?* Il y eut un court délai avant la réponse du porteur de lumière.

J'ai du mal à respirer... Liam n'avait plus rien à perdre. Si ce stratagème devait échouer, ils mourraient tous de toute façon. Avec prudence, il se rendit jusqu'à l'autel, où il pourrait bien se retrouver lui aussi s'il n'arrivait pas à secourir Lassa. Ce dernier était blanc comme de la craie. « Je ne peux pas lui redonner le sang qu'il a perdu », déplora Liam. Il referma toutefois ses nombreuses plaies à l'aide de ses paumes lumineuses. Les yeux bleus de Lassa se mirent à briller de reconnaissance. *Je ne sais pas comment le tuer*, avoua-t-il. Les étoiles n'avaient jamais été très claires à ce sujet.

— Relâche ma fille, ordonna l'empereur à Onyx.

— Le prisonnier d'abord, riposta le renégat.

Justement, Liam aidait la pauvre victime à descendre de la table de pierre. Il fit lentement marcher son camarade en direction des Chevaliers qui étaient prêts à combattre. Les deux jeunes hommes s'immobilisèrent devant le filet magique, qu'ils ne pouvaient pas traverser sans risquer la mort. Maintenant que Lassa n'était plus à la portée de l'empereur, Kira sut ce qu'elle devait faire.

– Abaissez votre bouclier, chuchota-t-elle au souverain.

– Il nous tuera tous, rétorqua Onyx.

– Je vous en prie, faites-moi confiance.

Onyx relâcha la Sholienne en accumulant le plus de puissance possible dans ses mains, au cas où les choses tourneraient mal. Au lieu de marcher vers le Tanieth, Kira se rendit à pas lents jusqu'à Lassa. *Maintenant*, signala-t-elle à Onyx. Le filet lumineux s'évapora.

Contrairement à ce qu'avaient toujours cru les Chevaliers, Amecareth n'était pas un insecte stupide comme ceux qu'ils avaient inlassablement affrontés sur la côte d'Enkidiev. L'empereur avait deviné la stratégie de sa fille. Avant qu'elle n'atteigne son prisonnier, il projeta sur ce dernier un éclair bleuté. Par réflexe, Liam se jeta devant Lassa pour le protéger et reçut la terrible décharge dans le dos. Il ne s'était pas encore écrasé sur le sol que Kira se plaçait derrière le porteur de lumière. Lorsqu'elle saisit ses deux mains, un extraordinaire phénomène se produisit : tout le corps de Lassa devint lumineux, non pas à la manière des Immortels, mais comme s'il se transformait en un soleil éclatant.

Momentanément aveuglé, Amecareth se mit à lancer des décharges meurtrières dans tous les sens. Onyx tenta de rétablir son bouclier de protection, sans y parvenir. La griffe sur son doigt faisait claquer sa mâchoire métallique, pas plus capable que son maître de s'en prendre au sorcier. L'énergie qui s'échappait de Lassa semblait annuler leurs pouvoirs magiques. Onyx dut donc se jeter à plat ventre pour ne pas être tué dans la batterie de tirs aveuglants. Il profita de la confusion pour ramper jusqu'à Liam et le tirer vers la porte. Bientôt, l'empereur lui-même se retrouva démuni de ses facultés surnaturelles. L'énergie de ses mains griffues se tarit jusqu'à ce qu'il ne sorte plus rien de ses paumes noires.

Soudée aux mains de Lassa, Kira semblait paralysée. Ses yeux, tout grand ouverts, ne regardaient nulle part et ses cheveux volaient derrière elle comme si un vent puissant soufflait dans son visage. Une lumière éblouissante sortait par les yeux, les oreilles et la bouche de Lassa, envahissant de plus en plus la caverne. Cette lumière finit par atteindre Amecareth, qui poussa un grincement de douleur. Enragé, il se précipita sur la princesse sans royaume et le porteur de lumière pour les anéantir une fois pour toutes.

– Non ! cria Onyx.

Il fonça comme un taureau et plaqua l'énorme coléoptère sur l'autel. Le choc ne fit que retarder l'attaque de l'empereur. Du revers de la main, Amecareth frappa durement le renégat, l'envoyant choir à l'autre bout de la grotte, aux côtés de Liam. Sans réfléchir, Swan se précipita pour l'aider. À sa grande surprise, elle constata que le mur d'énergie qui avait empêché le groupe de pénétrer dans le temple insecte avait disparu ! Les Chevaliers s'engouffrèrent à l'intérieur, mais s'aperçurent avec désarroi que leurs pouvoirs magiques étaient également désamorcés. Swan et Nogait tirèrent aussitôt Onyx dans le tunnel, tandis que Winks et Milos se chargeaient de Liam.

La lumière qui émanait de Lassa gagnait de plus en plus de terrain. Nullement découragé par l'intervention d'Onyx, Amecareth revint à la charge. Bergeau, Dempsey, Wimme et Bailey chargèrent l'empereur d'un seul bloc. Ils connurent aussitôt le même sort que leur roi. Voyant ses frères à demi assommés sur le sol, Robyn sut que c'était à elle de jouer.

Elle sortit un bout de ficelle de sa ceinture et roula sur le sol, jusqu'aux pieds du scarabée. En l'espace d'une seconde, la femme Elfe enroula la corde végétale autour des pieds armés de griffes puissantes. Amecareth perdit l'équilibre et s'écrasa devant Kira et Lassa, faisant lever la poussière de la caverne.

Robyn n'eut qu'à jeter un coup d'œil en direction de ses sœurs d'armes pour qu'elles comprennent ce qu'elle avait l'intention de faire. La ficelle ne retiendrait pas longtemps le colosse et il leur fallait trouver une autre façon de l'immobiliser pendant que la prophétie s'accomplissait. Winks, Ellie et Kagan bondirent avec elle derrière la statue de Listmeth et se mirent à pousser de toutes leurs forces sur l'idole de pierre.

— Laissez-moi vous aider, fit Bergeau.

Encore un peu chancelant, il concentra toute sa puissance dans ses bras. La statue vacilla sur son socle et, finalement, bascula vers l'avant. En vitesse, les Chevaliers longèrent le mur afin de voir le tyran se faire écraser par son propre dieu. La tête de Listmeth s'écrasa sur l'épaule d'Amecareth, mais ses pieds demeurèrent juchés sur le piédestal.

— Il respire encore ! se fâcha Kagan.

S'étant relevé en s'appuyant contre le mur, Dempsey avait une bien meilleure vue de ce qui était en train de se passer. La lumière de Lassa avait atteint les parois, les faisant instantanément passer du noir au blanc. La terre se mit à trembler.

— Il ne faut pas rester ici ! s'exclama le vétéran.

Comme pour lui donner raison, de gros morceaux de pierre se détachèrent du plafond et tombèrent sur le plancher, à un pas des femmes Chevaliers et de Bergeau. Ils n'attendirent pas que les prochains les frappent et rejoignirent leurs frères d'armes dans le tunnel. *Partez*, ordonna une voix féminine dans leur esprit.

– Est-ce Kira ? s'enquit Bailey.

– Non, affirma Nogait.

– C'est peut-être une ruse d'Asbeth, maugréa Bergeau.

Partez ou vous mourrez avec le seigneur noir, insista l'inconnue.

– On ne peut pas laisser Kira et Lassa ici, s'opposa Milos.

C'est leur destin.

Swan pensa à ses fils qui risquaient de devenir orphelins et décida d'obéir, même si elle ignorait d'où provenait cet ordre. Elle aida Onyx à se mettre debout, prête à le traîner dans l'interminable galerie qui menait à la mer.

– Approchez..., murmura le roi, souffrant.

À contrecœur, les Chevaliers se rassemblèrent autour de lui. Instantanément, tout le groupe se retrouva sur le quai.

– Il faut faire quelque chose ! hurla Bergeau, hors de lui.

Des pans entiers de roc se détachèrent du palais d'Amecareth et glissèrent le long de sa façade.

– Sage ! s'énerva Nogait.

Il sauta impétueusement par-dessus le fossé et courut jusqu'à l'entrée de la ruche, où reposait l'hybride. Risquant sa propre vie, Nogait lui saisit les mains et commença à le tirer vers la plage. D'autres rochers s'écroulèrent autour d'eux, le forçant à lâcher prise.

Milos s'élança pour aller lui prêter main-forte, mais chuta sur les galets lorsque le sol trembla de nouveau violemment. Il leva les yeux, juste à temps pour voir le sommet du pic rocheux voler en éclats et protéger sa tête. Des rayons aveuglants s'échappèrent du cratère, comme si une étoile filante tentait de s'en échapper. Des pierres se mirent à pleuvoir sur la plage.

– Kira..., s'étrangla Swan qui soutenait tant bien que mal son époux.

Partant du sommet, les parois de la ruche se couvrirent alors d'un givre blanc qui progressait rapidement vers le bas. Dès qu'il atteignit la base du palais, la pierre soudain transparente se mit à crouler sous son propre poids.

– Attention ! s'écria Dempsey.

L'homme du Désert venait à peine d'atteindre Nogait, entre les débris, qu'il était assailli par un déluge de fragments cristallins. Il protégea aussitôt son frère d'armes en le couvrant de son propre corps.

– Bergeau ? appela Dempsey dans l'insoutenable fracas de verre cassé.

L'éboulement leur sembla durer des siècles. Le cratère qui, un instant auparavant, s'était trouvé très haut dans le ciel, était maintenant au ras du sol. Il n'y avait pas un seul bruit du côté de la ruche. On n'entendait plus que la respiration des Chevaliers éberlués, sur le quai.

– Où sont-ils ? demanda Ellie en brisant le silence.

Tant bien que mal, Dempsey se fraya un chemin parmi les morceaux de cristal jusqu'à l'endroit où il avait vu disparaître Bergeau. Il rejeta peu à peu les fragments de roche transparente plus loin, déterrant son ami. Bientôt, Bailey et Wimme vinrent l'épauler. De leur côté, Robyn, Winks et Kagan allèrent à la recherche de Milos. Quant à elle, Ellie demeura auprès de Liam pour soigner sa blessure au dos et tenter de le ranimer.

Les femmes dégagèrent Milos avant que Dempsey, Bailey et Wimme n'aient secouru Bergeau et Nogait. Tous les trois étaient couverts d'entailles qui saignaient abondamment. Leurs compagnons les soignèrent sur place avant de les ramener sur le quai.

– L'un de nous doit aller voir ce qu'il est advenu de Kira et de Lassa, murmura Onyx, qui semblait de plus en plus souffrant.

– Ce sera moi, décida Robyn.

C'était le choix le plus logique, puisqu'elle avait le pied léger comme tous les Elfes. Elle risquait moins que ses camarades de se blesser en franchissant les éclats tranchants. N'ayant plus le courage de prononcer un mot de plus, Onyx ne fit que hocher doucement la tête, lui donnant son assentiment.

– Je vous les ramène, lui promit la femme Chevalier.

Tandis qu'elle se rendait prudemment sur la montagne effondrée, à l'intérieur se jouait un tout autre drame. Au contact de l'énergie divine qui s'était échappée de Lassa, la carapace de l'empereur était devenue immaculée, le transformant en une étrange créature boréale. Il était demeuré immobile pendant l'écroulement de son palais, écrasé sous le poids de son idole. Dès que la ruche avait été détruite, le porteur de lumière avait cessé sur-le-champ d'illuminer le vaste trou. Le temps semblait s'être arrêté dans les restes du temple de Listmeth.

Kira lâcha les mains de Lassa et tituba vers l'arrière. Elle heurta la paroi transparente, ce qui l'empêcha de tomber à la renverse. Jamais elle ne s'était sentie aussi vidée de toutes ses forces. Lassa était agenouillé devant le corps d'Amecareth devenu tout blanc. « Que s'est-il passé ? se demanda Kira. Où sommes-nous ? » Avaient-ils perdu la vie en tuant l'empereur ? Ce paysage ressemblait étrangement à ceux que la Sholienne avait vus dans l'autre monde...

– Kira ? appela une voix.

Elle allait répondre avec le peu d'énergie qui lui restait, lorsqu'elle vit remuer la statue du dieu insecte.

– Oh non...

Aussi stupéfait qu'elle, Lassa n'osait plus bouger. L'idole de pierre retomba lourdement sur le côté et le scarabée se releva lentement. Du sang noir coulait sur sa carapace blanche fendue à la hauteur de l'épaule.

– Je suis le maître du monde ! gronda Amecareth en faisant un pas devant lui. Ni toi ni ton ridicule porteur de lumière ne pourrez me détruire !

Étonnamment, Lassa bondit sur ses pieds pour faire face au dangereux géant.

– Vous vous trompez ! répliqua-t-il avec un aplomb dont il n'avait jamais fait preuve jusqu'à présent.

Amecareth s'avança vers lui en brandissant son bras qui n'avait pas été blessé par la statue. Lassa ne broncha pas. Lorsque l'énorme insecte arriva devant lui, il plaqua sa main au milieu de sa carapace. Toute la lumière qu'avait absorbée cette dernière se mit à vibrer. L'empereur chancela, puis se mit à trembler de façon incontrôlable. Soudain, il explosa en mille morceaux.

Robyn s'immobilisa à l'entrée du cratère, sidérée.

– Pouah, gémit Lassa en essuyant le sang noir sur son visage.

La femme Elfe lui vint aussitôt en aide. Kira ne se soucia pas de la substance gluante qui tachait son uniforme, car elle était de nouveau hantée par les yeux opalescents de l'homme de sa vie. La force de son amour lui donna suffisamment d'énergie pour lui permettre de se déplacer à travers l'océan de fragments pointus qui jonchaient la plage d'Irianeth.

– Sage ?

Elle le chercha avec ses sens invisibles, mystérieusement de retour. Dempsey, Wimme et Bailey se frayèrent un chemin jusqu'à elle.

– Il devrait être quelque part par ici, voulut l'encourager Dempsey.

Bailey aperçut une main à travers un morceau de cristal et se servit de ses pouvoirs de lévitation pour déterrer l'hybride. Il regretta aussitôt son geste, lorsque le corps de Sage leur apparut enfin, transpercé par une aiguille de verre. Anéantie, Kira perdit l'usage de ses jambes. Ce fut Wimme qui l'empêcha de s'empaler elle-même sur le corps de son défunt mari.

La terre se remit à trembler sous leurs pieds, tandis que les falaises avoisinantes s'effondraient une à une. *Nous ne pouvons pas rester ici !* fit la voix de Swan dans leurs esprits. Même le quai avait commencé à valser de façon dangereuse. *Je rentre à Émeraude avec Onyx, Liam et Lassa. Allez rejoindre Hadrian.* Dempsey forma son vortex et souleva Kira dans ses bras.

— Non..., hoqueta-t-elle.

Tous les Chevaliers quittèrent Irianeth presque en même temps. Ils étaient à peine partis qu'un magnifique faucon piquait du ciel et venait se poser sur le fragment de cristal qui avait tué Sage. Battant vigoureusement des ailes, le rapace le souleva dans les airs et le laissa tomber plus loin. Il revint ensuite se coucher sur la plaie béante, qui se referma magiquement. Le corps de Sage fut secoué d'un violent spasme. Il ouvrit les yeux et aperçut le regard inquiet de son animal favori.

— Tu es revenue...

Le faucon se transforma alors en une ravissante jeune femme aux longs cheveux roux et aux yeux aussi profonds que la nuit. Elle portait une tunique couverte de plumes fauves.

— Viens, murmura-t-elle en lui tendant la main.

Sage la prit en toute confiance. Il se sentit alors soulevé de terre et emporté vers le ciel.

37

UNE DOUCE VENGEANCE

Les Chevaliers d'Émeraude constatèrent avec horreur que les voraces noctuidés ne s'arrêtaient pas pour dormir la nuit, comme le faisaient les imagos. Ils continuaient de ravager les villages pour se nourrir. Hadrian avait divisé ses troupes entre les différents royaumes, mais les Chevaliers n'étaient pas assez nombreux pour couvrir d'aussi vastes territoires.

Il était appuyé sur le pommeau de son épée, dans une clairière du Royaume d'Émeraude, scrutant le ciel avec ses sens invisibles pendant que la troupe de Falcon combattait plus loin dans les champs. Deux tourbillons se formèrent alors non loin du commandant. Du premier sortirent Nogait, Bailey, Wimme et Dempsey, ce dernier transportant Kira dans ses bras, et du second, Bergeau, Milos, Robyn, Winks, Ellie et Kagan. Les deux aînés vinrent serrer les avant-bras d'Hadrian.

— Avez-vous réussi ? demanda-t-il, inquiet.

— L'empereur est mort, lui apprit Dempsey en déposant la Sholienne sur le sol.

– Le ciel soit loué ! se réjouit Hadrian en passant une main lumineuse au-dessus de Kira. Mais où est donc Onyx ?

– Swan l'a ramené au château avec Liam et Lassa, répondit Bergeau.

– A-t-il été blessé ?

– À vrai dire, nous ne comprenons pas son mal, lui avoua Milos.

Hadrian s'en occuperait lui-même plus tard. Pour l'instant, il avait un continent à défendre.

– Amecareth a-t-il été anéanti par le porteur de lumière ? voulut-il savoir.

– Oui, exactement comme le disait la prophétie, l'informa Dempsey.

– Je croyais qu'en tuant cet énergumène, nous serions enfin débarrassés de toutes ces bestioles ! soupira Nogait.

– À quoi ressemblent celles-là ? s'informa Bailey.

– Ce sont d'énormes papillons, vifs comme l'éclair et assoiffés de sang, résuma Hadrian. Il leur suffit de toucher un être humain du bout de leurs antennes pour le vider instantanément de son sang.

– Bah ! On en a vu bien d'autres ! répliqua Nogait en haussant les épaules.

– Ont-ils réussi à tuer des Chevaliers ? intervint Dempsey.

– Pas encore, mais nos frères et nos sœurs sont épuisés, déplora Hadrian. Je ne vois pas comment nous pourrons nous débarrasser de cette menace.

– Où sont les Immortels ? persifla Bergeau.

– Danalieth est au Château d'Émeraude. Quant à Abnar, Hawke, le dernier à l'avoir vu, affirme qu'il est retourné dans le monde des dieux pour se régénérer.

– Il serait gentil de revenir, maintenant, pensa Nogait tout haut.

– Vous avez songé à Dylan ? lança Kagan.

– Il est au pays de Jade et il essaie d'empêcher ces insectes volants d'aller plus loin, en espérant que Parandar ne le retire pas subitement des combats pour insoumission. Kira ne semble pas en mesure de nous aider...

– En résumé, ça se présente plutôt mal, conclut Nogait.

– Nous avons une dure pente à remonter, en effet, acquiesça l'ancien Roi d'Argent.

– Donnons-leur une raclée ! fit alors une voix que Bergeau et Dempsey reconnurent immédiatement.

Quelle ne fut pas leur joie de voir approcher Jasson, en compagnie de Santo. Ses frères d'armes l'étreignirent avec affection, alors que leur commandant le salua d'un gracieux mouvement de la tête.

– Je savais que tu ne nous avais pas laissés tomber, jubila Bergeau.

– La mort de Wellan m'a profondément secoué, avoua Jasson.

– Comme nous tous, assura Dempsey.

– Je suis content que tu sois de retour, déclara Nogait, son ancien Écuyer.

Les soldats magiciens ressentirent alors une curieuse énergie tout autour d'eux.

– On dirait la magie des Immortels, mais pas tout à fait, observa Jasson.

Le cheval ailé de Hawke se posa en catastrophe non loin du chef des Chevaliers. L'Elfe se laissa glisser sur le sol et accourut pour faire son rapport.

– Elle a décidé de nous aider au-delà de la mort ! s'exclama-t-il.

– Qui ça ? firent les soldats en chœur.

– Mais Anyaguara, évidemment !

– La sorcière ? s'étonna Hadrian.

Les vibrations devinrent si intenses que les soldats sous les ordres de Falcon se replièrent vers Hadrian.

– Est-ce toi qui produis ce phénomène ? bredouilla Wanda.

L'ancien roi n'eut que le temps de secouer la tête pour dire non, car il recevait des communications télépathiques de tous ses commandants de troupe. Soudain, dans le ciel, des milliers d'étoiles se mirent à tourbillonner jusqu'à ce qu'elles dessinent le visage de la sorcière de Jade.

– Écoutez-moi, gens d'Enkidiev. Quand je vous aurai sauvés de l'annihilation, je veux que ma réputation soit rétablie jusqu'à la fin des temps.

Les étoiles se mirent alors à tomber une à une, frappant les terribles xanthies qui se mirent à s'écraser partout sur le continent, foudroyées.

– Pourquoi ne l'avons-nous pas recrutée ? lâcha Nogait, faisant sourire Hadrian.

Un apaisant silence s'ensuivit. Les Chevaliers s'étaient immobilisés dans les champs et les villages d'Enkidiev, attendant de voir s'il s'agissait d'une ruse, mais aucun autre insecte ne se manifesta.

– Je pense qu'on pourrait lui élever une statue quelque part, déclara Jasson. Qu'en pensez-vous ?

Sans répondre, Nogait tournait curieusement sur lui-même.

– Mais où est Kevin ?

Contrairement à ce qu'il avait promis à Onyx, Kevin n'avait pas suivi ses frères jusqu'à la ruche de l'empereur, car il avait flairé la présence d'Asbeth. Heureusement, le sorcier ne chercha pas à quitter Irianeth avant le coucher du soleil, auquel moment le Zénorois pouvait jouir d'une vision parfaite. Kevin suivit donc pas à pas la maléfique énergie jusqu'à ce que l'obscurité s'installe enfin sur le continent des Tanieths.

Pour échapper au sort de son maître, le corbeau s'était éloigné vers le sud. Perché sur un pic rocheux, il avait observé de loin la chute de l'empereur. Une fois qu'il eut repéré le mage noir, Kevin se propulsa sur ses jambes et atteignit le juchoir d'Asbeth. Avant que le sorcier puisse s'enfuir par la voie des airs, le Zénorois lui arracha sèchement les longues plumes qui lui permettaient de voler. L'homme-oiseau hurla de douleur et fit volte-face. Kevin, voyant les serpents bleuâtres se former au bout de ses ailes, le poussa dans le vide.

Asbeth atterrit brutalement sur le dos. Malheureusement, il n'était pas aussi facile de tuer un sorcier. Le Chevalier sauta sur la plage, manquant de peu son ennemi avec ses bottes. Le mage avait roulé tant bien que mal sur les galets.

— Le sang que vous m'avez forcé à boire, était-ce le vôtre ? rugit Kevin.

Le sorcier se releva lentement. Était-il réellement blessé ou faisait-il semblant de l'être ?

— Quelle différence cela ferait-il ?

— Cela redoublerait le plaisir que j'éprouverai à vous tuer.

— Dommage que tu ne te sois pas transformé comme Sage, car tu pourrais maintenant réclamer le droit de régner sur l'univers.

— Je suis un Chevalier d'Émeraude. Je sers le peuple au lieu de l'asservir.

Kevin dégaina son épée et l'empoigna à deux mains. Conscient que cette arme était la seule qui pouvait venir à bout de lui, Asbeth chercha d'abord à monter vers le ciel, mais l'absence de ses rémiges l'en empêcha.

— Comme un oisillon dans son nid, railla Kevin en s'avançant vers sa cible.

Asbeth décampa en n'utilisant que ses pattes. À ce moment précis, le Zénorois regretta de ne plus posséder ses pouvoirs magiques, car il l'aurait volontiers frappé par-derrière avec ses rayons les plus ardents. Il utilisa plutôt ses nouvelles facultés et, d'un bond prodigieux, se retrouva devant le mage. Le corbeau s'arrêta, stupéfait.

— Vous m'avez tout pris ! cria Kevin. Mes yeux, mes pouvoirs, mon bonheur ! Personne n'a le droit de traiter quelqu'un de cette manière, même un sorcier ! Vous allez payer pour votre cruauté et votre perfidie !

— Je peux t'enseigner ma magie.

— Vous croyez qu'un Chevalier d'Émeraude se résoudrait à faire le mal ?

— Le pouvoir s'accompagne d'une si douce euphorie...

— Le courage, l'honneur et la justice également !

Sans avertissement, Kevin fit effectuer un arc de cercle à son épée, la ramenant vers la poitrine d'Asbeth. Le corbeau n'eut pas le temps de réagir : la lame le trancha en deux. Il battit des paupières pendant quelques secondes, puis son tronc s'écrasa à ses pieds. Haletant de rage, Kevin saisit l'une de ses ailes et traîna la partie supérieure de son corps pendant de longues minutes avant de se décider à l'enterrer sous un amas de pierres. Ensuite, il retourna là où il avait laissé la partie inférieure et la tira par une patte jusque sur la falaise qui surplombait l'océan. Il se mit alors à tourner sur lui-même et catapulta finalement les restes d'Asbeth dans l'océan, où les squales les dévoreraient.

Désormais libéré de son ennemi mortel, Kevin s'assit sur le sol froid et humide. Il venait de rendre un dernier service aux braves habitants d'Enkidiev. Il eut une pensée pour Maïwen, qu'il n'avait jamais pu combler. Le visage divin de la Fée le hantait lorsqu'il se coucha sur le dos, épuisé.

– Je veux rentrer chez moi..., murmura-t-il en sombrant dans le sommeil.

Lorsqu'il se réveilla, réchauffé par les premiers rayons du soleil, Kevin fit une première constatation qui lui redonna du courage : il supportait la lumière du jour ! Il se redressa rapidement et baissa les yeux sur ses mains. Ses griffes blanches s'étaient transformées en ongles humains, aussi longs que ceux des sorcières. Son cœur se gonfla d'espoir. Il se concentra et parvint à faire briller ses paumes.

– Je ne suis pas tout à fait perdu, après tout.

Il se concentra pour tenter d'entendre les voix de ses frères d'armes. Au bout d'un moment, elles devinrent plus distinctes et il reconnut celle du Roi Hadrian qui ralliait ses troupes. « Je n'ai pas le droit de les retirer du combat uniquement pour venir me chercher sur Irianeth », se dit le Zénorois. Issu d'un peuple de survivants, Kevin se devait de trouver la façon de rentrer seul à Enkidiev.

Il se leva, profitant de la lumière du soleil pour la première fois depuis bien longtemps. Il laissa le vent caresser son visage en adressant une prière à la déesse Ivana.

— Je vous en conjure, accordez-moi le bonheur de revoir ma femme et mes amis, la supplia Kevin.

La réponse du ciel ne se fit pas attendre. Un énorme dragon blanc émergea des flots, suivi de quelques autres, plus petits ceux-là. Le Zénorois émit de courts sifflements. La bête immaculée éleva son long cou à la hauteur de la falaise afin d'inspecter cet humain de plus près. Elle le flaira pendant un instant, puis happa les cravates de sa cuirasse et le souleva dans les airs. Puisqu'il avait déjà approché des dragons des mers, Kevin ne paniqua pas. Il laissa le mastodonte le déposer sur son dos, dans l'une des poches qui servaient à transporter ses petits. Le Chevalier se cala dans la chaude fourrure et se laissa bercer au gré des vagues.

Il ne sut jamais de quelle façon l'animal devina qu'il avait besoin de lui et où le conduire. « L'a-t-il lu dans ma tête ? Le lui ai-je dit dans mon sommeil ? » se demanda Kevin. Le fait est que le Chevalier se retrouva finalement chez lui. Il ouvrit les yeux lorsque les replis de peau s'ouvrirent au-dessus de lui, laissant entrer la lumière du jour. Faible et affamé, il eut beaucoup de mal à se remettre debout. La femelle lui vint une fois de plus en aide et le déposa sur la plage, où il s'écroula.

L'arrivée du troupeau de dragons des mers avait évidemment semé l'effroi parmi les pêcheurs de Zénor, qui s'étaient abrités en courant dans les ruines de l'ancienne cité. Une seule personne était restée sur les galets, émerveillée par la majesté de ces bêtes géantes. Cette femme ne portait plus l'armure de son Ordre, car la guerre était enfin finie. En simple tunique verte, elle ratissait la plage tous les jours, à la recherche d'un indice du retour de son mari.

Maïwen était si fascinée par le spectacle du troupeau de dragons qu'elle ne comprit pas tout de suite que ce que l'un d'entre eux avait déposé sur le sol était un être humain. Ce ne fut qu'à leur départ, qu'elle crut capter un mouvement sur les galets, là où venaient mourir les vagues. Elle se servit de ses sens invisibles pour scruter les lieux, car personne ne savait ce qu'il était advenu du maléfique Asbeth. Maïwen n'avait certainement pas l'intention de périr bêtement sous les serres du sorcier avant de connaître le sort de son époux. Elle reconnut alors l'énergie de l'intrus.

— Kevin ! s'écria-t-elle en s'élançant vers lui.

Il gisait sur le ventre, inerte. Elle le retourna sur le dos, écouta son cœur et constata avec soulagement qu'il était vivant, bien que complètement déshydraté. La Fée Chevalier se servit de sa magie pour le soulever de terre et le pousser en direction de la forteresse. Les pêcheurs la regardèrent passer, les yeux écarquillés.

Dans le hall principal du palais, Maïwen coucha la tête de Kevin sur ses genoux et lui fit boire de l'eau à petites gorgées jusqu'à ce qu'il reprenne conscience. Il battit enfin des paupières, désorienté. La Fée allait lui protéger les yeux de la lumière matinale qui entrait par les hautes fenêtres lorsqu'elle remarqua que leurs pupilles n'étaient plus verticales.

— Tes yeux sont normaux ! s'exclama-t-elle, folle de joie.

— Maïwen ?

— Les dragons des mers t'ont ramené chez toi, alors que nous te cherchions sur Irianeth !

Elle glissa les doigts dans les cheveux noirs du Zénorois en se demandant si elle pouvait risquer un baiser.

– Pourquoi n'as-tu pas suivi les autres, lorsqu'ils sont rentrés à Enkidiev ?

– J'avais des comptes à régler avec Asbeth.

– Es-tu en train de me dire que tu l'as affronté seul ?

– Il fallait que ça se passe ainsi pour que je sois délivré de ses mauvais sorts.

– Est-ce que tu l'as tué ?

– Oui, et je regrette de dire que ce fut avec plaisir. Tu sais à quel point je n'aime pas prendre une vie, même celle d'un homme-insecte. Mais lui...

Kevin lui raconta toute son aventure, heureux de se retrouver dans les bras de celle qui l'avait attendu si longtemps.

– Qu'allons-nous faire, maintenant que la guerre est terminée ? souffla-t-il.

S'il n'y avait jamais pensé, Maïwen, quant à elle, échafaudait des plans depuis fort longtemps.

– Nous avons toujours une ferme à Émeraude et il serait réjouissant d'y voir courir une ribambelle d'enfants, suggéra-t-elle.

– Attends une petite minute... Ce sont les hommes qui portent les bébés chez les Fées !

– Mais tu es humain, alors nous devrons trouver un père porteur. Rien n'est plus facile.

– Un quoi ?

N'y tenant plus, Maïwen se pencha sur le Zénorois pour l'embrasser tendrement. Pour la première fois depuis leur mariage, la Fée le sentit réceptif. Elle remit à plus tard leurs plans d'avenir et s'abandonna à leur étreinte.

ÉPILOGUE

LE RETOUR DE LA PAIX

La première semaine qui suivit la fin de la guerre fut plutôt déroutante pour les Chevaliers d'Émeraude. Encore chancelant, le Roi Onyx, après avoir appris que Maïwen avait retrouvé Kevin, fit organiser une grande fête, à laquelle ses alliés furent également invités. Jamais la cour de son château n'avait été aussi bondée. Les souverains, les soldats et les gens du peuples festoyèrent jusqu'au matin.

Au grand bonheur de son épouse, Jasson avait ramené sa famille à Émeraude et, par le fait même, le jeune fils de Santo, que ce dernier avait enfin prénommé Famire, en l'honneur du premier Roi de Fal. Toutes les femmes s'extasièrent devant le minuscule poupon qui ressemblait à son père. Santo ne les empêcha pas de promener son fils de bras en bras, convaincu que, pour s'épanouir, Famire avait besoin d'une présence féminine. Puisqu'il n'avait aucune envie de retourner sur les terres de Sutton, dans le sud, il comptait demander à Armène de l'aider à élever le petit.

Chloé et Dempsey s'étaient isolés dans un coin de la grande cour et discutaient d'avenir. Ils désiraient maintenant posséder un lopin de terre, non loin du château, où ils élèveraient leurs enfants en toute quiétude. Quant à

Bergeau, il était assis sur un baril de bière, devant une bande d'enfants, dont faisait partie Danitza, et racontait ses dernières aventures à grand renfort de gestes. Les petits éclatèrent de rire lorsque Jasson vint se placer derrière lui pour l'imiter.

Falcon avait pris place près du feu qui brûlait au milieu de la cour. Wanda s'était appuyée le dos contre sa poitrine, heureuse de pouvoir désormais se consacrer entièrement à son rôle d'épouse et de mère. Elle surveillait d'ailleurs du coin de l'œil son fils Nartrach qui relatait à ses amis Cameron, Atlance et Fabian toutes les prouesses de son dragon.

Catania et Sanya marchaient ensemble parmi les convives, contentes de se retrouver enfin, après ces dures années à trembler pour leurs maris. Le petit Luca était accroché aux jupes de sa mère, le pouce dans la bouche, et suivaient les deux femmes comme un petit poussin. Sanya considérait que Katil était assez vieille maintenant pour être laissée à elle-même durant ce genre de fête. D'ailleurs, le séjour de la famille en territoire inconnu avait fait grandir tous ses membres, à tout point de vue. La mère ignorait, cependant, que la fillette avait plutôt choisi d'explorer le palais pratiquement désert.

Katil se promena de pièce en pièce, sans rien toucher, uniquement pour le plaisir de voir de belles choses. Elle s'arrêta dans la porte de la vaste bibliothèque, ébahie par le nombre d'étagères et de livres qu'elle contenait. Sur le bord des fenêtres étaient alignées une multitude de tables de bois où on pouvait lire. L'enfant allait rebrousser chemin lorsqu'elle vit une curieuse petite bête rouge se faufiler derrière une armoire.

– Les chats ne sont pas rouges, raisonna Katil.

Elle avait aperçu bien des animaux exotiques au Royaume de Saphir, mais rien qui ressemblait à cette apparition. En digne fille de Chevalier, elle décida de faire une enquête. Elle trottina donc jusqu'à l'armoire et vit qu'elle était décollée du mur. Il y avait suffisamment d'espace pour qu'un chat s'y faufile, mais pas une enfant de son âge. Elle tenta donc de pousser le meuble un peu plus loin, sans succès. Il était bien trop lourd pour elle.

Trop curieuse pour en rester là, Katil alluma ses paumes et éclaira le mur derrière l'armoire. Il y avait un trou de la grosseur d'une des pierres qui composaient le mur.

— Je ne pourrai jamais savoir ce qui se cache là, soupira-t-elle.

La tête d'un petit dragon, bleu cette fois, apparut dans l'ouverture, arrachant un cri de surprise à la fillette.

— Nous ne nous cachons pas, se défendit Ramalocé. Nous sommes discrets.

— Des dragons qui parlent !

— Y en a-t-il qui ne parlent pas ? s'étonna Urulocé en glissant aussi sa tête par le trou.

— Vous êtes combien ?

— Il n'y a que deux sentinelles, jeune dame, l'informa le dragon bleu.

— Êtes-vous nos ennemis ?

— Nous sommes au service du Magicien de Cristal, claironna le dragon rouge.

Cela rassura grandement Katil.

— C'est lui qui vous a demandé de vous dissimuler dans les murs du palais ?

— En fait, non, admit le dragon bleu. Notre caverne a été détruite par d'affreux insectes, alors il nous a trans portés ici.

— Et abandonnés à notre propre sort, semble-t-il, ajouta le dragon rouge.

— Nous nous nourrissons du mieux que nous le pouvons et nous évitons les humains.

— Je crois que j'ai une solution à vous proposer, commença Katil, enchantée. J'habite une ferme non loin d'ici, où il y a de la nourriture en abondance et de l'espace pour courir. J'y vis avec mes parents et notre servante et je m'ennuie beaucoup.

— Comme nous ! s'exclama le dragon bleu. Je suis Ramalocé, à votre service.

— Et moi, Urulocé.

— Je m'appelle Katil. Venez. Je sais comment vous faire sortir d'ici en douce.

Au même moment, dans la cour, plusieurs Chevaliers, ayant besoin de se délier les muscles, s'adonnaient à des jeux d'adresse. Wimme et Kagan avaient rapidement recruté certains de leurs compagnons afin qu'ils s'affrontent au lancer du fer à cheval dans un grand cercle où on avait planté une lance ennemie. Robyn, Rainbow, Keiko, Yamina et Gabrelle avaient accepté avec plaisir de s'amuser avec eux.

Privé de la présence de Dempsey avec qui il adorait parler de politique, Morrison se tenait fièrement auprès de sa nouvelle épouse, Jahonne. Il clamait à qui voulait l'entendre qu'il avait bien hâte de se remettre à forger des fers, des outils et des pentures. Sa fille, Élizabelle, l'écoutait d'une oreille distraite tandis qu'elle surveillait Hawke, qui discutait avec Derek des nombreux bijoux qu'il leur restait encore à trouver sur le territoire des Elfes.

Ne désirant pas se mêler plus qu'il le fallait aux humains, Éliane avait facilement repéré Kardey, Ariane et leur fille Améliane, et s'était empressée de se joindre à eux, au pied des grands arbres qui s'élevaient devant la nouvelle forge de Morrison. Intimidée par la foule et le bruit, la petite Améliane s'était accrochée au capitaine comme une sarigue au ventre de sa mère. Elle ne levait même pas la tête lorsqu'un des camarades d'armes de ses parents les saluaient au passage.

Les invités se mirent bientôt à danser la farandole, entraînant dans leur sillage la majorité des jeunes Chevaliers de l'Ordre. Liam prit Mali par le bras pour l'inciter à le suivre, ce qu'elle ne fit que pour lui faire plaisir. Elle ne connaissait rien aux us et coutumes de ces hommes, mais entendait se renseigner dès qu'elle se retrouverait seule avec Liam. Proka et Broderika, les filles de Bergeau, se joignirent à eux. Le Prince Xavier en profita lui aussi pour oublier le décorum et dépenser son énergie. Il incita la Princesse Shenyann à s'ajouter à la file de danseurs qui se déplaçaient en sautant et en se tenant par la main.

Pour certains, cependant, ces réjouissances n'apportaient aucun apaisement. Nogait, qui, habituellement, était le boute-en-train de toutes les fêtes, était assis en retrait et buvait son vin en silence. Amayelle avait en vain tenté de l'attirer dans les jeux d'adresse et la farandole. Le Chevalier avait tout simplement l'âme en peine. Il n'avait retrouvé Sage, son meilleur ami, que pour le voir périr d'une mort atroce sur Irianeth. Rien ne l'égayait, pas même de savoir que Kevin était en route pour Émeraude.

Pour une raison qui échappait à Bridgess, Jenifael était dans le même état que Nogait. La mine assombrie, elle ne voulait ni manger, ni boire, ni danser. Elle était assise sur le bord du puits, là où sa mère avait passé les moments les plus bouleversants de sa vie.

— Ton père ne serait pas content de te voir bouder dans ton coin, la piqua Bridgess.

— Il n'est plus là pour me guider.

— Sa mort est-elle la seule responsable de ton humeur ?

— Je veux qu'on me laisse tranquille, se hérissa la jeune déesse.

Avant que Bridgess ne puisse l'arrêter, Jenifael courut se réfugier dans l'écurie. « Peut-être Swan sait-elle quelque chose ? » se demanda-t-elle. Elle traversa l'assemblée en liesse pour s'approcher du porche du palais, où Onyx était assis avec les Rois de Perle, de Diamant, de Jade et d'Opale et son ami l'ancien Roi d'Argent. Le petit Maximilien dormait contre la poitrine de son père, heureux de ravoir ses deux parents. Hadrian menait la conversation d'une main de maître, permettant à chacun d'exprimer son opinion sur la reconstruction des royaumes touchés par la guerre. Quant à Onyx, il écoutait poliment les propos de ses pairs, mais sans vraiment s'y intéresser. Debout derrière lui, Swan surveillait discrètement son état de santé. Dur pour son corps, Onyx avait encore une fois sous-estimé la profondeur de son mal. Lorsque Swan vit s'approcher Bridgess, elle en profita pour prendre une pause.

– Est-ce que tu tiens le coup ? demanda celle qui ne voulait pas être reine.

– De mieux en mieux, mais je ne peux pas en dire autant pour ma fille. Depuis notre retour, je la surprends souvent à pleurer et elle refuse de me dire ce qu'elle a.

– À mon avis, c'est une peine d'amour.

Bridgess pensa qu'il s'agissait peut-être de la soudaine attirance de Liam pour la jeune Enkiev qu'il avait ramenée avec lui de la Forêt interdite.

– Laisse-la démêler ses sentiments, lui recommanda Swan. Lorsqu'elle aura besoin d'en parler, je suis persuadée que c'est à toi qu'elle se confiera.

Sur la passerelle de la forteresse, l'Immortel Danalieth se tenait immobile, comme un aigle veillant sur sa progéniture. Il suivait des yeux sa fille Dinath, qui avait passé un moment en compagnie de sa sœur, mais qui s'était ensuite mise à errer sans but dans la foule. Le Magicien de Cristal apparut alors près de lui.

– Vous avez bien meilleure mine, mon cher Abnar, le taquina l'aîné.

– Il s'en est fallu de peu que je ne me remette jamais de ce sortilège.

– Fort heureusement, la mort du sorcier et la destruction du bijou vous en ont définitivement libéré. Avez-vous l'intention de vous amuser un peu, ce soir ?

Abnar ouvrit la bouche pour répondre, mais aperçut en même temps la jeune femme qui venait d'apparaître au balcon des appartements royaux. Ses cheveux rose tendre volaient au vent tandis qu'elle jetait un coup d'œil inquiet au rassemblement à ses pieds.

– Allez donc la rejoindre, Abnar.

– Je voulais d'abord vous entretenir du cœur brisé d'un jeune Immortel que nous connaissons bien tous les deux.

– Je pensais justement à lui, avoua Danalieth. Pourquoi ne se joint-il pas à nous ?

– Il observe la fête à partir de l'étang des révélations, aux côtés de son père qui s'entête à ne pas se rendre sur les grandes plaines de lumière.

– En d'autres mots, il se morfond, tout comme Dinath. Faites-moi plaisir et ne suivez pas son exemple.

S'il avait pu rougir, Abnar l'aurait fait. Il se courba respectueusement devant cet Immortel, qu'il avait appris à mieux connaître, et se dématérialisa. Une seconde plus tard, il reprenait forme sur le balcon du palais, faisant sursauter Myrialuna.

– Pardonnez-moi, je ne voulais pas vous effrayer.

– Je vous en prie, ce n'est rien. Je suis contente que vous soyez là, ce soir.

– Pourquoi êtes-vous à l'intérieur alors que tout le monde a le cœur à la fête ?

– Je ne saurais pas quoi faire si j'étais en bas avec eux.

Abnar prit sa main et la transporta magiquement au milieu des danseurs.

– Il n'est jamais trop tard pour apprendre, lui dit-il en s'accrochant à la farandole, surprenant tout le monde.

Celle qui souffrait le plus, en cette belle soirée de joie collective, c'était, sans conteste, Kira. Les derniers événements éprouvants avaient eu raison de ses forces. Les souvenirs de l'enlèvement de Sage qu'elle avait cru mort, de son emprisonnement dans le passé, de la destruction des dragons d'Enkidiev, de sa séparation d'avec Lazuli, de sa propre mort, de ses courtes retrouvailles avec Sage et de la destruction de l'empereur tournaient dans sa tête sans lui donner le moindre répit. Le vague à l'âme, elle s'était réfugiée dans ses anciens appartements du palais. Maintenant que son protecteur le Roi Émeraude Ier était mort et qu'elle avait abdiqué la couronne, il lui faudrait trouver un autre toit. Ce château appartenait désormais au Roi Onyx et à sa famille.

C'est assise dans un coin de la chambre que Lassa la trouva vers la fin de la soirée. Il avait ressenti sa tristesse de loin, ce qui l'avait amené à quitter la fête pour tenter de réconforter son amie mauve. Il s'accroupit devant elle, découragé de la voir dans un tel état.

– Dis-moi comment je pourrais te faire sourire, Kira ?

– Je n'en ai plus envie...

– Liam m'a raconté ce qui est arrivé à Sage.

Kira éclata en sanglots et cacha son visage dans ses mains.

— Tu sais depuis longtemps que mon cœur t'appartient, continua Lassa pour tenter de la consoler. Non seulement je suis en âge de me marier, mais j'ai beaucoup mûri ces derniers mois. En fait, ce que j'essaie de te dire, c'est que je sens la vie qui se développe en toi. J'ignore qui est le père de cet enfant, mais je me doute bien qu'il ne sera pas là pour le voir naître.

Ses paroles n'eurent pas pour effet d'adoucir la peine de la Sholienne.

— Si tu le veux bien, j'aimerais t'aider à l'élever.

Voyant que Kira ne réagissait pas à ses paroles, Lassa décrocha ses doigts un à un de son visage baigné de larmes.

— Je n'ai certainement pas le courage de Sage, mais...

— Ne dis pas ça, gémit la guerrière.

— J'ai d'autres belles qualités, tu sais. Je sais que je ferais un bon père. Et puis, je t'aime comme un fou depuis aussi loin que je puisse me souvenir.

— Mon père était un ignoble scarabée, Lassa, alors rien ne m'assure que l'enfant que je porte n'en sera pas un, lui aussi. Je suis terrifiée à l'idée de donner naissance à un monstre.

Lassa l'attira dans ses bras et la serra avec amour.

— Je sens ta terreur et ta confusion et elles font saigner mon cœur. Laisse-moi prendre soin de toi, ce soir.

— Je ne veux pas me mêler à ces gens...

– Je ne te le demande pas, non plus. Je vais plutôt te réciter des poèmes et te chanter des chansons jusqu'à ce que tu acceptes de m'épouser.

Son entêtement arracha un sourire à la Sholienne.

– Qu'est-ce que tu en dis ? la pressa Lassa.

– Je n'accepterai de devenir ta femme qu'à une seule condition.

– Nomme-la ! se réjouit-il.

– Le jour de mon accouchement, si je mets par malheur au monde une copie conforme de l'empereur, tu dois me jurer de l'empêcher de prendre son premier souffle.

Il s'agissait là d'une terrible promesse pour un jeune homme aussi respectueux de la vie. Cependant, il pensa que la Sholienne avait vécu de dures épreuves et que les prochaines semaines de paix finiraient par lui rendre sa raison.

– J'accepte, décida-t-il.

Ils entendirent alors une grande clameur dans la cour.

– Ne bouge pas, fit Lassa, inquiet. Je vais aller voir de quoi il s'agit.

Il s'approcha de la fenêtre et vit la foule acclamer quatre personnes qui venaient de traverser le pont-levis. Un large sourire fendit le visage du Chevalier.

– C'est Kevin ! s'exclama-t-il. Il est de retour !

Leur nature tenace avait poussé Bailey et Volpel à se mettre à la recherche du Zénorois tout de suite après l'extermination des papillons de nuit. Après une courte visite à Irianeth grâce à la magie de Danalieth, les deux Chevaliers étaient revenus à Zénor, où ils l'avaient finalement retrouvé dans les bras de Maïwen. La Fée l'avait gardé pour elle encore quelques jours avant de se décider à rentrer au bercail, car le peuple voulait connaître ses héros. « Kevin le mérite bien », avait-elle finalement convenu.

Le couple était maintenant bloqué dans la porte par la foule en liesse. Kevin tenait son épouse par la main et acceptait gracieusement toutes les félicitations des Chevaliers et des paysans, car la nouvelle leur était parvenue que c'était lui qui les avait finalement débarrassés d'Asbeth. À leurs côtés, Volpel et Bailey semblaient chercher quelqu'un du regard. Ce dernier tenait dans les bras un petit sac de jute qui commençait à se débattre.

– Il est par là, indiqua Volpel.

Il entraîna son ami à travers la cohue et tous deux s'arrêtèrent devant Nartrach.

– Nous avons quelque chose pour toi, annonça fièrement Bailey.

– Pour moi ? s'étonna le garçon.

– Dans tout le royaume, il n'y a que toi qui puisses vraiment t'en occuper, assura Volpel.

Bailey détacha la corde qui tenait le sac bien fermé. La tête d'un bébé dragon tout rouge en émergea aussitôt.

– C'est pour moi ? répéta Nartrach, incrédule. Comment s'appelle-t-il ?

– Nous n'en savons rien, s'excusa Bailey. Ce sera à toi de lui donner un nom.

– Moi, je suggérerais Capéré, car il n'a pas été facile à attraper, ajouta Volpel.

– Merci ! Je n'oublierai jamais ce présent ! Mais ma mère va vous tuer.

Bailey éclata de rire. Il déposa le sac dans les bras de l'enfant et lui ébouriffa les cheveux.

Au même moment, dans le monde des dieux, Dylan observait les festivités sur la mare magique, en compagnie de Wellan, qui n'était plus que l'ombre de lui-même. Aussi têtu dans la mort que dans la vie, le grand Chevalier continuait de refuser son salut éternel.

– Ils ont gagné la guerre, que voulez-vous de plus ? s'impatienta son fils immortel.

– Je les ai laissés tomber.

– On ne vous en a pas vraiment donné le choix. Comment est-ce votre faute ?

Dylan ressentit l'approche de sa protectrice avant même de la voir. Theandras avança sur le sentier de petits cailloux blancs en observant le curieux duo assis près de l'étang.

– Wellan, il est temps, lui dit-elle en lui tendant la main.

— Malgré tout le respect que je vous dois, déesse, répliqua le Chevalier, je suis le seul juge de mes mérites.

— Tu es bien téméraire de tenir un tel discours à une divinité.

— Je n'ai pas peur de mes convictions.

Theandras promena son regard enflammé du père au fils.

— Vous êtes si semblables et si différents à la fois, mais vous désirez exactement la même chose. Après en avoir délibéré avec Parandar et Fan, voici ce qu'il m'est possible de faire. Dylan. J'exaucerai ton vœu le plus cher. Dis-moi ce que tu désires.

— Je veux redevenir humain, comme je l'étais sous l'emprise du sort d'Akuretari.

L'Immortel disparut sur-le-champ.

— Ai-je vraiment besoin de vous dire ce que je veux ? soupira Wellan.

— Dans ton cas, il m'a fallu faire preuve d'un peu plus de créativité.

Le grand chef s'effaça à son tour. Satisfaite, la déesse de Rubis regagna sa propre rotonde, afin de voir comment se comporteraient ses deux préférés.

Lassa avait finalement convaincu Kira que son ancien lit serait plus confortable que le plancher de sa chambre. Il l'avait donc tirée jusqu'au moelleux matelas et l'avait serrée contre lui jusqu'à ce qu'elle s'endorme. Malgré le tumulte dans la cour, le jeune Chevalier était si rompu de fatigue qu'il imita bientôt sa compagne.

Les derniers convives venaient à peine de quitter le château, aux premières lueurs de l'aube, lorsque Kira ressentit une première contraction. Elle se redressa vivement, faisant tressaillir Lassa.

– Que se passe-t-il ? s'alarma-t-il.

– C'est une étrange crampe dans mon ventre. J'ai ressenti la même chose à Zénor, lorsque Lazuli...

Elle poussa un gémissement sourd lorsqu'une deuxième douleur l'assaillit.

– Es-tu sur le point d'enfanter ?

– Comment le saurais-je ? Je n'ai jamais eu de bébés !

– Je vais aller chercher Armène.

Lassa sauta du lit et sortit de la chambre en courant. La tour de la gouvernante était à l'autre bout du château ! « Et si tout se passait avant qu'elle n'arrive ? » s'énerva Kira. Certaines de ses sœurs d'armes avaient eu des enfants, mais elles ne lui avaient jamais raconté leur accouchement. Le seul dont elle avait le souvenir était celui de Wanda, ce qui n'était pas très encourageant.

Kira se coucha sur le dos et remarqua que son ventre était gonflé comme un ballon. « Mais je n'étais pas ainsi avant de m'endormir ! s'alarma-t-elle. Je suis certaine que quelque chose ne tourne pas rond ! » Elle éprouva une dizaine de contractions avant que n'arrive sa sage-femme. Armène se hâta auprès d'elle, avec un sourire rassurant. Lassa, lui, était blanc comme un fantôme, car si un monstre devait sortir du corps de sa future épouse, il serait forcé de le tuer.

– Tout va très bien aller, ma chérie, l'apaisa Armène. Tu aurais dû nous dire que ta grossesse était si avancée.

– Mais elle ne l'était pas !

Armène mit cette réponse sur le compte du manque d'informations de sa protégée à ce sujet.

– Combien de temps une femme doit-elle attendre avant d'évacuer son bébé ?

– Évacuer ? se scandalisa la gouvernante. La naissance est douloureuse pour une maman, mais elle crée également entre elle et son petit un lien que rien au monde ne peut détruire.

Voyant que la période entre les contractions était de plus en plus courte, Armène se prépara à recevoir l'enfant qui aurait pu régner sur ce royaume. Kira perdit alors ses eaux. Elle planta toutes ses griffes dans le matelas, en proie à une indicible frayeur.

– Lassa, si tu as des pouvoirs magiques, ce serait le moment de les utiliser, lui conseilla Armène.

Il plaça les mains sur les tempes de la femme mauve, lui procurant instantanément un profond soulagement.

– Je vois la tête, annonça fièrement Armène.

Lassa faillit s'évanouir.

– Pousse, mon trésor.

– Mais comment ?

– Comme si tu voulais « évacuer » ton bébé.

Kira serra les dents et se contracta de toutes ses forces.

– Ça y est presque... Encore une fois.

La poussée suivante éjecta l'enfant d'un seul coup. Il se mit aussitôt à pleurer à pleins poumons.

– C'est un garçon.

Armène coupa le cordon ombilical, nettoya le poupon et voulut l'emmailloter.

– Je veux le voir en entier ! s'écria Kira, encore haletante.

La gouvernante le lui apporta pendant que Lassa l'aidait à s'asseoir. Elle le déposa dans les bras de la nouvelle maman stupéfaite. Le poupon était blanc et humain, mais ses petites oreilles étaient pointues. Ses yeux intensément bleus la fixaient avec insistance.

– Wellan ? s'étonna la Sholienne.

– Quelle magnifique idée ! s'égaya Lassa, qui reprenait des couleurs. Nous l'appellerons ainsi en l'honneur de notre grand chef.

Kira fut incapable de lui expliquer que ce n'était pas pour cela qu'elle avait prononcé le nom de l'ancien commandant, mais parce que c'était bel et bien son énergie qu'elle détectait dans le petit garçon.

– Cette fois, mon cher Wellan, tu auras affaire à moi..., chuchota-t-elle.

DU MÊME AUTEUR

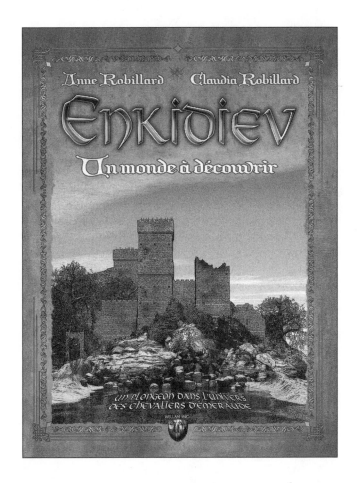

L'encyclopédie sur l'univers des Chevaliers d'Émeraude